U0889656

《诗词大赛系列宝典》丛书

飞花令

谢兆文　杨秀芳
◆ 编著 ◆

海峡出版发行集团
海峡文艺出版社

编委会

前言

文化是民族的血脉，是人民的精神家园。2017年，党的十九大指出：“要坚定文化自信，推动社会主义文化繁荣兴盛。”2017年，中共中央办公厅、国务院办公厅印发的《关于实施中华优秀传统文化传承发展工程的意见》指示：“组织实施中华经典诵读工程，通过开展经典诵读、书写、讲解等文化实践活动，挖掘与诠释中华经典文化的内涵及现实意义，引领社会大众特别是广大青少年更好地熟悉诗词歌赋、亲近中华经典，更加广泛深入地领悟中华思想理念、传承中华传统美德、弘扬中华人文精神。”

2016年以来，教育部、国家语委联合中央电视台相继举办了四届《中国诗词大会》，并在中央电视台综合频道黄金时段播出。尤其在第二届以后，活动内容逐渐升级，增设了“飞花令”“诗词接龙”等富有知识性的对抗环节。创新的方法手段，激发了全社会对古诗词情感的共鸣，使广大群众特别是广大青少年进一步熟悉诗词歌赋、亲近中华经典。

今天走进中小学校，时常会看到学生利用课余时间开展“飞花令”“诗词接龙”等文学活动。为此，一线教师迫切需要一套“接地气”的有关用书，方便指导学生阅读，提高学生古诗词的阅读量。中华诗词浩如烟海，如在唐宋诗词经典版本中，含有“人”字的就多达5万多句；在宋词中“东风”一词就有1300多句。这些名句若一一列举，既不可能，也不现实。为此，我们尝试通过“举隅”的方式精选其中一二，编写一套诗词“飞花令”“超级飞花令”“成语飞花令”与“诗词接龙”系列丛书，让诗词爱好者通过阅读，力求达到“举一反三”，拓宽视野。

福建省宁德市教育局曾根据中央电视台播出的《中国诗词大会》题库，组织人员认真研究，结合中小学实际，编写了一套诗词大会辅导资料，从2017年开始供本市中小学内部使用；2018年又把它作为宁德市学生参加中央电视台第四届《中国诗词大会》“百人团”选手的辅导资料，颇有成效。2019年初，中央电视台第四届《中国诗词大会》节目播出后，有关负责同志再一次组织人员对该资料进行归类整理，并邀请福建、浙江、广东、湖北、江苏、河北、广西、重庆、新疆、山东和宁夏11个省/自治区的一线中小学教师进行充实完善，形成今天这套用书。在编写过程中，我们力求做好以下几个方面：

第一，关于寻章摘句。突出“两个重点”，兼顾“唐前宋后”。“两个重点”，即以中小学生新课标规定必背的古诗词和唐宋诗词为重点。“唐前”主要指《诗经》《楚辞》、汉魏六朝诗；“宋后”主要指元明清和少量的现代人创作的旧体诗。现代诗中毛泽东作品占有较大比例。

第二，关于“飞花令”。借鉴中央电视台第四届《中国诗词大会》“横扫千军”的模式，利用大数据库，选择唐宋诗词高频字200多个，每个高频字后列举的诗词不少于24句，与会选手只要掌握24句诗词就能够“绝地反击”。编入书中的诗句尽量避开艰深晦涩的语言，力求采用比较浅易的名篇名句。如“春风又绿江南岸，明月何时照我还”，就包含了“春”“月”“绿”“春风”“明月”这些高频字，在“飞花”时，记住这一句就可以回答不相同的五个高频字“飞花”。

第三，关于“超级飞花令”。“超级飞花令”一书共选择180多个关键词或词组，主要是唐宋诗词，其中包含灵活多样的“组合”，如：春风、杨柳、安能、江上、数字+年、数字+月、数字+花、反义词等，每个关键词后列举不少于24句诗词。为了避免个别关键词重复，有些高频词（或组合）不单独列入，而是采取“包含”列入，如：“去年”这个词，后面列举的诗句均包含“去年今日”。选手只要掌握“去年”词条下的诗句，就一并掌握了含“去”“年”“今”“日”“今日”“去年+今日”这些高频字词的诗句。

第四，关于“成语飞花令”。根据中央电视台第四届《中国诗词大会》“成语飞花令”的规则，只要诗句中有包含成语或含成语多数字的均可“飞花”。我们选择了100多个成语，分布在60篇古诗词中，并以《成语飞花令》单独成册，目的是通过学习这些“成语飞花令”让选手不仅掌握成语，而且理解整首古诗词。为此，我们对每个成语进行释义，对每首古诗词简单赏析。

第五，关于“诗词接龙”。根据中央电视台第四届《中国诗词大会》“诗词接龙”的规则，只要同音字均可接龙，我们根据商务印书馆出版的《古代汉语词典》（第二版）和《现代汉语词典》（第7版）音节表，每个音节下面收录1至10不等的诗词句，选手只要掌握该音节下一句古诗词，就可以无障碍接龙。但我们在诗词经典诗句收录过程中，发现1300多个音节中有30多个无该音节冠顶句。如：chào（仯）、chuái（膗）、dáo（捯）、dèn（扽）、diǎo（扚）、diū（丢）、ēng（鞥）、gùn（棍）等，这些在诗词中无冠顶句的音节不再列入。有些冠顶字整句紧承上句，缺上句难以理解。对这类情况，采取上文加括号予以补足。如以“棒”冠顶的“棒喝如今总不亲”，为了便于理解，必须引录上文“思量何物堪酬对”，并以括号标明。

由于缺乏编辑经验并限于水平，本书必有许多疏漏之处，恳请专家、学者、老师和广大读者批评指正。

编者

2019年4月

目录

A

爱

结发为夫妻，恩爱两不疑。——汉·苏武《留别妻》

众鸟欣有托，吾亦爱吾庐。——晋·陶渊明《读山海经》

少无适俗韵，性本爱丘山。——晋·陶渊明《归园田居》

吾爱孟夫子，风流天下闻。——唐·李白《赠孟浩然》

宠极爱还歇，妒深情却疏。——唐·李白《妾薄命》

此行不为鲈鱼鲙，自爱名山入剡中。——唐·李白《秋下荆门》

不是爱花即肯死，只恐花尽老相催。——唐·杜甫《江畔独步寻花》

桃花一簇开无主，可爱深红爱浅红。——唐·杜甫《江畔独步寻花》

苏晋长斋绣佛前，醉中往往爱逃禅。——唐·杜甫《饮中八仙歌》

最爱湖东行不足，绿杨阴里白沙堤。——唐·白居易《钱塘湖春行》

但爱臧生能诈圣，可知宁子解佯愚。——唐·白居易《放言》

一种爱鱼心各异，我来施食尔垂钩。——唐·白居易《观游鱼》

不是花中偏爱菊，此花开尽更无花。——唐·元稹《菊花》

停车坐爱枫林晚，霜叶红于二月花。——唐·杜牧《山行》

愁怜粉艳飘歌席，静爱寒香扑酒樽。——唐·罗隐《梅花》

江上往来人，但爱鲈鱼美。——宋·范仲淹《江上渔者》

可爱一天风物，遍倚阑干十二，宇宙若萍浮。——宋·米芾《水调歌头·中秋》

东君也不爱惜，雪压风欺。——宋·晁冲之《汉宫春·梅》

纵爱惜，不知从此，留得几多时。——宋·李清照《多丽·咏白菊》

泉眼无声惜细流，树阴照水爱晴柔。——宋·杨万里《小池》

少年不识愁滋味，爱上层楼。——宋·辛弃疾《丑奴儿·书博山道中壁》

爱惜芳心莫轻吐，且教桃李闹春风。——金·元好问《同儿辈赋未开海棠》

非关癖爱轻模样，冷处偏佳。——清·纳兰性德《采桑子·塞上咏雪花》

爱子心无尽，归家喜及辰。——清·蒋士铨《岁暮到家》

中华儿女多奇志，不爱红装爱武装。——现代·毛泽东《七绝·为女民兵题照》

安

道路阻且长，会面安可知。——汉·佚名《古诗十九首·行行重行行》

弃身锋刃端，性命安可怀？——三国魏·曹植《白马篇》

朔方烽火照甘泉，长安飞将出祁连。——隋·卢思道《从军行》

羿昔落九乌，天人清且安。——唐·李白《古朗月行》

蓬莱文章建安骨，中间小谢又清发。——唐·李白《宣州谢朓楼饯别校书叔云》

安得倚天剑，跨海斩长鲸。——唐·李白《临江王节士歌》

安能摧眉折腰事权贵，使我不得开心颜！——唐·李白《梦游天姥吟留别》

安得壮士挽天河，净洗甲兵长不用。——唐·杜甫《洗兵马》

遥怜小儿女，未解忆长安。——唐·杜甫《月夜》

青溪先有蛟龙窟，竹石如山不敢安。——唐·杜甫《绝句》

马上相逢无纸笔，凭君传语报平安。——唐·岑参《逢入京使》

春风得意马蹄疾，一日看尽长安花。——唐·孟郊《登科后》

靖安宅里当窗柳，望驿台前扑地花。——唐·白居易《望驿台》

书史足自悦，安用勤与劬。——唐·柳宗元《读书》

长安回望绣成堆，山顶千门次第开。——唐·杜牧《过华清宫绝句》

长安有贫者，为瑞不宜多。——唐·罗隐《雪》

由来犬羊著冠坐庙堂，安得四鄙无豺狼。——宋·王安石《开元行》

世俗安得知，眷眷不忍决。——宋·苏轼《屈原塔》

多少长安名利客，机关用尽不如君。——宋·黄庭坚《牧童诗》

家住吴门，久作长安旅。——宋·周邦彦《苏幕遮》

欲舒老眼无高处，安得元龙百尺楼。——宋·陆游《秋思》

万里腥膻如许，千古英灵安在，磅礴几时通。——宋·陈亮《水调歌头·送章德茂大卿使虏》

哀哉沮洳场，为我安乐国。——宋·文天祥《正气歌》

当其贯日月，生死安足论。——宋·文天祥《正气歌》

亦知无住著，随处得安心。——元·傅若金《送云闲师游浙》

最是诗人安稳处，一编文字一炉香。——明·唐寅《题画》

千红万紫安排著，只待新雷第一声。——清·张维屏《新雷》

命令昨颁，十万工农下吉安。——现代·毛泽东《减字木兰花·广昌路上》

安得倚天抽宝剑，把汝裁为三截？一截遗欧，一截赠美，一截还东国。太平世界，环球同此凉热。——现代·毛泽东《念奴娇·昆仑》

B

白

妾不堪驱使，徒留无所施。便可白公姥，及时相遣归。——汉《乐府歌·孔雀东南飞》

白骨露于野，千里无鸡鸣。——三国魏·曹操《蒿里行》

白云一片去悠悠，青枫浦上不胜愁。——唐·张若虚《春江花月夜》

白日依山尽，黄河入海流。——唐·王之涣《登鹳雀楼》

黄河远上白云间，一片孤城万仞山。——唐·王之涣《凉州词》

小时不识月，呼作白玉盘。——唐·李白《古朗月行》

朝辞白帝彩云间，千里江陵一日还。——唐·李白《早发白帝城》

李白乘舟将欲行，忽闻岸上踏歌声。——唐·李白《赠汪伦》

青山横北郭，白水绕东城。——唐·李白《送友人》

黄鹤一去不复返，白云千载空悠悠。——唐·崔颢《黄鹤楼》

登高望天山，白云正崔巍。——唐·颜真卿《赠裴将军》

露从今夜白，月是故乡明。——唐·杜甫《月夜忆舍弟》

白头搔更短，浑欲不胜簪。——唐·杜甫《春望》

风急天高猿啸哀，渚清沙白鸟飞回。——唐·杜甫《登高》

白日放歌须纵酒，青春作伴好还乡。——唐·杜甫《闻官军收河南河北》

两个黄鹂鸣翠柳，一行白鹭上青天。——唐·杜甫《绝句》

北风卷地白草折，胡天八月即飞雪。——唐·岑参《白雪歌送武判官归京》

西塞山前白鹭飞，桃花流水鳜鱼肥。——唐·张志和《渔歌子》

最爱湖东行不足，绿杨阴里白沙堤。——唐·白居易《钱塘湖春行》

遥望洞庭山水翠，白银盘里一青螺。——唐·刘禹锡《望洞庭》

黑云翻墨未遮山，白雨跳珠乱入船。——宋·苏轼《六月二十七日望湖楼醉书》

莫等闲，白了少年头，空悲切。——宋·岳飞《满江红·写怀》

醉里吴音相媚好，白发谁家翁媪。——宋·辛弃疾《清平乐·村居》
绿遍山原白满川，子规声里雨如烟。——宋·翁卷《乡村四月》
梅须逊雪三分白，雪却输梅一段香。——宋·卢梅坡《雪梅》
粉骨碎身全不怕，要留清白在人间。——明·于谦《石灰吟》
漫天皆白，雪里行军情更迫。——现代·毛泽东《减字木兰花·广昌路上》

别

余既不难夫离别兮，伤灵修之数化。——战国·屈原《离骚》
生人作死别，恨恨那可论？——汉《乐府歌·孔雀东南飞》
别有千金笑，来映九枝前。——唐·卢照邻《十五夜观灯》
与君离别意，同是宦游人。——唐·王勃《送杜少府之任蜀州》
离别家乡岁月多，近来人事半消磨。——唐·贺知章《回乡偶书》
近来攀折苦，应为别离多。——唐·王之涣《送别》
此地一为别，孤蓬万里征。——唐·李白《送友人》
天明登前途，独与老翁别。——唐·杜甫《石壕吏》
感时花溅泪，恨别鸟惊心。——唐·杜甫《春望》
又送王孙去，萋萋满别情。——唐·白居易《赋得古原草送别》

南浦凄凄别，西风袅袅秋。——唐·白居易《南浦别》
醉不成欢惨将别，别时茫茫江浸月。——唐·白居易《琵琶行》
别有幽愁暗恨生，此时无声胜有声。——唐·白居易《琵琶行》
含情凝睇谢君王，一别音容两渺茫。——唐·白居易《长恨歌》
悠悠生死别经年，魂魄不曾来入梦。——唐·白居易《长恨歌》
棠梨花映白杨树，尽是死生别离处。——唐·白居易《寒食野望吟》
相见时难别亦难，东风无力百花残。——唐·李商隐《无题》
独自莫凭栏，无限江山，别时容易见时难。——五代·李煜《浪淘沙令·帘外雨

潺潺》

多情自古伤离别，更那堪，冷落清秋节。——宋·柳永《雨霖铃·寒蝉凄切》

不应有恨，何事长向别时圆。——宋·苏轼《水调歌头·明月几时有》

接天莲叶无穷碧，映日荷花别样红。——宋·杨万里《晓出净慈寺送林子方》

明月别枝惊鹊，清风半夜鸣蝉。——宋·辛弃疾《西江月·夜行黄沙道中》

欢乐趣，离别苦，就中更有痴儿女。——金·元好问《摸鱼儿·雁丘词》

金鞍玉勒寻芳客，未信我庐别有春。——明·于谦《观书》

别梦依稀咒逝川，故园三十二年前。——现代·毛泽东《七律·到韶山》

北

鱼戏莲叶东，鱼戏莲叶西，鱼戏莲叶南，鱼戏莲叶北。——汉《乐府歌·江南》

羽檄从北来，厉马登高堤。——三国魏·曹植《白马篇》

东市买骏马，西市买鞍鞯，南市买辔头，北市买长鞭。——北朝《民歌·木兰诗》

人情已厌南中苦，鸿雁那从北地来。——唐·王勃《蜀中九日》

单于北望拂云堆，杀马登坛祭几回。——唐·王之涣《凉州词》

木落雁南度，北风江上寒。——唐·孟浩然《早寒江上有怀》

青山横北郭，白水绕东城。——唐·李白《送友人》

千里黄云白日曛，北风吹雁雪纷纷。——唐·高适《别董大》

戎马关山北，凭轩涕泗流。——唐·杜甫《登岳阳楼》

剑外忽传收蓟北，初闻涕泪满衣裳。——唐·杜甫《闻官军收河南河北》

北风卷地白草折，胡天八月即飞雪。——唐·岑参《白雪歌送武判官归京》

更深月色半人家，北斗阑干南斗斜。——唐·刘方平《月夜》

孤山寺北贾亭西，水面初平云脚低。——唐·白居易《钱塘湖春行》

手把文书口称敕，回车叱牛牵向北。——唐·白居易《卖炭翁》

会挽雕弓如满月，西北望，射天狼。——宋·苏轼《江城子·密州出猎》

王师北定中原日，家祭无忘告乃翁。——宋·陆游《示儿》

早岁那知世事艰，中原北望气如山。——宋·陆游《书愤》

楚囚缨其冠，传车送穷北。——宋·文天祥《正气歌》

元嘉草草，封狼居胥，赢得仓皇北顾。——宋·辛弃疾《永遇乐·京口北固亭怀古》

西北望长安，可怜无数山。——宋·辛弃疾《菩萨蛮·书江西造口壁》

宁可枝头抱香死，何曾吹落北风中。——宋·郑思肖《寒菊》

天南地北双飞客，老翅几回寒暑。——金·元好问《摸鱼儿·雁丘词》

村北村南布谷忙，村前村后稻花香。——明·方向《咏儋耳》

千磨万击还坚劲，任尔东西南北风。——清·郑板桥《竹石》

北国风光，千里冰封，万里雪飘。——现代·毛泽东《沁园春·雪》

独立寒秋，湘江北去，橘子洲头。——现代·毛泽东《沁园春·长沙》

边

边城多警急，虏骑数迁移。——三国魏·曹植《白马篇》

塘边草杂红，树际花犹白。——南朝·谢朓《送江水曹还远馆》

边庭节物与华异，冬霰秋霜春不歇。——隋·卢思道《从军行》

绿树村边合，青山郭外斜。——唐·孟浩然《过故人庄》

坐看今夜关山月，思杀边城游侠儿。——唐·孟浩然《凉州词》

撩乱边愁听不尽，高高秋月照长城。——唐·王昌龄《从军行》

单车欲问边，属国过居延。——唐·王维《使至塞上》

孰知不向边庭苦，纵死犹闻侠骨香。——唐·王维《少年行》

相逢意气为君饮，系马高楼垂柳边。——唐·王维《少年行》

戍客望边色，思归多苦颜。——唐·李白《关山月》

两岸青山相对出，孤帆一片日边来。——唐·李白《望天门山》
别时提剑救边去，遗此虎文金鞞靫。——唐·李白《北风行》
青枫江上秋帆远，白帝城边古木疏。——唐·高适《送李少府贬峡中王少府贬长沙》
山川萧条极边土，胡骑凭陵杂风雨。——唐·高适《燕歌行》
戍鼓断人行，秋边一雁声。——唐·杜甫《月夜忆舍弟》
无边落木萧萧下，不尽长江滚滚来。——唐·杜甫《登高》
江上小堂巢翡翠，花边高冢卧麒麟。——唐·杜甫《曲江》
去时里正与裹头，归来头白还戍边。——唐·杜甫《兵车行》
近种篱边菊，秋来未著花。——唐·皎然《寻陆鸿渐不遇》
独怜幽草涧边生，上有黄鹂深树鸣。——唐·韦应物《滁州西涧》

风回云断雨初晴，返照湖边暖复明。——唐·白居易《南湖早春》
鸟宿池边树，僧敲月下门。——唐·贾岛《题李凝幽居》
秋丛绕舍似陶家，遍绕篱边日渐斜。——唐·元稹《菊花》
雨昏青草湖边过，花落黄陵庙里啼。——唐·郑谷《鹧鸪》
自在飞花轻似梦，无边丝雨细如愁。——宋·秦观《浣溪沙·漠漠轻寒上小楼》
山边幽谷水边村，曾被疏花断客魂。——宋·张嵲《墨梅》
驿外断桥边，寂寞开无主。——宋·陆游《卜算子·咏梅》
胜日寻芳泗水滨，无边光景一时新。——宋·朱熹《春日》
念桥边红药，年年知为谁生。——宋·姜夔《扬州慢·淮左名都》
姹女聚柴薪焰畔，婴儿弄水旧池边。——元·王哲《得道阳》

抱膝长吟罢，天边日又斜。——元·王冕《村居》
水底鱼龙惊静夜，天边牛斗转深更。——清·沈德潜《夜月渡江》
樱花红陌上，柳叶绿池边。——现代·周恩来《春日偶成》
一山飞峙大江边，跃上葱茏四百旋。——现代·毛泽东《七律·登庐山》

波

袅袅兮秋风，洞庭波兮木叶下。——战国·屈原《九歌·湘夫人》

泛楼船兮济汾河，横中流兮扬素波。——汉·刘彻《秋风辞》

秋风萧瑟，洪波涌起。——三国魏·曹操《观沧海》

萧萧哀风逝，淡淡寒波生。——晋·陶渊明《咏荆轲》

泫丛珠缔叶，起溜镜图波。——唐·李世民《咏雨》

滟滟随波千万里，何处春江无月明。——唐·张若虚《春江花月夜》

唯有门前镜湖水，春风不改旧时波。——唐·贺知章《回乡偶书》

稽山罢雾郁嵯峨，镜水无风也自波。——唐·贺知章《采莲曲》

郡邑浮前浦，波澜动远空。——唐·王维《汉江临泛》

桃波一步地，了了语声闻。——唐·李白《秋浦歌》

上有青冥之长天，下有渌水之波澜。——唐·李白《长相思》

水深波浪阔，无使蛟龙得。——唐·杜甫《梦李白》

江湖多风波，舟楫恐失坠。——唐·杜甫《梦李白》

暂时花戴雪，几处叶沉波。——唐·杜甫《蒹葭》

莫怪恩波隔，乘槎与问津。——唐·杜甫《寄李十二白二十韵》

江间波浪兼天涌，塞上风云接地阴。——唐·杜甫《秋兴》

伏波惟愿裹尸还，定远何须生入关。——唐·李益《塞下曲》

梦入神山教神妪，老鱼跳波瘦蛟舞。——唐·李贺《李凭箜篌引》

携盘独出月荒凉，渭城已远波声小。——唐·李贺《金铜仙人辞汉歌》

应为洛神波上袜，至今莲蕊有香尘。——唐·温庭筠《莲花》

风波不信菱枝弱，月露谁教桂叶香。——唐·李商隐《无题》

心关桂玉天难晓，运落风波梦亦惊。——唐·薛逢《长安夜雨》

君看一叶舟，出没风波里。——宋·范仲淹《江上渔者》

人面不知何处，绿波依旧东流。——宋·晏殊《清平乐·红笺小字》

水是眼波横，山是眉峰聚。——宋·王观《卜算子·送鲍浩然之浙东》
无波真古井，有节是秋筠。——宋·苏轼《临江仙·送钱穆父》
莺嘴啄花红溜，燕尾点波绿皱。——宋·秦观《如梦令·春景》
交情得似山溪渡，不管风波去又来。——宋·杨万里《三江小渡》
白头吊古风霜里，老木沧波无限悲。——宋·陈与义《登岳阳楼》
西风吹老洞庭波，一夜湘君白发多。——元·唐温如《题龙阳县青草湖》

滔滔波浪与天浮，钓时认得鱼多处。——元·韩奕《鹊桥仙·渔父词和放翁韵》
小看人间波浪里，不知是水是游鱼。——明·王思任《仰天坪》
乞索生涯寄食身，舟前波浪马前尘。——清·冯班《朝歌旅舍》
洞庭波涌连天雪，长岛人歌动地诗。——现代·毛泽东《七律·答友人》

碧

碧玉小家女，不敢攀贵德。——晋·孙绰《碧玉歌》
碧玉妆成一树高，万条垂下绿丝绦。——唐·贺知章《咏柳》
群峭碧摩天，逍遥不记年。——唐·李白《寻雍尊师隐居》
暮从碧山下，山月随人归。——唐·李白《下终南山过斛斯山人宿置酒》
野竹分青霭，飞泉挂碧峰。——唐·李白《访戴天山道士不遇》
孤帆远影碧空尽，唯见长江天际流。——唐·李白《黄鹤楼送孟浩然之广陵》
天门中断楚江开，碧水东流至此回。——唐·李白《望天门山》
平林漠漠烟如织，寒山一带伤心碧。——唐·李白《平林漠漠烟如织》
闲来垂钓碧溪上，忽复乘舟梦日边。——唐·李白《行路难》
江碧鸟逾白，山青花欲燃。——唐·杜甫《绝句》

映阶碧草自春色，隔叶黄鹂空好音。——唐·杜甫《蜀相》
洛水桥边春日斜，碧流清浅见琼砂。——唐·刘禹锡《浪淘沙》

晴空一鹤排云上，便引诗情到碧霄。——唐·刘禹锡《秋词》
逢郎欲语低头笑，碧玉搔头落水中。——唐·白居易《采莲曲》
碧毯线头抽早稻，青罗裙带展新蒲。——唐·白居易《春题湖上》
上穷碧落下黄泉，两处茫茫皆不见。——唐·白居易《长恨歌》
蜀江水碧蜀山青，圣主朝朝暮暮情。——唐·白居易《长恨歌》
画栏桂树悬秋香，三十六宫土花碧。——唐·李贺《金铜仙人辞汉歌》
五更疏欲断，一树碧无情。——唐·李商隐《蝉》
嫦娥应悔偷灵药，碧海青天夜夜心。——唐·李商隐《嫦娥》

一夕轻雷落万丝，霁光浮瓦碧参差。——宋·秦观《春日》
已恨碧山相阻隔，碧山还被暮云遮。——宋·李觏《乡思》
芳原绿野恣行事，春入遥山碧四围。——宋·程颢《郊行即事》
碧野朱桥当日事，人不见，水空流。——宋·秦观《江城子·西城杨柳弄春柔》
何须浅碧深红色，自是花中第一流。——宋·李清照《鹧鸪天·桂花》
接天莲叶无穷碧，映日荷花别样红。——宋·杨万里《晓出净慈寺送林子方》
故园三径吐幽丛，一夜玄霜坠碧空。——明·唐寅《菊花》
红霞潋滟碧波平，晴色湖光尽不成。——明·唐寅《晴色湖光》
碧血未消今战垒，白头相见旧征衣。——清·顾炎武《酬朱监纪四辅》
浆向蓝桥易乞，药成碧海难奔。——清·纳兰性德《画堂春》

一腔热血勤珍重，洒去犹能化碧涛。——清·秋瑾《对酒》
青松怒向苍天发，败叶纷随碧水驰。——现代·毛泽东《七律·有所思》

不

少壮不努力，老大徒伤悲。——汉《乐府歌·长歌行》
烈士暮年，壮心不已。——三国魏·曹操《龟虽寿》
仓卒骨肉情，能不怀苦辛？——三国魏·曹植《赠白马王彪》

不知江月待何人，但见长江送流水。——唐·张若虚《春江花月夜》

不知细叶谁裁出，二月春风似剪刀。——唐·贺知章《咏柳》

不堪盈手赠，还寝梦佳期。——唐·张九龄《望月怀远》

小时不识月，呼作白玉盘。——唐·李白《古朗月行》

桃花潭水深千尺，不及汪伦送我情。——唐·李白《赠汪伦》

君不见，黄河之水天上来，奔流到海不复回。——唐·李白《将进酒》

白头搔更短，浑欲不胜簪。——唐·杜甫《春望》

无边落木萧萧下，不尽长江滚滚来。——唐·杜甫《登高》

唇焦口燥呼不得，归来倚杖自叹息。——唐·杜甫《茅屋为秋风所破歌》

安得广厦千万间，大庇天下寒士俱欢颜！风雨不动安如山。—— 唐·杜甫《茅屋为秋风所破歌》

山回路转不见君，雪上空留马行处。——唐·岑参《白雪歌送武判官归京》

复恐匆匆说不尽，行人临发又开封。——唐·张籍《秋思》

野火烧不尽，春风吹又生。——唐·白居易《赋得古原草送别》

最爱湖东行不足，绿杨阴里白沙堤。——唐·白居易《钱塘湖春行》

上穷碧落下黄泉，两处茫茫皆不见。——唐·白居易《长恨歌》

商女不知亡国恨，隔江犹唱后庭花。——唐·杜牧《泊秦淮》

小楼昨夜又东风，故国不堪回首月明中。——五代·李煜《虞美人·春花秋月何时了》

横看成岭侧成峰，远近高低各不同。——宋·苏轼《题西林壁》

我欲乘风归去，又恐琼楼玉宇，高处不胜寒。——宋·苏轼《水调歌头·明月几时有》

不知天上宫阙，今夕是何年。——宋·苏轼《水调歌头·明月几时有》

纵使相逢应不识，尘满面，鬓如霜。——宋·苏轼《江城子·乙卯正月二十日夜记梦》

只恐双溪舴艋舟，载不动许多愁。——宋·李清照《武陵春·春晚》

常记溪亭日暮，沉醉不知归路。——宋·李清照《如梦令·常记溪亭日暮》

死去元知万事空，但悲不见九州同。——宋·陆游《示儿》

不羡相如志，无心继伏波。——元·马钰《南柯子》

不以目视以耳听，斋心三日钧天瑟。——清·魏源《天台石梁雨后观瀑歌》

唤起工农千百万，同心干，不周山下红旗乱。——现代·毛泽东《渔家傲·反第一次大“围剿”》

八

驾八龙之婉婉兮，载云旗之委蛇。——战国·屈原《离骚》

桂满三五夕，蓂开二八时。——唐·李峤《月》

凭崖揽八极，目尽长空闲。——唐·李白《游泰山》

八月枚乘笔，三吴张翰杯。——唐·李白《送友人寻越中山水》

尔来四万八千岁，不与秦塞通人烟。——唐·李白《蜀道难》

功盖三分国，名成八阵图。——唐·杜甫《八阵图》

饮酣视八极，俗物都茫茫。——唐·杜甫《壮游》

锦里烟尘外，江村八九家。——唐·杜甫《为农》

四时无失序，八月自知归。——唐·杜甫《归燕》

八月秋高风怒号，卷我屋上三重茅。——唐·杜甫《茅屋为秋风所破歌》

北风卷地白草折，胡天八月即飞雪。——唐·岑参《白雪歌送武判官归京》

八年十二月，五日雪纷纷。——唐·白居易《村居苦寒》

一曲四词歌八叠，从头便是断肠声。——唐·白居易《杂曲歌辞·何满子》

秦王骑虎游八极，剑光照空天自碧。——唐·李贺《秦王饮酒》

南朝四百八十寺，多少楼台烟雨中。——唐·杜牧《江南春·千里莺啼绿映红》

宓妃愁坐芝田馆，用尽陈王八斗才。——唐·李商隐《可叹》

八岁偷照镜，长眉已能画。——唐·李商隐《无题》

行失几席间，恶名满八区。——宋·王安石《寓言》

三十功名尘与土，八千里路云和月。——宋·岳飞《满江红·写怀》

残年登八十，佳日遇重三。——宋·陆游《上巳》

七八个星天外，两三点雨山前。——宋·辛弃疾《西江月·夜行黄沙道中》

八百里分麾下炙，五十弦翻塞外声，沙场秋点兵。——宋·辛弃疾《破阵子·为陈同甫赋壮词以寄之》

峻似吕梁千仞，壮似钱塘八月，直下洗尘寰。——金·元好问《水调歌头·赋三门津》

为君重制清平曲，节奏八风调玉烛。——元·杨维桢《红牙板歌》

桂林山水奇八九，独秀峰尤冠其首。——清·袁枚《独秀峰》

多肉更怜卿八足，助情谁劝我千觞。——清·曹雪芹《螃蟹咏》

坐地日行八万里，巡天遥看一千河。——现代·毛泽东《七律·送瘟神》

C

春

阳春布德泽，万物生光辉。——汉《乐府歌·长歌行》

不知细叶谁裁出，二月春风似剪刀。——唐·贺知章《咏柳》

春眠不觉晓，处处闻啼鸟。——唐·孟浩然《春晓》

红豆生南国，春来发几枝。——唐·王维《相思》

落花满春水，疏柳映新塘。——唐·储光羲《答王十三维》

春风不相识，何事入罗帏？——唐·李白《春思》

长江一帆远，落日五湖春。——唐·刘长卿《饯别五十一南游》

好雨知时节，当春乃发生。——唐·杜甫《春夜喜雨》

国破山河在，城春草木深。——唐·杜甫《春望》

春潮带雨晚来急，野渡无人舟自横。——唐·韦应物《滁州西涧》

谁言寸草心，报得三春晖。——唐·孟郊《游子吟》

诗家清景在新春，绿柳才黄半未匀。——唐·杨巨源《城东早春》

最是一年春好处，绝胜烟柳满皇都。——唐·韩愈《早春呈水部张十八员外》

野火烧不尽，春风吹又生。——唐·白居易《赋得古原草送别》

春种一粒粟，秋收万颗子。——唐·李绅《悯农》

春风贺喜无言语，排比花枝满杏园。——唐·赵嘏《喜张沨及第》

春蚕到死丝方尽，蜡炬成灰泪始干。——唐·李商隐《无题》

春风又绿江南岸，明月何时照我还。——宋·王安石《泊船瓜洲》

春风春雨花经眼，江北江南水拍天。——宋·黄庭坚《次元明韵寄子由》

春路雨添花，花动一山春色。——宋·秦观《好事近》

小楼一夜听春雨，深巷明朝卖杏花。——宋·陆游《临安春雨初霁》

春色满园关不住，一枝红杏出墙来。——宋·叶绍翁《游园不值》

江寒亦未已，好好著春衣。——宋·王安石《寄纯甫》

花底湿春衣，隔坐风轻递。——宋·张元干《卜算子》

春风江上路，不觉到君家。——明·高启《寻胡隐君》

落红不是无情物，化作春泥更护花。——清·龚自珍《己亥杂诗》

一年一度秋风劲，不似春光。胜似春光，寥廓江天万里霜。——现代·毛泽东《采桑子·重阳》

草

树木丛生，百草丰茂。——三国魏·曹操《观沧海》

种豆南山下，草盛豆苗稀。——晋·陶渊明《归园田居》

方宅十余亩，草屋八九间。——晋·陶渊明《归园田居》

花落草齐生，莺飞蝶双戏。——唐·孟浩然《清明即事》

晴川历历汉阳树，芳草萋萋鹦鹉洲。——唐·崔颢《黄鹤楼》

吴宫花草埋幽径，晋代衣冠成古丘。——唐·李白《登金陵凤凰台》

迟日江山丽，春风花草香。——唐·杜甫《绝句》

国破山河在，城春草木深。——唐·杜甫《春望》

映阶碧草自春色，隔叶黄鹂空好音。——唐·杜甫《蜀相》

北风卷地白草折，胡天八月即飞雪。——唐·岑参《白雪歌送武判官归京》

谁言寸草心，报得三春晖。——唐·孟郊《游子吟》

新年都未有芳华，二月初惊见草芽。——唐·韩愈《春雪》

天街小雨润如酥，草色遥看近却无。——唐·韩愈《早春呈水部张十八员外》

离离原上草，一岁一枯荣。——唐·白居易《赋得古原草送别》

西宫南内多秋草，落叶满阶红不扫。——唐·白居易《长恨歌》

乱花渐欲迷人眼，浅草才能没马蹄。——唐·白居易《钱塘湖春行》

蓬头稚子学垂纶，侧坐莓苔草映身。——唐·胡令能《小儿垂钓》

闲居少邻并，草径入荒园。——唐·贾岛《题李凝幽居》
独怜幽草涧边生，上有黄鹂深树鸣。——唐·韦应物《滁州西涧》
别巷寂寥人散后，望残烟草低迷。——五代·李煜《临江仙·樱桃落尽春归去》

山映斜阳天接水，芳草无情，更在斜阳外。——宋·范仲淹《苏幕遮·怀旧》
雷惊天地龙蛇蛰，雨足郊原草木柔。——宋·黄庭坚《清明》
半盏屠苏犹未举，灯前小草写桃符。——宋·陆游《除夜雪》
茅檐低小，溪上青青草。——宋·辛弃疾《清平乐·村居》
斜阳草树，寻常巷陌，人道寄奴曾住。——宋·辛弃疾《永遇乐·京口北固亭怀古》
元嘉草草，封狼居胥，赢得仓皇北顾。——宋·辛弃疾《永遇乐·京口北固亭怀古》
黄梅时节家家雨，青草池塘处处蛙。——宋·赵师秀《约客》
衰草尽随眉黛落，飞花长逐杜鹃声。——明·陈嘉谋《缺题》
已惯天涯莫浪愁，寒云衰草渐成秋。——清·纳兰性德《浣溪沙》
草长莺飞二月天，拂堤杨柳醉春烟。——清·高鼎《村居》
记得当年草上飞，红军队里每相违。——现代·毛泽东《吊罗荣桓同志》

城

步出齐城门，遥望荡阴里。——汉《乐府歌·梁甫吟》
城阙辅三秦，风烟望五津。——唐·王勃《送杜少府之任蜀川》
城分苍野外，树断白云隈。——唐·陈子昂《度荆门望楚》
青海长云暗雪山，孤城遥望玉门关。——唐·王昌龄《从军行》
沙场烽火连胡月，海畔云山拥蓟城。——唐·祖咏《望蓟门》
风劲角弓鸣，将军猎渭城。——唐·王维《观猎》
渭城朝雨浥轻尘，客舍青青柳色新。——唐·王维《送元二使安西》
国破山河在，城春草木深。——唐·杜甫《春望》
东越秋城夜，西人白发年。——唐·张继《酬李书记校书越城秋夜见赠》

天秋月又满，城阙夜千重。——唐·戴叔伦《江乡故人偶集客舍》

郾城辞罢过襄城，颍水嵩山刮眼明。——唐·韩愈《过襄城》
洛城洛城何日归，故人故人今转稀。——唐·刘禹锡《醉答乐天》
远芳侵古道，晴翠接荒城。——唐·白居易《赋得古原草送别》
与君况是经年别，暂到城来又出城。——唐·白居易《送元八归凤翔》
边日沉残角，河关截夜城。——唐·贾岛《送徐员外赴河中》
雨雾蒸秋岸，浪涛震夜城。——唐·无可《送李使君赴琼州兼五州招讨使》
山分关路细，江绕夜城寒。——唐·项斯《送友人下第归襄阳》
雪埋江树短，云压夜城低。——唐·韦庄《岁晏同左生作》
塞鸿无限欲惊飞，城乌休夜啼。——五代·冯延巳《醉桃源》
千嶂里，长烟落日孤城闭。——宋·范仲淹《渔家傲》

三受降城无壅城，贼来杀尽始还营。——宋·陆游《军中杂歌》
城东行遍却城西，欲问梅花乞一枝。——宋·杨万里《城头晓步》
茅舍荒凉旧固陵，汉王城对楚王城。——宋·文天祥《固陵道中》
鼓噪奔牛亦壮哉，一城力挽众城回。——宋·徐钧《田单》
意欲寻君忘路远，入城还又出城来。——宋·徐照《访赵紫芝》
缓辔归来看夜城，千门灯火照街明。——宋·胡仲弓《元宵》
故国秋风惨，荒城暮雨开。——元·王冕《答王聘君》
荒城草长埋金镞，废垒沙深卧铁衣。——清·张养重《板子矶》
一夜城西苕水下，酒船直并小楼高。——清·朱彝尊《鸳鸯湖棹歌》
不到长城非好汉，屈指行程二万。——现代·毛泽东《清平乐·六盘山》

尘

误落尘网中，一去三十年。——晋·陶渊明《归园田居》

户庭无尘杂，虚室有余闲。——晋·陶渊明《归园田居》

江天一色无纤尘，皎皎空中孤月轮。——唐·张若虚《春江花月夜》

暗尘随马去，明月逐人来。——唐·苏味道《正月十五夜》

表请回军掩尘骨，莫教兵士哭龙荒。——唐·王昌龄《从军行》

渭城朝雨浥轻尘，客舍青青柳色新。——唐·王维《送元二使安西》

乐游原上清秋节，咸阳古道音尘绝。——唐·李白《忆秦娥》

耶娘妻子走相送，尘埃不见咸阳桥。——唐·杜甫《兵车行》

匈奴草黄马正肥，金山西见烟尘飞，汉家大将西出师。——唐·岑参《走马川行奉送出师西征》

莫以衣上尘，不谓心如练。——唐·李益《游子吟》

满面尘灰烟火色，两鬓苍苍十指黑。——唐·白居易《卖炭翁》

九重城阙烟尘生，千乘万骑西南行。——唐·白居易《长恨歌》

回头下望人寰处，不见长安见尘雾。——唐·白居易《长恨歌》

尘世难逢开口笑，菊花须插满头归。——唐·杜牧《九日齐山登高》

一尺深红胜曲尘，天生旧物不如新。——唐·温庭筠《新添声杨柳枝词》

明镜本清净，何处染尘埃！——唐·惠能《菩提偈》

春色三分，二分尘土，一分流水。——宋·苏轼《水龙吟·次韵章质夫杨花词》

纵使相逢应不识，尘满面，鬓如霜。——宋·苏轼《江城子·乙卯正月二十日夜记梦》

风住尘香花已尽，日晚倦梳头。——宋·李清照《武陵春·春晚》

三十功名尘与土，八千里路云和月。——宋·岳飞《满江红·写怀》

遗民泪尽胡尘里，南望王师又一年。——宋·陆游《秋夜将晓出篱门迎凉有感》

素衣莫起风尘叹，犹及清明可到家。——宋·陆游《临安春雨初霁》

零落成泥碾作尘，只有香如故。——宋·陆游《卜算子·咏梅》

关河梦断何处，尘暗旧貂裘。——宋·陆游《诉衷情·当年万里觅封侯》

冰雪林中著此身，不同桃李混芳尘。——元·王冕《白梅》

眼前直下三千字，胸次全无一点尘。——明·于谦《观书》

云雾为屏雪作宫，尘埃无路可能通。——明·高启《咏梅》

林下荒苔道韫家，生怜玉骨委尘沙。——清·纳兰性德《山花子》

露湿尘难染，霜笼鸦不惊。——现代·毛泽东《五律·张冠道中》

愁

白云一片去悠悠，青枫浦上不胜愁。——唐·张若虚《春江花月夜》

移舟泊烟渚，日暮客愁新。——唐·孟浩然《宿建德江》

帝里重清明，人心自愁思。——唐·孟浩然《清明即事》

抽刀断水水更流，举杯消愁愁更愁。——唐·李白《宣州谢朓楼饯别校书叔云》

总为浮云能蔽日，长安不见使人愁。——唐·李白《登金陵凤凰台》

我寄愁心与明月，随风直到夜郎西。——唐·李白《闻王昌龄左迁龙标遥有此寄》

黄鹤之飞尚不得过，猿猱欲度愁攀援。——唐·李白《蜀道难》

五花马，千金裘，呼儿将出换美酒，与尔同销万古愁。——唐·李白《将进酒》

莫愁前路无知己，天下谁人不识君。——唐·高适《别董大》

故乡今夜思千里，愁鬓明朝又一年。——唐·高适《除夜作》

却看妻子愁何在，漫卷诗书喜欲狂。——唐·杜甫《闻官军收河南河北》

瀚海阑干百丈冰，愁云惨淡万里凝。——唐·岑参《白雪歌送武判官归京》

月落乌啼霜满天，江枫渔火对愁眠。——唐·张继《枫桥夜泊》

别有幽愁暗恨生，此时无声胜有声。——唐·白居易《琵琶行》

晓镜但愁云鬓改，夜吟应觉月光寒。——唐·李商隐《无题》

剪不断，理还乱，是离愁，别是一般滋味在心头。——五代·李煜《相见欢·无言独上西楼》

问君能有几多愁？恰似一江春水向东流。——五代·李煜《虞美人·春花秋月何时了》

人生愁恨何能免，销魂独我情何限！——五代·李煜《子夜歌·人生愁恨何能免》
望极春愁，黯黯生天际。——宋·柳永《蝶恋花·伫倚危楼风细细》
明月楼高休独倚，酒入愁肠，化作相思泪。——宋·范仲淹《苏幕遮·怀旧》

自在飞花轻似梦，无边丝雨细如愁。——宋·秦观《浣溪沙·漠漠轻寒上小楼》
这次第，怎一个愁字了得！——宋·李清照《声声慢·寻寻觅觅》
一种相思，两处闲愁。——宋·李清照《一剪梅·红藕香残玉簟秋》
薄雾浓云愁永昼，瑞脑消金兽。——宋·李清照《醉花阴·薄雾浓云愁永昼》
一怀愁绪，几年离索。——宋·陆游《钗头凤·红酥手》
已是黄昏独自愁，更著风和雨。——宋·陆游《卜算子·咏梅》
江晚正愁余，山深闻鹧鸪。——宋·辛弃疾《菩萨蛮·书江西造口壁》
而今识尽愁滋味，欲说还休。——宋·辛弃疾《丑奴儿·书博山道中壁》
春愁难遣强看山，往事惊心泪欲潸。——清·丘逢甲《春愁》
已惯天涯莫浪愁，寒云衰草渐成秋。——清·纳兰性德《浣溪沙·已惯天涯莫浪愁》
秋收时节暮云愁，霹雳一声暴动。——现代·毛泽东《西江月·秋收起义》

残

突营射杀呼延将，独领残兵千骑归。——唐·李白《从军行》
汉家烟尘在东北，汉将辞家破残贼——唐·高适《燕歌行》
残杯与冷炙，到处潜悲辛。——唐·杜甫《奉赠韦左丞丈二十二韵》
欲为圣明除弊事，肯将衰朽惜残年。——唐·韩愈《左迁至蓝关示侄孙湘》
一道残阳铺水中，半江瑟瑟半江红。——唐·白居易《暮江吟》
今日江头两三树，可怜和叶度残春。——唐·元稹《离思》
残灯无焰影幢幢，此夕闻君谪九江。——唐·元稹《闻乐天授江州司马》

杨柳阴阴细雨晴，残花落尽见流莺。——唐·武元衡《春兴》
残阳西入崦，茅屋访孤僧。——唐·李商隐《北青萝》
相见时难别亦难，东风无力百花残。——唐·李商隐《无题》

远路应悲春晼晚，残宵犹得梦依稀。——唐·李商隐《春雨》
朔风如解意，容易莫摧残。——唐·崔道融《梅花》
帘斜树隔情无限，烛暗香残坐不辞。——唐·陆龟蒙《中秋待月》
乞取东风残气力，莫教虚度一年春。——唐·顾云《咏柳》
菡萏香销翠叶残，西风愁起绿波间。——五代·李璟《摊破浣溪沙·菡萏香销翠叶残》
落梅着雨消残粉，云重烟轻寒食近。——五代·冯延巳《上行杯·落梅着雨消残粉》
暖日映山调正气，东风入树舞残寒。——唐·方干《元日·晨鸡两遍报》
残灯明灭枕头攲，谙尽孤眠滋味。——宋·范仲淹《御街行·秋日怀旧》
楼头残梦五更钟，花底离情三月雨。——宋·晏殊《玉楼春·春恨》
残雪压枝犹有橘，冻雷惊笋欲抽芽。——宋·欧阳修《戏答元珍》

候馆梅残，溪桥柳细。——宋·欧阳修《踏莎行·候馆梅残》
金炉香烬漏声残，剪剪轻风阵阵寒。——宋·王安石《春夜》
满地残红宫锦污，昨夜南园风雨。——宋·王安国《清平乐·春晚》
三月残花落更开，小檐日日燕飞来。——宋·王令《送春》
荷尽已无擎雨盖，菊残犹有傲霜枝。——宋·苏轼《赠刘景文》
但得众生皆得饱，不辞羸病卧残阳。——宋·李纲《病牛》
离离压残雪，脉脉照溪滨。——清·钱澄之《梅花》
今朝霜重东门路，照横塘半天残月，凄清如许。——现代·毛泽东《贺新郎·别友》

翠

头上金爵钗，腰佩翠琅玕。——三国魏·曹植《美女篇》

彤庭飞彩斾，翠幌曜明珰。——唐·李世民《元日》

车声上路合，柳色东城翠。——唐·孟浩然《清明即事》

闺中少妇不知愁，春日凝妆上翠楼。——唐·王昌龄《闺怨》

寒山转苍翠，秋水日潺湲。——唐·王维《辋川闲居赠裴秀才迪》

翠影红霞映朝日，鸟飞不到吴天长。——唐·李白《庐山谣寄卢侍御虚舟》

却顾所来径，苍苍横翠微。——唐·李白《下终南山过斛斯山人宿置酒》

天寒翠袖薄，日暮倚修竹。——唐·杜甫《佳人》

竹高鸣翡翠，沙僻舞鹍鸡。——唐·杜甫《绝句》

千家山郭静朝晖，日日江楼坐翠微。——唐·杜甫《秋兴》

佳人拾翠春相问，仙侣同舟晚更移。——唐·杜甫《秋兴》

松排山面千重翠，月点波心一颗珠。——唐·白居易《春题湖上》

花钿委地无人收，翠翘金雀玉搔头。——唐·白居易《长恨歌》

翠华摇摇行复止，西出都门百余里。——唐·白居易《长恨歌》

远芳侵古道，晴翠接荒城。——唐·白居易《赋得古原草送别》

江涵秋影雁初飞，与客携壶上翠微。——唐·杜牧《九日齐山登高》

此花此叶常相映，翠减红衰愁杀人。——唐·李商隐《赠荷花》

蜡照半笼金翡翠，麝熏微度绣芙蓉。——唐·李商隐《无题》

游子乍闻征袖湿，佳人才唱翠眉低。——唐·郑谷《鹧鸪》

林光虚霁晓，山翠薄晴烟。——唐·林滋《春望》

碧云天，黄叶地，秋色连波，波上寒烟翠。——宋·范仲淹《苏幕遮·怀旧》

青烟翠雾罩轻盈，飞絮游丝无定。——宋·司马光《西江月·宝髻松松挽就》

千里澄江似练，翠峰如簇。——宋·王安石《桂枝香·金陵怀古》

万岁山前珠翠绕，蓬壶殿里笙歌作。——宋·岳飞《满江红·登黄鹤楼有感》

经年尘土满征衣，特特寻芳上翠微。——宋·岳飞《池州翠微亭》
愿教青帝常为主，莫遣纷纷点翠苔。——宋·朱淑真《落花》
翠荷残，苍梧坠。千山应瘦，万木皆稀。——元·滕宾《普天乐·翠荷残》
山对面蓝堆翠岫，草齐腰绿染沙洲。——元·赵善庆《沉醉东风·山对面蓝堆翠岫》
九嶷山上白云飞，帝子乘风下翠微。——现代·毛泽东《七律·答友人》

蝉

秋蝉鸣树间，玄鸟逝安适。——汉·佚名《古诗十九首·明月皎夜光》
秋风发微凉，寒蝉鸣我侧。——三国魏·曹植《赠白马王彪·并序》
蝉噪林逾静，鸟鸣山更幽。——南朝·王籍《入若耶溪》
西陆蝉声唱，南冠客思侵。——唐·骆宾王《在狱咏蝉》
片片行云着蝉鬓，纤纤初月上鸦黄。——唐·卢照邻《长安古意》
蝉鸣空桑林，八月萧关道。——唐·王昌龄《塞下曲》
倚杖柴门外，临风听暮蝉。——唐·王维《辋川闲居赠裴秀才迪》
昔看黄菊与君别，今听玄蝉我却回。——唐·刘禹锡《始闻秋风》
六月初七日，江头蝉始鸣。——唐·白居易《早蝉》
月上蝉韵残，梧桐阴绕地。——唐·沈亚之《村居》

竹里缫丝挑网车，青蝉独噪日光斜。——唐·李贺《南园》
雨过一蝉噪，飘萧松桂秋。——唐·杜牧《题扬州禅智寺》
客去波平槛，蝉休露满枝。——唐·李商隐《凉思》
万树鸣蝉隔岸虹，乐游原上有西风。——唐·李商隐《乐游原》
如何肯到清秋日，已带斜阳又带蝉。——唐·李商隐《柳》
初闻征雁已无蝉，百尺楼高水接天。——唐·李商隐《霜月》
旋梳蝉鬓逐军行，强展蛾眉出门去。——唐·韦庄《秦妇吟》
庭树新阴叶未成，玉阶人静一蝉声。——唐·韩偓《夏日》

那堪向愁夕，萧飒暮蝉辉。——唐·翁宏《春残》
先秋蝉一悲，长是客行时。——唐·张乔《蝉》

柳阴轻漠漠，低鬓蝉钗落。——唐·牛峤《菩萨蛮·玉炉冰簟鸳鸯锦》
落日无情最有情，遍催万树暮蝉鸣。——宋·杨万里《初秋行圃》
明月别枝惊鹊，清风半夜鸣蝉。——宋·辛弃疾《西江月·夜行黄沙道中》
戛戛秋蝉响似筝，听蝉闲傍柳边行。——宋·徐玑《秋行》
断柳枯蝉，凉意正满西州。——宋·张炎《声声慢·秋高》
行人便觉须眉绿，一路蝉声过许州。——清·沈德潜《过许州》
意欲捕鸣蝉，忽然闭口立。——清·袁枚《所见》

此

此中有真意，欲辨已忘言。——晋·陶渊明《饮酒》
殷忧不能寐，苦此夜难颓。——南朝·谢灵运《岁暮》
阿爷无大儿，木兰无长兄，愿为市鞍马，从此替爷征。——北朝《民歌·木兰诗》
此时相望不相闻，愿逐月华流照君。——唐·张若虚《春江花月夜》
海上生明月，天涯共此时。——唐·张九龄《望月怀远》
相思相见知何日，此时此夜难为情！——唐·李白《三五七言》
此地一为别，孤蓬万里征。——唐·李白《送友人》
天门中断楚江开，碧水东流至此回。——唐·李白《望天门山》
其险也如此，嗟尔远道之人胡为乎来哉！——唐·李白《蜀道难》
昔人已乘黄鹤去，此地空余黄鹤楼。——唐·崔颢《黄鹤楼》

何时眼前突兀见此屋，吾庐独破受冻死亦足！——唐·杜甫《茅屋为秋风所破歌》

家田输税尽，拾此充饥肠。——唐·白居易《观刈麦》
念此私自愧，尽日不能忘。——唐·白居易《观刈麦》
芙蓉如面柳如眉，对此如何不泪垂。——唐·白居易《长恨歌》
天长地久有时尽，此恨绵绵无绝期。——唐·白居易《长恨歌》
暂去还来此，幽期不负言。——唐·贾岛《题李凝幽居》
此情可待成追忆？只是当时已惘然。——唐·李商隐《锦瑟》
蓬山此去无多路，青鸟殷勤为探看。——唐·李商隐《无题》
此去经年，应是良辰好景虚设。——宋·柳永《雨霖铃·寒蝉凄切》
十轮霜影转庭梧，此夕羁人独向隅。——宋·晏殊《中秋月》

此恨固应知。愿人无别离。——宋·苏轼《菩萨蛮·新月》
人有悲欢离合，月有阴晴圆缺，此事古难全。——宋·苏轼《水调歌头·明月几时有》
此水几时休，此恨何时已。——宋·李之仪《卜算子·我住长江头》
此情无计可消除，才下眉头，却上心头。——宋·李清照《一剪梅·红藕香残玉簟秋》
纸上得来终觉浅，绝知此事要躬行。——宋·陆游《冬夜读书示子聿》
仙人闻说好楼居，此地梯天尺几余。——明·王思任《仰天坪》
风一更，雪一更，聒碎乡心梦不成，故园无此声。——清·纳兰性德《长相思·山一程》
江山如此多娇，引无数英雄竞折腰。——现代·毛泽东《沁园春·雪》

处

滟滟随波千万里，何处春江无月明。——唐·张若虚《春江花月夜》
儿童相见不相识，笑问客从何处来。——唐·贺知章《回乡偶书》
春眠不觉晓，处处闻啼鸟。——唐·孟浩然《春晓》

遥知兄弟登高处，遍插茱萸少一人。——唐·王维《九月九日忆山东兄弟》

但使主人能醉客，不知何处是他乡。——唐·李白《客中行》

日暮乡关何处是？烟波江上使人愁。——唐·崔颢《黄鹤楼》

晓看红湿处，花重锦官城。——唐·杜甫《春夜喜雨》

丞相祠堂何处寻，锦官城外柏森森。——唐·杜甫《蜀相》

床头屋漏无干处，雨脚如麻未断绝。——唐·杜甫《茅屋为秋风所破歌》

报答春光知有处，应须美酒送生涯。——唐·杜甫《江畔独步寻花》

江上被花恼不彻，无处告诉只颠狂。——唐·杜甫《江畔独步寻花》

山回路转不见君，雪上空留马行处。——唐·岑参《白雪歌送武判官归京》

春城无处不飞花，寒食东风御柳斜。——唐·韩翃《寒食》

最是一年春好处，绝胜烟柳满皇都。——唐·韩愈《早春呈水部张十八员外》

几处早莺争暖树，谁家新燕啄春泥。——唐·白居易《钱塘湖春行》

骊宫高处入青云，仙乐风飘处处闻。——唐·白居易《长恨歌》

棠梨花映白杨树，尽是死生离别处。——唐·白居易《寒食野望吟》

西北望乡何处是，东南见月几回圆。——唐·白居易《八月十五日夜湓亭望月》

长恨春归无觅处，不知转入此中来。——唐·白居易《大林寺桃花》

人面不知何处去，桃花依旧笑春风。——唐·崔护《题都城南庄》

借问酒家何处有？牧童遥指杏花村。——唐·杜牧《清明》

远上寒山石径斜，白云生处有人家。——唐·杜牧《山行》

我欲乘风归去，又恐琼楼玉宇，高处不胜寒。——宋·苏轼《水调歌头·明月几时有》

料得年年肠断处，明月夜，短松冈。——宋·苏轼《江城子·乙卯正月二十日夜记梦》

试问岭南应不好。却道、此心安处是吾乡。——宋·苏轼《定风波·南海归赠王定国侍人寓娘》

怒发冲冠，凭栏处、潇潇雨歇。——宋·岳飞《满江红·写怀》

处处欢声噪鼓旗，家家牛酒犒王师。——明·李梦阳《石将军战场歌》

孤村隐隐起微烟，处处秧歌竞插田。——清·苏曼殊《淀江道中口占》

陶令不知何处去，桃花源里可耕田？——现代·毛泽东《七律·登庐山》

长

道狭草木长，夕露沾我衣。——晋·陶渊明《归园田居》

南市买辔头，北市买长鞭。——北朝《乐府民歌·木兰诗》

不知江月待何人，但见长江送流水。——唐·张若虚《春江花月夜》

长江悲已滞，万里念将归。——唐·王勃《山中》

独坐幽篁里，弹琴复长啸。——唐·王维《竹里馆》

大漠孤烟直，长河落日圆。——唐·王维《使至塞上》

长风几万里，吹度玉门关。——唐·李白《关山月》

钟鼓馔玉不足贵，但愿长醉不复醒。——唐·李白《将进酒》

孤帆远影碧空尽，唯见长江天际流。——唐·李白《黄鹤楼送孟浩然之广陵》

存者且偷生，死者长已矣！——唐·杜甫《石壕吏》

出师未捷身先死，长使英雄泪满襟。——唐·杜甫《蜀相》

无边落木萧萧下，不尽长江滚滚来。——唐·杜甫《登高》

自经丧乱少睡眠，长夜沾湿何由彻！——唐·杜甫《茅屋为秋风所破歌》

天长地久有时尽，此恨绵绵无绝期。——唐·白居易《长恨歌》

云母屏风烛影深，长河渐落晓星沉。——唐·李商隐《嫦娥》

寒蝉凄切，对长亭晚，骤雨初歇。——宋·柳永《雨霖铃·寒蝉凄切》

四面边声连角起，千嶂里，长烟落日孤城闭。——宋·范仲淹《渔家傲·秋思》

欲寄彩笺兼尺素，山长水阔知何处。——宋·晏殊《蝶恋花·槛菊愁烟兰泣露》

不应有恨，何事长向别时圆。——宋·苏轼《水调歌头·明月几时有》

但愿人长久，千里共婵娟。——宋·苏轼《水调歌头·明月几时有》

日日思君不见君，共饮长江水。——宋·李之仪《卜算子·我住长江头》

两情若是久长时，又岂在、朝朝暮暮。——宋·秦观《鹊桥仙·纤云弄巧》

抬望眼、仰天长啸，壮怀激烈。——宋·岳飞《满江红》

驾长车、踏破贺兰山缺。——宋·岳飞《满江红》

日长篱落无人过，惟有蜻蜓蛱蝶飞。——宋·范成大《四时田园杂兴》

千古兴亡多少事？悠悠。不尽长江滚滚流。——宋·辛弃疾《南乡子·登京口北固亭有怀》

望长城内外，惟余莽莽；大河上下，顿失滔滔。——现代·毛泽东《沁园春·雪》

鹰击长空，鱼翔浅底，万类霜天竞自由。——现代·毛泽东《沁园春·长沙》

D

道

道路阻且长，会面安可知。——汉·佚名《古诗十九首·行行重行行》

道逢乡里人，家中有阿谁？——汉·佚名《古诗·十五从军征》

道狭草木长，夕露沾我衣。——晋·陶渊明《归园田居》

穆矣熏风茂，康哉帝道昌。——唐·李世民《元日》

中岁颇好道，晚家南山陲。——唐·王维《终南别业》

汉下白登道，胡窥青海湾。——唐·李白《关山月》

杨花落尽子规啼，闻道龙标过五溪。——唐·李白《闻王昌龄左迁龙标遥有此寄》

道旁过者问行人，行人但云点行频。——唐·杜甫《兵车行》

报道山中去，归时每日斜。——唐·皎然《寻陆鸿渐不遇》

闻道欲来相问讯，西楼望月几回圆。——唐·韦应物《寄李儋元锡》

紫陌红尘拂面来，无人不道看花回。——唐·刘禹锡《玄都观桃花》

东边日出西边雨，道是无晴却有晴。——唐·刘禹锡《竹枝词》

不解藏踪迹，浮萍一道开。——唐·白居易《池上》

远芳侵古道，晴翠接荒城。——唐·白居易《赋得古原草送别》

闻道汉家天子使，九华帐里梦魂惊。——唐·白居易《长恨歌》

一道残阳铺水中，半江瑟瑟半江红。——唐·白居易《暮江吟》

取次花丛懒回顾，半缘修道半缘君。——唐·元稹《离思》

闻道阊门萼绿华，昔年相望抵天涯。——唐·李商隐《无题》

尽道丰年瑞，丰年事若何。——唐·罗隐《雪》

故垒西边，人道是，三国周郎赤壁。——宋·苏轼《念奴娇·赤壁怀古》

谁道人生无再少？门前流水尚能西！——宋·苏轼《浣溪沙·游蕲水清泉寺》

一旦功成名遂，准拟东还海道，扶病入西州。——宋·苏轼《水调歌头·安石在

东海》

试问卷帘人，却道海棠依旧。——宋·李清照《如梦令·昨夜雨疏风骤》

莫道不消魂，帘卷西风，人比黄花瘦。——宋·李清照《醉花阴·薄雾浓云愁永昼》

斜阳草树，寻常巷陌，人道寄奴曾住。——宋·辛弃疾《永遇乐·京口北固亭怀古》

风檐展书读，古道照颜色。——宋·文天祥《正气歌》

谁道飘零不可怜，旧游时节好花天。——清·纳兰性德《浣溪沙·谁道飘零不可怜》

雄关漫道真如铁，而今迈步从头越。——现代·毛泽东《忆秦娥·娄山关》

东方欲晓，莫道君行早。——现代·毛泽东《清平乐·会昌》

地

登楚都，入楚关，楚地萧瑟楚山寒。——南朝·谢庄《怀园引》

河边杨柳百丈枝，别有长条踠地垂。——北朝·庾信《杨柳歌》

平明偃月屯右地，薄暮鱼丽逐左贤。——隋·卢思道《从军行》

地阔八荒近，天回百川澍。——唐·宋之问《景龙四年春祠海》

天长地阔岭头分，去国离家见白云。——唐·沈佺期《遥同杜员外审言过岭》

流传汉地曲转奇，凉州胡人为我吹。——唐·李颀《听安万善吹觱篥歌》

床前明月光，疑是地上霜。——唐·李白《静夜思》

由来征战地，不见有人还。——唐·李白《关山月》

日出东方隈，似从地底来。——唐·李白《日出入行》

地阔峨眉晚，天高岘首春。——唐·杜甫《赠别郑炼赴襄阳》

地阔平沙岸，舟虚小洞房。——唐·杜甫《遣闷》

北风卷地白草折，胡天八月即飞雪。——唐·岑参《白雪歌送武判官归京》

土地卑湿饶虫蛇，连木为牌入江住。——唐·张籍《江南曲》

瑶池阿母绮窗开，黄竹歌声动地哀。——唐·李商隐《瑶池》

女萝力弱难逢地，桐树心孤易感秋。——唐·曹邺《碧寻宴上有怀知己》

一车致三毂，本图行地速。——唐·曹邺《读李斯传》

万里山河唐土地，千年魂魄晋英雄。——唐·罗隐《登夏州城楼》

云解有情花解语，划地绣罗金缕。——唐·韦庄《清平乐·何处游女》

古宫闲地少，水港小桥多。——唐·杜荀鹤《送人游吴》

地广人耕绝，天寒雁下多。——唐·许棠《过穆陵关》

土地穷瓯越，风光肇建寅。——唐·张子容《乐城岁日赠孟浩然》

可惜旧欢携手地，思量一夕成憔悴。——五代·冯延巳《蝶恋花》

四十年来家国，三千里地山河。——五代·李煜《破阵子·四十年来家国》

名随土地贵，味逐水泉迁。——宋·徐铉《和门下殷侍郎新茶二十韵》

凌霄不屈己，得地本虚心。——宋·王安石《孤桐》

楚地阔无边，苍茫万顷连。——宋·苏轼《荆州》

传闻收土地，思见复征徭。——明·贝琼《暮春杂诗》

风驱急雨洒高城，云压轻雷殷地声。——明·刘基《五月十九日大雨》

喜看稻菽千重浪，遍地英雄下夕烟。——现代·毛泽东《七律·到韶山》

独

牵牛织女遥相望，尔独何辜限河梁。——三国魏·曹丕《燕歌行》

独坐对陈榻，无客有鸣琴。——隋·杨素《山斋独坐赠薛内史》

独坐幽篁里，弹琴复长啸。——唐·王维《竹里馆》

独在异乡为异客，每逢佳节倍思亲。——唐·王维《九月九日忆山东兄弟》

众鸟高飞尽，孤云独去闲。——唐·李白《独坐敬亭山》

突营射杀呼延将，独领残兵千骑归。——唐·李白《从军行》

旅馆寒灯独不眠，客心何事转凄然。——唐·高适《除夜作》

乡心新岁切，天畔独潸然。——唐·刘长卿《新年作》

荷笠带夕阳，青山独归远。——唐·刘长卿《送灵澈上人》

今夜鄜州月，闺中只独看。——唐·杜甫《月夜》

细草微风岸，危樯独夜舟。——唐·杜甫《旅夜书怀》

野径云俱黑，江船火独明。——唐·杜甫《春夜喜雨》

天明登前途，独与老翁别。——唐·杜甫《石壕吏》

走觅南邻爱酒伴，经旬出饮独空床。——唐·杜甫《江畔独步寻花》

万里悲秋常作客，百年多病独登台。——唐·杜甫《登高》

何时眼前突兀见此屋，吾庐独破受冻死亦足！——唐·杜甫《茅屋为秋风所破歌》

独怜幽草涧边生，上有黄鹂深树鸣。——唐·韦应物《滁州西涧》

春江花朝秋月夜，往往取酒还独倾。——唐·白居易《琵琶行》

孤舟蓑笠翁，独钓寒江雪。——唐·柳宗元《江雪》

凭阑半日独无言，依旧竹声新月似当年。——五代·李煜《虞美人·风回小院庭芜绿》

独自莫凭栏，无限江山，别时容易见时难。——五代·李煜《浪淘沙·帘外雨潺潺》

十轮霜影转庭梧，此夕羁人独向隅。——宋·晏殊《中秋月》

墙角数枝梅，凌寒独自开。——宋·王安石《梅花》

守着窗儿，独自怎生得黑！——宋·李清照《声声慢·寻寻觅觅》

轻解罗裳，独上兰舟。——宋·李清照《一剪梅·红藕香残玉簟秋》

已是黄昏独自愁，更著风和雨。——宋·陆游《卜算子·咏梅》

花开不并百花丛，独立疏篱趣未穷。——宋·郑思肖《寒菊》

海榴花发应相笑，无酒渊明亦独醒。——元·贝琼《己酉端午》

一曲高歌一樽酒，一人独钓一江秋。——清·王士祯《题秋江独钓图》

独立寒秋，湘江北去，橘子洲头。——现代·毛泽东《沁园春·长沙》

断

三日断五匹，大人故嫌迟。——汉《乐府歌·孔雀东南飞》

自可断来信，徐徐更谓之。——汉《乐府歌·孔雀东南飞》

忧从中来，不可断绝。——三国魏·曹操《短歌行》

岭外音书断，经冬复历春。——唐·宋之问《渡汉江》

清溪非陇水，翻作断肠流。——唐·李白《秋浦歌》

天门中断楚江开，碧水东流至此回。——唐·李白《望天门山》

抽刀断水水更流，举杯消愁愁更愁。——唐·李白《宣州谢朓楼饯别校书叔云》

床头屋漏无干处，雨脚如麻未断绝。——唐·杜甫《茅屋为秋风所破歌》

戍鼓断人行，边秋一雁声。——唐·杜甫《月夜忆舍弟》

一看肠一断，好去莫回头。——唐·白居易《南浦别》

清明时节雨纷纷，路上行人欲断魂。——唐·杜牧《清明》

过尽千帆皆不是，斜晖脉脉水悠悠，肠断白蘋洲。——唐·温庭筠《望江南·梳洗罢》

剪不断，理还乱，是离愁，别是一般滋味在心头。——五代·李煜《相见欢·无言独上西楼》

别来春半，触目愁肠断。——五代·李煜《清平乐·别来春半》

霜禽欲下先偷眼，粉蝶如知合断魂。——宋·林逋《山园小梅》

料得年年肠断处，明月夜，短松冈。——宋·苏轼《江城子·乙卯正月二十日夜记梦》

缺月挂疏桐，漏断人初静。——宋·苏轼《卜算子·黄州定慧院寓居作》

雾失楼台，月迷津渡。桃源望断无寻处。——宋·秦观《踏莎行·郴州旅舍》

碧云冉冉蘅皋暮，彩笔新题断肠句。——宋·贺铸《青玉案·凌波不过横塘路》

人道山长山又断，萧萧微雨闻孤馆。——宋·李清照《蝶恋花·泪湿罗衣脂粉满》

欲将心事付瑶琴，知音少，弦断有谁听。——宋·岳飞《小重山·昨夜寒蛩不住鸣》

驿外断桥边，寂寞开无主。——宋·陆游《卜算子·咏梅》

关河梦断何处，尘暗旧貂裘。——宋·陆游《诉衷情·当年万里觅封侯》

年少万兜鍪，坐断东南战未休。——宋·辛弃疾《南乡子·登京口北固亭有怀》

落日楼头，断鸿声里，江南游子。——宋·辛弃疾《水龙吟·登建康赏心亭》

壮年听雨客舟中，江阔云低，断雁叫西风。——宋·蒋捷《虞美人·听雨》

这次第，算人间没个并刀，剪断心上愁痕。——宋·黄孝迈《湘春夜月·近清明》

玉箫声断凤凰楼，憔悴人别后。——元·杨果《小桃红·玉箫声断凤凰楼》

花谢花飞花满天，红消香断有谁怜？——清·曹雪芹《葬花吟》

天高云淡，望断南飞雁。——现代·毛泽东《清平乐·六盘山》

多

譬如朝露，去日苦多。——三国魏·曹操《短歌行》

群燕辞归鹄南翔，念君客游思断肠。——三国魏·曹丕《燕歌行》

边城多警急，虏骑数迁移。——三国魏·曹植《白马篇》

雪暗凋旗画，风多杂鼓声。——唐·杨炯《从军行》

夜来风雨声，花落知多少。——唐·孟浩然《春晓》

愿君多采撷，此物最相思。——唐·王维《相思》

弃我去者，昨日之日不可留；乱我心者，今日之日多烦忧。——唐·李白《宣州谢朓楼饯别校书叔云》

戍客望边色，思归多苦颜。——唐·李白《关山月》

圣代即今多雨露，暂时分手莫踌躇。——唐·高适《送李少府贬峡中王少府贬长沙》

江深竹静两三家，多事红花映白花。——唐·杜甫《江畔独步寻花》

万里悲秋常作客，百年多病独登台。——唐·杜甫《登高》

布衾多年冷似铁，娇儿恶卧踏里裂。——唐·杜甫《茅屋为秋风所破歌》

楼阁玲珑五云起，其中绰约多仙子。——唐·白居易《长恨歌》

西宫南内多秋草，落叶满阶红不扫。——唐·白居易《长恨歌》

南朝四百八十寺，多少楼台烟雨中。——唐·杜牧《江南春·千里莺啼绿映红》

蓬山此去无多路，青鸟殷勤为探看。——唐·李商隐《无题》

长安有贫者，为瑞不宜多。——唐·罗隐《雪》

春花秋月何时了？往事知多少。——五代·李煜《虞美人·春花秋月何时了》

问君能有几多愁？恰似一江春水向东流。——五代·李煜《虞美人·春花秋月何时了》

多情自古伤离别，更那堪，冷落清秋节！——宋·柳永《雨霖铃·寒蝉凄切》

故国神游，多情应笑我，早生华发。——宋·苏轼《念奴娇·赤壁怀古》

笑渐不闻声渐悄，多情却被无情恼。——宋·苏轼《蝶恋花·春景》

江山如画，一时多少豪杰。——宋·苏轼《念奴娇·赤壁怀古》

只恐双溪舴艋舟，载不动许多愁。——宋·李清照《武陵春·春晚》

千古兴亡多少事？悠悠。不尽长江滚滚流。——宋·辛弃疾《南乡子·登京口北固亭有怀》

郁孤台下清江水，中间多少行人泪！——宋·辛弃疾《菩萨蛮·书江西造口壁》

古今多少事，都付笑谈中。——明·杨慎《临江仙·滚滚长江东逝水》

明日复明日，明日何其多。我生待明日，万事成蹉跎。——明·钱福《明日歌》

江山如此多娇，引无数英雄竞折腰。——现代·毛泽东《沁园春·雪》

大

思九州之博大兮，岂惟是其有女？——战国·屈原《离骚》

大风起兮云飞扬，威加海内兮归故乡。——汉·刘邦《大风歌》

少壮不努力，老大徒伤悲。——汉《乐府歌·长歌行》

三日断五匹，大人故嫌迟。——汉《乐府歌·孔雀东南飞》

十五府小吏，二十朝大夫，三十侍中郎，四十专城居。——汉《乐府歌·陌上桑》

阿爷无大儿，木兰无长兄，愿为市鞍马，从此替爷征。——北朝《乐府民歌·木兰诗》

少小离家老大回，乡音无改鬓毛衰。——唐·贺知章《回乡偶书》

大漠孤烟直，长河落日圆。——唐·王维《使至塞上》

千秋二壮士，烜赫大梁城。——唐·李白《侠客行》

山随平野尽，江入大荒流。——唐·李白《渡荆门送别》

蟾蜍蚀圆影，大明夜已残。——唐·李白《古朗月行》

星垂平野阔，月涌大江流。——唐·杜甫《旅夜书怀》

胡马大宛名，锋棱瘦骨成。——唐·杜甫《房兵曹胡马诗》

大城铁不如，小城万丈余。——唐·杜甫《潼关吏》

安得广厦千万间，大庇天下寒士俱欢颜！风雨不动安如山。——唐·杜甫《茅屋为秋风所破歌》

嘈嘈切切错杂弹，大珠小珠落玉盘。——唐·白居易《琵琶行》

大漠沙如雪，燕山月似钩。——唐·李贺《马诗》

大江东去，浪淘尽，千古风流人物。——宋·苏轼《念奴娇·赤壁怀古》

世事一场大梦，人生几度秋凉。——宋·苏轼《西江月·世事一场大梦》

落木千山天远大，澄江一道月分明。——宋·黄庭坚《登快阁》

楼船夜雪瓜洲渡，铁马秋风大散关。——宋·陆游《书愤》

日长似岁闲方觉，事大如天醉亦休。——宋·陆游《秋思》

却笑泸溪如斗大，肯把牛刀试手不？——宋·辛弃疾《破阵子·掷地刘郎玉斗》

长向尊前悲老大，有人夫婿擅侯王。——清·吴伟业《圆圆曲》

怅寥廓，问苍茫大地，谁主沉浮？——现代·毛泽东《沁园春·长沙》

望长城内外，惟余莽莽；大河上下，顿失滔滔。——现代·毛泽东《沁园春·雪》

金沙水拍云崖暖，大渡桥横铁索寒。——现代·毛泽东《七律·长征》

大雪压青松，青松挺且直。——现代·陈毅《青松》

得

乐国乐国，爰得我直。——先秦《诗经·魏风·硕鼠》

威加海内兮归故乡。安得猛士兮守四方！——汉·刘邦《大风歌》

愿得一心人，白头不相离。——汉·卓文君《白头吟》

十五从军征，八十始得归。——汉·佚名《古诗·十五从军征》

盈盈一水间，脉脉不得语。——汉·佚名《古诗十九首·迢迢牵牛星》

养怡之福，可得永年。——三国魏·曹操《龟虽寿》

久在樊笼里，复得返自然。——晋·陶渊明《归园田居》

路人借问遥招手，怕得鱼惊不应人。——唐·胡令能《小儿垂钓》

人生得意须尽欢，莫使金樽空对月。——唐·李白《将进酒》

黄鹤之飞尚不得过，猿猱欲度愁攀援。——唐·李白《蜀道难》

不知明镜里，何处得秋霜。——唐·李白《秋浦歌》

老妪力虽衰，请从吏夜归。急应河阳役，犹得备晨炊。——唐·杜甫《石壕吏》

此曲只应天上有，人间能得几回闻。——唐·杜甫《赠花卿》

将军角弓不得控，都护铁衣冷难着。——唐·岑参《白雪歌送武判官归京》

谁言寸草心，报得三春晖。——唐·孟郊《游子吟》

春风得意马蹄疾，一日看尽长安花。——唐·孟郊《登科后》

弦弦掩抑声声思，似诉平生不得志。——唐·白居易《琵琶行》

衣带渐宽终不悔。为伊消得人憔悴。——宋·柳永《蝶恋花·伫倚危楼风细细》

料得年年肠断处，明月夜，短松冈。——宋·苏轼《江城子·乙卯正月二十日夜记梦》

这次第，怎一个愁字了得！——宋·李清照《声声慢·寻寻觅觅》

纸上得来终觉浅，绝知此事要躬行。——宋·陆游《冬夜读书示子聿》

了却君王天下事，赢得生前身后名。——宋·辛弃疾《破阵子·为陈同甫赋壮词以寄之》

元嘉草草，封狼居胥，赢得仓皇北顾。——宋·辛弃疾《永遇乐·京口北固亭怀古》

等闲识得东风面，万紫千红总是春。——宋·朱熹《春日》

问渠那得清如许？为有源头活水来。——宋·朱熹《观书有感》

暖风熏得游人醉，直把杭州作汴州。——宋·林升《题临安邸》

南州今乐土，得意即衔杯。——元·刘因《临江仙·送王从事》

忽落轻莎翻得意，揶揄学父舞天魔。——清·爱新觉罗·弘历《过蒙古诸部落》

若问杭州何从好，此中听得野莺啼。——现代·毛泽东《七绝·五云山》

东

百川东到海，何时复西归？——汉《乐府歌·长歌行》

东临碣石，以观沧海。——三国魏·曹操《观沧海》

青山横北郭，白水绕东城。——唐·李白《送友人》

天门中断楚江开，碧水东流至此回。——唐·李白《望天门山》

轮台东门送君去，去时雪满天山路。——唐·岑参《白雪歌送武判官归京》

故园东望路漫漫，双袖龙钟泪不干。——唐·岑参《逢入京使》

春城无处不飞花，寒食东风御柳斜。——唐·韩翃《寒食》

东边日出西边雨，道是无晴却有晴。——唐·刘禹锡《竹枝词》

君臣相顾尽沾衣，东望都门信马归。——唐·白居易《长恨歌》

最爱湖东行不足，绿杨阴里白沙堤。——唐·白居易《钱塘湖春行》

东船西舫悄无言，唯见江心秋月白。——唐·白居易《琵琶行》

东风不与周郎便，铜雀春深锁二乔。——唐·杜牧《赤壁》

昨夜星辰昨夜风，画楼西畔桂堂东。——唐·李商隐《无题》

相见时难别亦难，东风无力百花残。——唐·李商隐《无题》

问君能有几多愁？恰似一江春水向东流。——五代·李煜《虞美人·春花秋月何时了》

大江东去，浪淘尽，千古风流人物。——宋·苏轼《念奴娇·赤壁怀古》

至今思项羽，不肯过江东。——宋·李清照《夏日绝句》

东篱把酒黄昏后，有暗香盈袖。——宋·李清照《醉花阴·薄雾浓云愁永昼》

三万里河东入海，五千仞岳上摩天。——宋·陆游《秋夜将晓出篱门迎凉有感》

大儿锄豆溪东，中儿正织鸡笼。——宋·辛弃疾《清平乐·村居》

年少万兜鍪，坐断东南战未休。——宋·辛弃疾《南乡子·登京口北固亭有怀》

青山遮不住，毕竟东流去。——宋·辛弃疾《菩萨蛮·书江西造口壁》

等闲识得东风面，万紫千红总是春。——宋·朱熹《春日》

朝看水东流，暮看日西坠。——明·钱福《明日歌》

千磨万击还坚劲，任尔东西南北风。——清·郑板桥《竹石》

儿童散学归来早，忙趁东风放纸鸢。——清·高鼎《村居》

宿草敢祧刘礼部，东海绝学在毘陵。——清·龚自珍《己亥杂诗》

衣冠谁有先朝制？东海翻然认故园。——清·朱之瑜《避地日本感赋》

东方欲晓，莫道君行早。——现代·毛泽东《清平乐·会昌》

F

风

天苍苍，野茫茫，风吹草低见牛羊。——北朝《乐府民歌·敕勒歌》

城阙辅三秦，风烟望五津。——唐·王勃《送杜少府之任蜀州》

夜来风雨声，花落知多少。——唐·孟浩然《春晓》

风劲角弓鸣，将军猎渭城。——唐·王维《观猎》

柴门闻犬吠，风雪夜归人。——唐·刘长卿《逢雪宿芙蓉山主人》

随风潜入夜，润物细无声。——唐·杜甫《春夜喜雨》

俄顷风定云墨色，秋天漠漠向昏黑。——唐·杜甫《茅屋为秋风所破歌》

八月秋高风怒号，卷我屋上三重茅。——唐·杜甫《茅屋为秋风所破歌》

安得广厦千万间，大庇天下寒士俱欢颜！风雨不动安如山。——唐·杜甫《茅屋为秋风所破歌》

忽如一夜春风来，千树万树梨花开。——唐·岑参《白雪歌送武判官归京》

纷纷暮雪下辕门，风掣红旗冻不翻。——唐·岑参《白雪歌送武判官归京》

林暗草惊风，将军夜引弓。——唐·卢纶《塞下曲》

野火烧不尽，春风吹又生。——唐·白居易《赋得古原草送别》

骊宫高处入青云，仙乐风飘处处闻。——唐·白居易《长恨歌》

春风桃李花开日，秋雨梧桐叶落时。——唐·白居易《长恨歌》

相见时难别亦难，东风无力百花残。——唐·李商隐《无题》

风回小院庭芜绿，柳眼春相续。——五代·李煜《虞美人·风回小院庭芜绿》

昨夜风兼雨，帘帏飒飒秋声。——五代·李煜《乌夜啼·昨夜风兼雨》

爆竹声中一岁除，春风送暖入屠苏。——宋·王安石《元日》

大江东去，浪淘尽，千古风流人物。——宋·苏轼《念奴娇·赤壁怀古》

我欲乘风归去，又恐琼楼玉宇，高处不胜寒。——宋·苏轼《水调歌头·明月几

时有》

已是黄昏独自愁，更著风和雨。——宋·陆游《卜算子·咏梅》

等闲识得东风面，万紫千红总是春。——宋·朱熹《春日》

沾衣欲湿杏花雨，吹面不寒杨柳风。——宋·志南《绝句》

刺竹芭蕉乱结村，人家犹有古风存。——明·方向《咏儋耳》

风雨送春归，飞雪迎春到。——现代·毛泽东《卜算子·咏梅》

惜秦皇汉武，略输文采；唐宗宋祖，稍逊风骚。——现代·毛泽东《沁园春·雪》

飞

孔雀东南飞，五里一徘徊。——汉·佚名《乐府歌·孔雀东南飞》

东飞伯劳西飞燕，黄姑织女时相见。——南朝·萧衍《东飞伯劳歌》

飞霜遥渡海，残月迥临边。——唐·杜审言《和李大夫嗣真奉使存抚河东》

空里流霜不觉飞，汀上白沙看不见。——唐·张若虚《春江花月夜》

鸿雁长飞光不度，鱼龙潜跃水成文。——唐·张若虚《春江花月夜》

但使龙城飞将在，不教胡马度阴山。——唐·王昌龄《出塞》

周庐徼道纵横转，飞阁回轩左右长。——唐·李隆基《春台望》

飞湍瀑流争喧豗，砯崖转石万壑雷。——唐·李白《蜀道难》

飞蓬各自远，且尽手中杯。——唐·李白《鲁郡东石门送杜二甫》

飞流直下三千尺，疑是银河落九天。——唐·李白《望庐山瀑布》

穿花蛱蝶深深见，点水蜻蜓款款飞。——唐·杜甫《曲江》

北风卷地白草折，胡天八月即飞雪。——唐·岑参《白雪歌送武判官归京》

西塞山前白鹭飞，桃花流水鳜鱼肥。——唐·张志和《渔歌子》

轻红流烟湿艳姿，行云飞去明星稀。——唐·孟郊《巫山曲》

旧时王谢堂前燕，飞入寻常百姓家。——唐·刘禹锡《乌衣巷》

晚来风起花如雪，飞入宫墙不见人。——唐·刘禹锡《杨柳枝》
千山鸟飞绝，万径人踪灭。——唐·柳宗元《江雪》
那能朝开暮飞去，一任东西南北吹。——唐·元稹《决绝词》
飞上九天歌一声，二十五郎吹管逐。——唐·元稹《连昌宫词》
身无彩凤双飞翼，心有灵犀一点通。——唐·李商隐《无题》

四郊飞雪暗云端，惟此宫中落旋干。——唐·吴融《华清宫》
拂水双飞来去燕，曲槛小屏山六扇。——五代·顾夐《玉楼春·拂水双飞来去燕》
泪眼问花花不语，乱红飞过秋千去。——宋·欧阳修《蝶恋花·庭院深深深几许》
落花人独立，微雨燕双飞。——宋·晏几道《临江仙·梦后楼台高锁》
自在飞花轻似梦，无边丝雨细如愁。——宋·秦观《浣溪沙·漠漠轻寒上小楼》
草长莺飞二月天，拂堤杨柳醉春烟。——清·高鼎《村居》
花谢花飞花满天，红消香断有谁怜。——清·曹雪芹《葬花吟》
忽报人间曾伏虎，泪飞顿作倾盆雨。——现代·毛泽东《蝶恋花·答李淑一》

分

世溷浊而不分兮，好蔽美而嫉妒。——战国·屈原《离骚》
分散逐风转，此已非常身。——晋·陶渊明《杂诗》
缛彩遥分地，繁光远缀天。——唐·卢照邻《十五夜观灯》
醒时相交欢，醉后各分散。——唐·李白《月下独酌》
三山半落青天外，二水中分白鹭洲。——唐·李白《登金陵凤凰台》
剧辛乐毅感恩分，输肝剖胆效英才。——唐·李白《行路难》
圣代即今多雨露，暂时分手莫踌躇。——唐·高适《送李少府贬峡中王少府贬长沙》
千载琵琶作胡语，分明怨恨曲中论。——唐·杜甫《咏怀古迹》
过桥分野色，移石动云根。——唐·贾岛《题李凝幽居》

隔座送钩春酒暖，分曹射覆蜡灯红。——唐·李商隐《无题》

岭头便是分头处，惜别潺湲一夜声。——唐·温庭筠《过分水岭》
节分端午自谁言，万古传闻为屈原。——唐·文秀《端午》
昨日邻家乞新火，晓窗分与读书灯。——宋·王禹偁《清明》
莫辞盏酒十分劝，只恐风花一片飞。——宋·程颢《郊行即事》
春色三分，二分尘土，一分流水。——宋·苏轼《水龙吟·次韵章质夫杨花词》
收拾凄凉兴况，分付尊中醽醁，倍觉不胜幽。——宋·米芾《水调歌头·中秋》
禁火天、已是试新妆，岁华到、三分佳处。——宋·万俟咏《三台·清明应制》
分明记得，袖香熏窄。——宋·程垓《忆秦娥·情脉脉》
登临吴蜀横分地，徙倚湖山欲暮时。——宋·陈与义《登岳阳楼》
矮纸斜行闲作草，晴窗细乳戏分茶。——宋·陆游《临安春雨初霁》

梅子留酸软齿牙，芭蕉分绿与窗纱。——宋·杨万里《闲居初夏午睡起》
梅须逊雪三分白，雪却输梅一段香。——宋·卢梅坡《雪梅》
日暮诗成天又雪，与梅并作十分春。——宋·卢梅坡《雪梅》
素月分辉，明河共影，表里俱澄澈。——宋·张孝祥《念奴娇·过洞庭》
一朝蒙雾露，分作沟中瘠。——宋·文天祥《正气歌》
半生已分孤眠过，山枕檀痕涴。——清·纳兰性德《虞美人·曲阑深处重相见》
收拾金瓯一片，分田分地真忙。——现代·毛泽东《清平乐·蒋桂战争》

芳

芳菲菲而难亏兮，芬至今犹未沫。——战国·屈原《离骚》
兰有秀兮菊有芳，怀佳人兮不能忘。——汉·刘彻《秋风辞》
涉江采芙蓉，兰泽多芳草。——汉·佚名《古诗十九首·涉江采芙蓉》

无论君不归，君归芳已歇。——南朝·谢朓《王孙游》
关山万里不可越，谁能坐对芳菲月。——隋·卢思道《从军行》
锦里开芳宴，兰缸艳早年。——唐·卢照邻《十五夜观灯》
公子王孙芳树下，清歌妙舞落花前。——唐·刘希夷《白头吟》
随意春芳歇，王孙自可留。——唐·王维《山居秋暝》
晴川历历汉阳树，芳草萋萋鹦鹉洲。——唐·崔颢《黄鹤楼》
新年都未有芳华，二月初惊见草芽。——唐·韩愈《春雪》

草树知春不久归，百般红紫斗芳菲。——唐·韩愈《晚春》
远芳侵古道，晴翠接荒城。——唐·白居易《赋得古原草送别》
人间四月芳菲尽，山寺桃花始盛开。——唐·白居易《大林寺桃花》
尽醉无复辞，偃卧有芳荪。——唐·柳宗元《饮酒》
蚤是伤春梦雨天，可堪芳草更芊芊。——唐·韦庄《长安清明》
共约重芳日，还忧不盛妍。—— 五代·李煜《梅花》
众芳摇落独暄妍，占尽风情向小园。——宋·林逋《山园小梅》
山映斜阳天接水，芳草无情，更在斜阳外。——宋·范仲淹《苏幕遮·怀旧》
总是当时携手处，游遍芳丛。——宋·欧阳修《浪淘沙·把酒祝东风》
六朝旧事随流水，但寒烟芳草凝绿。——宋·王安石《桂枝香·金陵怀古》

芳原绿野恣行事，春入遥山碧四围。——宋·程颢《郊行即事》
朗月清风，浓烟暗雨，天教憔悴度芳姿。——宋·李清照《多丽·咏白菊》
无意苦争春，一任群芳妒。——宋·陆游《卜算子·咏梅》
胜日寻芳泗水滨，无边光景一时新。——宋·朱熹《春日》
孤村芳草远，斜日杏花飞。——宋·寇准《江南春·波渺渺》
爱惜芳心莫轻吐，且教桃李闹春风。——金·元好问《同儿辈赋未开海棠》
金鞍玉勒寻芳客，未信我庐别有春。——明·于谦《观书》
空园数日无芳信，恻恻残寒犹未定。——清·吴翌凤《玉楼春·空园数日无芳信》

正是神都有事时，又来南国踏芳枝。——现代·毛泽东《七律·有所思》

逢

折花逢驿使，寄与陇头人。——南朝·陆凯《赠范晔诗》
楼前相望不相知，陌上相逢讵相识？——唐·卢照邻《长安古意》
征路那逢此，春心益渺然。——唐·张九龄《春江晚景》
初逢花上月，言是弄珠时。——唐·张子容《春江花月夜》
萧关逢候骑，都护在燕然。——唐·王维《使至塞上》
相逢意气为君饮，系马高楼垂柳边。——唐·王维《少年行》
独在异乡为异客，每逢佳节倍思亲。——唐·王维《九月九日忆山东兄弟》
丈夫贫贱应未足，今日相逢无酒钱。——唐·高适《别董大》
逢迎少壮非吾道，况乃今朝更祓除。——唐·杜甫《清明》
正是江南好风景，落花时节又逢君。——唐·杜甫《江南逢李龟年》

马上相逢无纸笔，凭君传语报平安。——唐·岑参《逢入京使》
去年花里逢君别，今日花开已一年。——唐·韦应物《寄李儋元锡》
十年离乱后，长大一相逢。——唐·李益《喜见外弟又言别》
自古逢秋悲寂寥，我言秋日胜春朝。——唐·刘禹锡《秋词》
今逢四海为家日，故垒萧萧芦荻秋。——唐·刘禹锡《西塞山怀古》
逢郎欲语低头笑，碧玉搔头落水中。——唐·白居易《采莲曲》
同是天涯沦落人，相逢何必曾相识。——唐·白居易《琵琶行》
尘世难逢开口笑，菊花须插满头归。——唐·杜牧《九日齐山登高》
巧笑东邻女伴，采桑径里逢迎。——宋·晏殊《破阵子·春景》
今宵剩把银釭照，犹恐相逢是梦中。——宋·晏几道《鹧鸪天·彩袖殷勤捧玉钟》
记得相逢垂柳下，雕玉珮，缕金裳。——宋·秦观《江城子·清明天气醉游郎》

幸遇三杯酒好，况逢一朵花新。——宋·朱敦儒《西江月·世事短如春梦》

辛苦遭逢起一经，干戈寥落四周星。——宋·文天祥《过零丁洋》

袨服华妆着处逢，六街灯火闹儿童。——金·元好问《京都元夕》

重逢仍妩媚，方发非迟暮。——元·程文海《千秋岁·寿刘中庵》

人世难逢开口笑，上疆场彼此弯弓月。——现代·毛泽东《贺新郎·读史》

G

归

百川东到海，何时复西归。——汉《乐府歌·长歌行》

十五从军征，八十始得归。——汉·佚名《古诗·十五从军征》

周公吐哺，天下归心。——三国魏·曹操《短歌行》

晨兴理荒秽，带月荷锄归。——晋·陶渊明《归园田居》

开荒南野际，守拙归园田。——晋·陶渊明《归园田居》

将军百战死，壮士十年归。——北朝·民歌《木兰诗》

不知乘月几人归，落月摇情满江树。——唐·张若虚《春江花月夜》

竹喧归浣女，莲动下渔舟。——唐·王维《山居秋暝》

戍客望边色，思归多苦颜。——唐·李白《关山月》

突营射杀呼延将，独领残兵千骑归。——唐·李白《从军行》

柴门闻犬吠，风雪夜归人。——唐·刘长卿《逢雪宿芙蓉山主人》

荡胸生层云，决眦入归鸟。——唐·杜甫《望岳》

老妪力虽衰，请从吏夜归。——唐·杜甫《石壕吏》

唇焦口燥呼不得，归来倚杖自叹息。——唐·杜甫《茅屋为秋风所破歌》

中军置酒饮归客，胡琴琵琶与羌笛。——唐·岑参《白雪歌送武判官归京》

青箬笠，绿蓑衣，斜风细雨不须归。——唐·张志和《渔歌子·西塞山前白鹭飞》

临行密密缝，意恐迟迟归。——唐·孟郊《游子吟》

忽闻水上琵琶声，主人忘归客不发。——唐·白居易《琵琶行》

君问归期未有期，巴山夜雨涨秋池。——唐·李商隐《夜雨寄北》

浊酒一杯家万里，燕然未勒归无计。——宋·范仲淹《渔家傲·秋思》

才始送春归，又送君归去。——宋·王观《卜算子·送鲍浩然之浙东》

我欲乘风归去，又恐琼楼玉宇，高处不胜寒。——宋·苏轼《水调歌头·明月几时有》

常记溪亭日暮，沉醉不知归路。——宋·李清照《如梦令·常记溪亭日暮》

儿童散学归来早，忙趁东风放纸鸢。——清·高鼎《村居》

风雨送春归，飞雪迎春到。——现代·毛泽东《卜算子·咏梅》

光

明月皎夜光，促织鸣东壁。——汉·佚名《古诗十九首·明月皎夜光》

仰头看明月，寄情千里光。——南朝《乐府民歌·子夜四时歌·秋歌》

光映妆楼月，花承歌扇风。——隋·陈子良《咏春雪》

鸿雁长飞光不度，鱼龙潜跃水成文。——唐·张若虚《春江花月夜》

灭烛怜光满，披衣觉露滋。——唐·张九龄《望月怀远》

葡萄美酒夜光杯，欲饮琵琶马上催。——唐·王翰《凉州词》

秋空明月悬，光彩露沾湿。——唐·孟浩然《秋宵月下有怀》

床前明月光，疑是地上霜。——唐·李白《静夜思》

兰陵美酒郁金香，玉碗盛来琥珀光。——唐·李白《客中行》

湖光秋月两相和，潭面无风镜未磨。——唐·刘禹锡《望洞庭》

独上江楼思渺然，月光如水水如天。——唐·赵嘏《江楼旧感》

银烛秋光冷画屏，轻罗小扇扑流萤。——唐·杜牧《七夕》

九十春光斗日光，山城斜路杏花香。——唐·李商隐《春光》

读书不觉已春深，一寸光阴一寸金。——唐·王贞白《白鹿洞》

光阴催促，奈芳兰歇，好花谢，惟顷刻。——宋·柳永《秋蕊香引》

水光潋滟晴方好，山色空蒙雨亦奇。——宋·苏轼《饮湖上初晴后雨》

明月未出群山高，瑞光千丈生白毫。——宋·苏轼《中秋见月和子由》

四顾山光接水光，凭栏十里芰荷香。——宋·黄庭坚《鄂州南楼书事》

目穷淮海满如银，万道虹光育蚌珍。——宋·米芾《中秋登楼望月》

天与秋光，转转情伤，探金英知近重阳。——宋·李清照《行香子·天与秋光》

半亩方塘一鉴开，天光云影共徘徊。——宋·朱熹《观书有感》

胜日寻芳泗水滨，无边光景一时新。——宋·朱熹《春日》

千里江山昨梦非，转眼秋光如许。—— 明·文征明《念奴娇·中秋对月》

三青高岭峙东西，岭上风光一望齐。——清·王良谷《环山胜景》

北国风光，千里冰封，万里雪飘。——现代·毛泽东《沁园春·雪》

公

正为隆准公，仗剑入紫微。——南朝·吴迈远《长别离》

公论日夕阻，朝廷蹉跎会。——唐·王昌龄《宿灞上寄侍御玙弟》

公门暇日少，穷巷故人稀。——唐·王维《酬严少尹徐舍人见过不遇》

公卿如犬羊，忠谠醢与菹。——唐·李白《经乱离后天恩流夜郎忆旧游书怀赠江夏韦太守良宰》

亲见安期公，食枣大如瓜。——唐·李白《寄王屋山人孟大融》

谁念北楼上，临风怀谢公。——唐·李白《秋登宣城谢朓北楼》

河雒化为血，公侯草间啼。——唐·杜甫《咏怀》

夏木已成阴，公门昼恒静。——唐·韦应物《立夏日忆京师诸弟》

大贤秉高鉴，公烛无私光。——唐·孟郊《上达奚舍人》

东方有艰难，公乃出临戎。——唐·张籍《董公诗》

谁主东诸侯，元臣陇西公。——唐·张籍《董公诗》

安得天下守，尽得如袁公。——唐·白居易《旅次华州赠袁右丞》

公门苦鞅掌，尽日无闲隙。——唐·白居易《寄杨六》

公署香满庭，晴霞覆阑药。——唐·元稹《表夏》

公卿虽贵不曾酬，说著仙乡便去游。——唐·吕岩《七言》

公道算来终达去，更从今日望明年。——唐·杜荀鹤《长安春感》

公子将才子，联题兴未回。——唐·齐己《送人游玉泉寺》

玉轮江上雨丝丝，公子游春醉不知。——唐·李馀《寒食》

数株曾手植，好事忆陶公。——唐·钱珝《江行无题》

白沟移向江淮去，止罪宣和恐未公。——元·刘因《白沟》

白骨如山忘姓氏，无非公子与红妆。——清·曹雪芹《嘲顽石幻相》

谈经忘却三公贵，只作先秦伏胜看。——清·龚自珍《己亥杂诗》

山舞银蛇，原驰蜡象，欲与天公试比高。——现代·毛泽东《沁园春·雪》

歌

箫鼓鸣兮发棹歌，欢乐极兮哀情多。——汉·刘彻《秋风辞》

幸甚至哉，歌以咏志。——三国魏·曹操《观沧海》

援琴鸣弦发清商，短歌微吟不能长。——三国魏·曹丕《燕歌行》

相顾无相识，长歌怀采薇。——唐·王绩《野望》

游伎皆秾李，行歌尽落梅。——唐·苏味道《正月十五夜》

滕王高阁临江渚，佩玉鸣鸾罢歌舞。——唐·王勃《滕王阁诗》

乱入池中看不见，闻歌始觉有人来。——唐·王昌龄《采莲曲》

郎听采菱女，一道夜歌归。——唐·李白《秋浦歌》

赧郎明月夜，歌曲动寒川。——唐·李白《秋浦歌》

我歌月徘徊，我舞影零乱。——唐·李白《月下独酌四首》

与君歌一曲，请君为我倾耳听。——唐·李白《将进酒》

李白乘舟将欲行，忽闻岸上踏歌声。——唐·李白《赠汪伦》

白日放歌须纵酒，青春作伴好还乡。——唐·杜甫《闻官军收河南河北》

今日听君歌一曲，暂凭杯酒长精神。——唐·刘禹锡《酬乐天扬州初逢席上见赠》

杨柳青青江水平，闻郎江上唱歌声。——唐·刘禹锡《竹枝词》

羌管弄晴，菱歌泛夜，嬉嬉钓叟莲娃。——宋·柳永《望海潮·东南形胜》

舞低杨柳楼心月，歌尽桃花扇底风。——宋·晏几道《鹧鸪天·彩袖殷勤捧玉钟》
危柱哀弦，艳歌余响，绕云萦水。——宋·苏轼《水龙吟·黄州梦过栖霞楼》
万岁山前珠翠绕，蓬壶殿里笙歌作。——宋·岳飞《满江红·登黄鹤楼有感》
舞榭歌台，风流总被雨打风吹去。——宋·辛弃疾《永遇乐·京口北固亭怀古》

山外青山楼外楼，西湖歌舞几时休。——宋·林升《题临安邸》
牧童骑黄牛，歌声振林樾。——清·袁枚《所见》
四面歌残终破楚，八年风味徒思浙。——清·秋瑾《满江红·小住京华》
国际悲歌歌一曲，狂飙为我从天落。——现代·毛泽东《蝶恋花·从汀州向长沙》
千村薜荔人遗失，万户萧疏鬼唱歌。——现代·毛泽东《七律·送瘟神》

孤

冉冉孤生竹，结根泰山阿。——汉·佚名《古诗十九首·冉冉孤生竹》
江干远树浮，天末孤烟起。——南朝·范云《之零陵郡次新亭》
江天一色无纤尘，皎皎空中孤月轮。——唐·张若虚《春江花月夜》
黄河远上白云间，一片孤城万仞山。——唐·王之涣《凉州词》
青海长云暗雪山，孤城遥望玉门关。——唐·王昌龄《从军行》
寒雨连江夜入吴，平明送客楚山孤。——唐·王昌龄《芙蓉楼送辛渐》
乡泪客中尽，孤帆天际看。——唐·孟浩然《早寒江上有怀》
风鸣两岸叶，月照一孤舟。——唐·孟浩然《宿桐庐江寄广陵旧游》
大漠孤烟直，长河落日圆。——唐·王维《使至塞上》
渡头余落日，墟里上孤烟。——唐·王维《辋川闲居赠裴秀才迪》

此地一为别，孤蓬万里征。——唐·李白《送友人》
众鸟高飞尽，孤云独去闲。——唐·李白《独坐敬亭山》

孤灯不明思欲绝，卷帷望月空长叹。——唐·李白《长相思》

两岸青山相对出，孤帆一片日边来。——唐·李白《望天门山》

孤帆远影碧空尽，唯见长江天际流。——唐·李白《黄鹤楼送孟浩然之广陵》

大漠穷秋塞草腓，孤城落日斗兵稀。——唐·高适《燕歌行》

亲朋无一字，老病有孤舟。——唐·杜甫《登岳阳楼》

夔府孤城落日斜，每依南斗望京华。——唐·杜甫《秋兴》

孤山寺北贾亭西，水面初平云脚低。——唐·白居易《钱塘湖春行》

孤舟蓑笠翁，独钓寒江雪。——唐·柳宗元《江雪》

僵卧孤村不自哀，尚思为国戍轮台。——宋·陆游《十一月四日风雨大作》

郁孤台下清江水，中间多少行人泪？——宋·辛弃疾《菩萨蛮·书江西造口壁》

乡曲故人凭问信，孤山梅树几番开？——元·王冕《送僧归中竺》

肠断黄金台下客，更传天语到孤山。——清·黄任《西湖杂诗》

汽笛一声肠已断，从此天涯孤旅。——现代·毛泽东《贺新郎·别友》

国

捐躯赴国难，视死忽如归。——三国魏·曹植《白马篇》

单车欲问边，属国过居延。——唐·王维《使至塞上》

红豆生南国，春来发几枝。——唐·王维《相思》

蚕丛及鱼凫，开国何茫然。——唐·李白《蜀道难》

梦绕边城月，心飞故国楼。——唐·李白《太原早秋》

国破山河在，城春草木深。——唐·杜甫《春望》

杀人亦有限，列国自有疆。——唐·杜甫《前出塞》

万国尽征戍，烽火被冈峦。——唐·杜甫《垂老别》

鱼龙寂寞秋江冷，故国平居有所思。——唐·杜甫《秋兴》

愿得此身长报国，何须生入玉门关。——唐·戴叔伦《塞上曲》

唯有牡丹真国色，花开时节动京城。——唐·刘禹锡《赏牡丹》

诗称国手徒为尔，命压人头不奈何。——唐·白居易《醉赠刘二十八使君》

花发新移树，心知故国春。——唐·贾岛《新年》

江娥啼竹素女愁，李凭中国弹箜篌。——唐·李贺《李凭箜篌引》

商女不知亡国恨，隔江犹唱后庭花。——唐·杜牧《泊秦淮》

泽国江山入战图，生民何计乐樵苏。——唐·曹松《己亥岁》

西施若解倾吴国，越国亡来又是谁？——唐·罗隐《西施》

僵卧孤村不自哀，尚思为国戍轮台。——宋·陆游《十一月四日风雨大作》

位卑未敢忘忧国，事定犹须待阖棺。——宋·陆游《病起书怀》

哀哉沮洳场，为我安乐国。——宋·文天祥《正气歌》

苟利国家生死以，岂因祸福避趋之！——清·林则徐《赴戍登程口占示家人》

只解沙场为国死，何须马革裹尸还？——清·徐锡麟《出塞》

浊酒不销忧国泪，救时应仗出群才。——清·秋瑾《黄海舟中日人索句并见日俄战争地图》

茫茫九派流中国，沉沉一线穿南北。——现代·毛泽东《菩萨蛮·黄鹤楼》

三十一年还旧国，落花时节读华章。——现代·毛泽东《七律·和柳亚子先生》

宫

溘吾游此春宫兮，折琼枝以继佩。——战国·屈原《离骚》

妾今远嫁万千里，胜在深宫寂寞死。——南朝·沈约《昭君辞》

暮景斜芳殿，年华丽绮宫。——唐·李世民《守岁》

天子临轩赐侯印，将军佩出明光宫。——唐·王维《少年行》

吴宫花草埋幽径，晋代衣冠成古丘。——唐·李白《登金陵凤凰台》

蓬莱宫阙对南山，承露金茎霄汉间。——唐·杜甫《秋兴》

云移雉尾开宫扇，日绕龙鳞识圣颜。——唐·杜甫《秋兴》

日暮汉宫传蜡烛，轻烟散入五侯家。——唐·韩翃《寒食》

川原缭绕浮云外，宫阙参差落照间。——唐·卢纶《长安春望》

骊宫高处入青云，仙乐风飘处处闻。——唐·白居易《长恨歌》

回眸一笑百媚生，六宫粉黛无颜色。——唐·白居易《长恨歌》

一车炭，千余斤，宫使驱将惜不得。——唐·白居易《卖炭翁》

寥落古行宫，宫花寂寞红。——唐·元稹《行宫》

白头宫女在，闲坐说玄宗。——唐·元稹《行宫》

空将汉月出宫门，忆君清泪如铅水。——唐·李贺《金铜仙人辞汉歌》

画栏桂树悬秋香，三十六宫土花碧。——唐·李贺《金铜仙人辞汉歌》

三十六宫秋夜深，昭阳歌断信沈沈。——唐·杜牧《月》

龙笛远吹胡地月，燕钗初试汉宫妆。——唐·韩偓《梅花》

君王城上竖降旗，妾在深宫那得知。——五代·花蕊夫人《述国亡诗》

满地残红宫锦污，昨夜南园风雨。——宋·王安国《清平乐·春晚》

不知天上宫阙，今夕是何年。——宋·苏轼《水调歌头·明月几时有》

细雨春芜上林苑，颓垣夜月洛阳宫。——宋·陆游《书愤》

为君别唱吴宫曲，汉水东南日夜流。——清·吴伟业《圆圆曲》

深宫母子独凄然，却似滦阳游幸年。——清·王国维《颐和园词》

过

汝今无罪过，不迎而自归。——汉《乐府歌·孔雀东南飞》

狡捷过猴猿，勇剽若豹螭。——三国魏·曹植《白马篇》

过江千尺浪，入竹万竿斜。——唐·李峤《风》

忽过新丰市，还归细柳营。——唐·王维《观猎》

单车欲问边，属国过居延。——唐·王维《使至塞上》

杨花落尽子规啼，闻道龙标过五溪。——唐·李白《闻王昌龄左迁龙标遥有此寄》

黄鹤之飞尚不得过，猿猱欲度愁攀援。——唐·李白《蜀道难》

两岸猿声啼不住，轻舟已过万重山。——唐·李白《早发白帝城》

道旁过者问行人，行人但云点行频。——唐·杜甫《兵车行》

东风吹雨过青山，却望千门草色闲。——唐·卢纶《长安春望》

沉舟侧畔千帆过，病树前头万木春。——唐·刘禹锡《酬乐天扬州初逢席上见赠》

过尽千帆皆不是，斜晖脉脉水悠悠。——唐·温庭筠《望江南·梳洗罢》

此夜若无月，一年虚过秋。——唐·司空图《中秋》

蛱蝶飞来过墙去，却疑春色在邻家。——唐·王驾《雨晴》

雨昏青草湖边过，花落黄陵庙里啼。——唐·郑谷《鹧鸪》

无花无酒过清明，兴味萧然似野僧。——宋·王禹偁《清明》

群芳过后西湖好，狼藉残红。——宋·欧阳修《采桑子·群芳过后西湖好》

离别一何久，七度过中秋。——宋·苏辙《水调歌头·徐州中秋》

云淡风轻近午天，傍花随柳过前川。——宋·程颢《春日偶成》

至今思项羽，不肯过江东。——宋·李清照《夏日绝句》

雁过也，正伤心，却是旧时相识。——宋·李清照《声声慢·寻寻觅觅》

日长篱落无人过，惟有蜻蜓蛱蝶飞。——宋·范成大《四时田园杂兴》

春事已过半，客怀何怅然？——元·王冕《春晚客怀》

不去奔波办过年，终朝酩酊步颠连。——明·徐渭《醉人》

更

中有双飞鸟，自名为鸳鸯。仰头相向鸣，夜夜达五更。——汉《乐府歌·孔雀东南飞》

近乡情更怯，不敢问来人。——唐·宋之问《渡汉江》

欲穷千里目，更上一层楼。——唐·王之涣《登鹳雀楼》

更吹羌笛关山月，无那金闺万里愁。——唐·王昌龄《从军行》

昨日登高罢，今朝更举觞。——唐·李白《九月十日即事》

抽刀断水水更流，举杯消愁愁更愁。——唐·李白《宣州谢朓楼饯别校书叔云》

三更灯火五更鸡，正是男儿读书时。——唐·颜真卿《劝学诗》

白头搔更短，浑欲不胜簪。——唐·杜甫《春望》

室中更无人，惟有乳下孙。——唐·杜甫《石壕吏》

东望少城花满烟，百花高楼更可怜。——唐·杜甫《江畔独步寻花七绝句》

莫辞更坐弹一曲，为君翻作《琵琶行》。——唐·白居易《琵琶行》

不是花中偏爱菊，此花开尽更无花。——唐·元稹《菊花》

帘外雨潺潺，春意阑珊。罗衾不耐五更寒。——五代·李煜《浪淘沙令·帘外雨潺潺》

离恨恰如春草，更行更远还生。——五代·李煜《清平乐·别来春半》

不寐倦长更，披衣出户行。——五代·李煜《三台令·不寐倦长更》

只有天在上，更无山与齐。——宋·寇准《咏华山》

多情自古伤离别，更那堪，冷落清秋节！——宋·柳永《雨霖铃·寒蝉凄切》

便纵有千种风情，更与何人说？——宋·柳永《雨霖铃·寒蝉凄切》

可惜明年花更好，知与谁同？——宋·欧阳修《浪淘沙·把酒祝东风》

梧桐更兼细雨，到黄昏、点点滴滴。——宋·李清照《声声慢·寻寻觅觅》

已是黄昏独自愁，更著风和雨。——宋·陆游《卜算子·咏梅》

出师一表通今古，夜半挑灯更细看。——宋·陆游《病起书怀》

可怜吹得头如雪，更上安南万里舟。——明·张以宁《有感》

宫阙五云天北极，高秋更上九霄看。——明·王守仁《登大伾山诗》

风一更，雪一更，聒碎乡心梦不成，故园无此声。——清·纳兰性德《长相思·山一程》

渊明爱逸菊，敦颐好青莲。我独爱指甲，取其志更坚。——现代·毛泽东《咏指甲花》

H

汉

星汉灿烂，若出其里。——三国魏·曹操《观沧海》

明月皎皎照我床，星汉西流夜未央。——三国魏·曹丕《燕歌行》

我所思兮在汉阳。欲往从之陇阪长，侧身西望涕沾裳。——汉·张衡《四愁诗》

夜闻南城汉使度，使我流泪忆长安。——南朝·释宝月《行路难·君不见》

接汉疑星落，依楼似月悬。——唐·卢照邻《十五夜观灯》

汉家天子今神武，不肯和亲归去来。——唐·王之涣《凉州词》

年年战骨埋荒外，空见蒲桃入汉家。——唐·李颀《古从军行》

秦时明月汉时关，万里长征人未还。——唐·王昌龄《出塞》

征蓬出汉塞，归雁入胡天。——唐·王维《使至塞上》

汉家君臣欢宴终，高议云台论战功。——唐·王维《少年行》

汉下白登道，胡窥青海湾。——唐·李白《关山月》

醒时同交欢，醉后各分散。永结无情游，相期邈云汉。——唐·李白《月下独酌》

淮阴市井笑韩信，汉朝公卿忌贾生。——唐·李白《行路难》

汉家烟尘在东北，汉将辞家破残贼。——唐·高适《燕歌行》

晴川历历汉阳树，芳草萋萋鹦鹉洲。——唐·崔颢《黄鹤楼》

昆明池水汉时功，武帝旌旗在眼中。——唐·杜甫《秋兴》

秦城楼阁烟花里，汉主山河锦绣中。——唐·杜甫《清明》

日暮汉宫传蜡烛，轻烟散入五侯家。——唐·韩翃《寒食》

汉家旌帜满阴山，不遣胡儿匹马还。——唐·戴叔伦《塞上曲》

空将汉月出宫门，忆君清泪如铅水。——唐·李贺《金铜仙人辞汉歌》

瀌瀌汩汩声不定，胡雏学汉语未正。——唐·牛殳《琵琶行》

星汉淡无色，玉镜独空浮。——宋·范成大《水调歌头·细数十年事》

黄河水绕汉宫墙，河上秋风雁几行。——明·李梦阳《秋望》

几回花下坐吹箫，银汉红墙入望遥。——清·黄景仁《绮怀》

不到长城非好汉，屈指行程二万。——现代·毛泽东《清平乐·六盘山》

花

柳条折尽花飞尽，借问行人归不归？——隋·佚名《送别诗》

待到重阳日，还来就菊花。——唐·孟浩然《过故人庄》

人闲桂花落，夜静春山空。——唐·王维《鸟鸣涧》

桃花潭水深千尺，不及汪伦送我情。——唐·李白《赠汪伦》

五月天山雪，无花只有寒。——唐·李白《塞下曲》

迟日江山丽，春风花草香。——唐·杜甫《绝句》

黄四娘家花满蹊，千朵万朵压枝低。——唐·杜甫《江畔独步寻花》

忽如一夜春风来，千树万树梨花开。——唐·岑参《白雪歌送武判官归京》

春城无处不飞花，寒食东风御柳斜。——唐·韩翃《寒食》

西塞山前白鹭飞，桃花流水鳜鱼肥。——唐·张志和《渔歌子》

春风得意马蹄疾，一日看尽长安花。——唐·孟郊《登科后》

乱花渐欲迷人眼，浅草才能没马蹄。——唐·白居易《钱塘湖春行》

人面不知何处去，桃花依旧笑春风。——唐·崔护《题都城南庄》

停车坐爱枫林晚，霜叶红于二月花。——唐·杜牧《山行》

他年我若为青帝，报与桃花一处开。——唐·黄巢《题菊花》

去年元夜时，花市灯如昼。——宋·欧阳修《生查子·元夕》

风住尘香花已尽，日晚倦梳头。——宋·李清照《武陵春·春晚》

兴尽晚回舟，误入藕花深处。——宋·李清照《如梦令·常记溪亭日暮》

何方可化身千亿，一树梅花一放翁。——宋·陆游《梅花》

山重水复疑无路，柳暗花明又一村。——宋·陆游《游山西村》

儿童急走追黄蝶，飞入菜花无处寻。——宋·杨万里《宿新市徐公店》

有约不来过夜半，闲敲棋子落灯花。——宋·赵师秀《约客·有约》
吾家洗砚池头树，朵朵花开淡墨痕。——元·王冕《墨梅》
花魂鸟魂总难留，鸟自无言花自羞。——清·曹雪芹《葬花吟》
已是悬崖百丈冰，犹有花枝俏。——现代·毛泽东《卜算子·咏梅》

寒

朔气传金柝，寒光照铁衣。——北朝《乐府民歌·木兰诗》
北地春光晚，边城气候寒。——唐·杜审言《经行岚州》
木落雁南度，北风江上寒。——唐·孟浩然《早寒江上有怀》
出塞入塞寒，处处黄芦草。——唐·王昌龄《塞上曲》
客衣今日薄，寒气近来饶。——唐·祖咏《泊扬子津》
林表明霁色，城中增暮寒。——唐·祖咏《终南望余雪》
来日绮窗前，寒梅著花未？——唐·王维《杂诗》
寒山转苍翠，秋水日潺湲。——唐·王维《辋川闲居赠裴秀才迪》
夕阳依旧垒，寒磬满空林。——唐·刘长卿《秋日登吴公台上寺远眺》
泠泠七弦上，静听松风寒。——唐·刘长卿《听弹琴》

香雾云鬟湿，清辉玉臂寒。——唐·杜甫《月夜》
苍翠烟景曙，森沉云树寒。——唐·岑参《早上五盘岭》
秋草灵光殿，寒云曲阜城。——唐·韩翃《送故人归鲁》
寒禽与衰草，处处伴愁颜。——唐·司空曙《贼平后送人北归》
颖微囊未出，寒甚谷难吹。——唐·刘禹锡《罢郡归洛阳寄友人》
落叶人何在，寒云路几层。——唐·李商隐《北青萝》
落叶他乡树，寒灯独夜人。——唐·马戴《灞上秋居》
寒灯思旧事，断雁警愁眠。——唐·杜牧《旅宿》
寒光垂静夜，皓彩满重城。——唐·杜牧《长安夜月》

乱木孤蝉后，寒山绝鸟时。——唐·刘得仁《送僧归玉泉寺》

暮雨相呼失，寒塘欲下迟。——唐·崔涂《孤雁》

寒暄一夜隔，客鬓两年催。——宋·汪洙《神童诗》

寒飞千尺玉，清洒一林霜。——明·憨山德清《咏竹》

飞絮飞花何处是，层冰积雪摧残，疏疏一树五更寒。——清·纳兰性德《临江仙·寒柳》

独立寒秋，湘江北去，橘子洲头。——现代·毛泽东《沁园春·长沙》

回

回中峰火入，塞上追兵起。——唐·陈子昂《赠赵六贞固》

飞棹乘空下，回流向日平。——唐·杜审言《春日江津游望》

射杀空营两腾虎，回身却月佩弓弰。——唐·王昌龄《城傍曲》

醉别何须更惆怅，回头不语但垂鞭。——唐·王昌龄《留别郭八》

谁能待明月，回首见床空。——唐·王缙《古离别》

回瞻旧乡国，淼漫连云霞。——唐·王维《渡河到清河作》

回舟不待月，归去越王家。——唐·李白《子夜吴歌·夏歌》

鸣棹下东阳，回舟入剡乡。——唐·崔颢《舟行入剡》

回乐峰前沙似雪，受降城外月如霜。——唐·李益《夜上受降城闻笛》

今日看嵩洛，回头叹世间。——唐·白居易《看嵩洛有叹》

回观亲旧中，举目尤可嗟。——唐·白居易《寄同病者》

回首却归朝市去，一稊米落太仓中。——唐·白居易《登灵应台北望》

回眸一笑百媚生，六宫粉黛无颜色。——唐·白居易《长恨歌》

手爇寒灯向影频，回文机上暗生尘。——唐·施肩吾《望夫词》

虫栖雁病芦笋红，回风送客吹阴火。——唐·李贺《长平箭头歌》

回首两情萧索，离魂何处飘泊。——唐·温庭筠《河渎神》
回面共人闲语，战篦金凤斜。——唐·温庭筠《思帝乡》
愁杀平原年少，回首挥泪千行。—— 唐·温庭筠《清平乐·洛阳愁绝》
水上游人沙上女，回顾，笑指芭蕉林里住。——五代·欧阳炯《南乡子·画舸停桡》
回首西南看晚月，孤雁来时，塞管声呜咽。——五代·冯延巳《鹊踏枝·秋入蛮蕉风半裂》

回首绿波三楚暮，接天流。——五代·李璟《摊破浣溪沙·手卷真珠上玉钩》
风回小院庭芜绿，柳眼春相续。——五代·李煜《虞美人·风回小院庭芜绿》
几回花下坐吹箫，银汉红墙入望遥。——清·黄景仁《绮怀》
山，快马加鞭未下鞍。惊回首，离天三尺三。——现代·毛泽东《十六字令三首》

黄

秋风起兮白云飞，草木黄落兮雁南归。——汉·刘彻《秋风辞》
东飞伯劳西飞燕，黄姑织女时相见。——南朝·萧衍《东飞伯劳歌》
当窗理云鬓，对镜贴花黄。——北朝《乐府民歌·木兰诗》
况属高风晚，山山黄叶飞。——唐·王勃《山中》
白日依山尽，黄河入海流。——唐·王之涣《登鹳雀楼》
黄河远上白云间，一片孤城万仞山。——唐·王之涣《凉州词》
故人西辞黄鹤楼，烟花三月下扬州。——唐·李白《黄鹤楼送孟浩然之广陵》
君不见，黄河之水天上来，奔流到海不复回。——唐·李白《将进酒》
千里黄云白日曛，北风吹雁雪纷纷。——唐·高适《别董大》
昔人已乘黄鹤去，此地空余黄鹤楼。——唐·崔颢《黄鹤楼》

黄鹤一去不复返，白云千载空悠悠。——唐·崔颢《黄鹤楼》
两个黄鹂鸣翠柳，一行白鹭上青天。——唐·杜甫《绝句》

黄四娘家花满蹊，千朵万朵压枝低。——唐·杜甫《江畔独步寻花》

独怜幽草涧边生，上有黄鹂深树鸣。——唐·韦应物《滁州西涧》

住近湓江地低湿，黄芦苦竹绕宅生。——唐·白居易《琵琶行》

黄埃散漫风萧索，云栈萦纡登剑阁。——唐·白居易《长恨歌》

诗家清景在新春，绿柳才黄半未匀。——唐·杨巨源《城东早春》

夕阳无限好，只是近黄昏。——唐·李商隐《登乐游原》

疏影横斜水清浅，暗香浮动月黄昏。——宋·林逋《山园小梅》

门前流水尚能西！休将白发唱黄鸡。——宋·苏轼《浣溪沙·游蕲水清泉寺》

满地黄花堆积，憔悴损，如今有谁堪摘？——宋·李清照《声声慢·寻寻觅觅》

莫道不销魂，帘卷西风，人比黄花瘦。——宋·李清照《醉花阴·薄雾浓云愁永昼》

儿童急走追黄蝶，飞入菜花无处寻。——宋·杨万里《宿新市徐公店》

黄云紫塞三千里，女墙西畔啼乌起。——清·纳兰性德《菩萨蛮·黄云紫塞三千里》

黄洋界上炮声隆，报道敌军宵遁。——现代·毛泽东《西江月·井冈山》

海

凤兮凤兮归故乡，遨游四海求其凰。——汉·司马相如《凤求凰》

百川东到海，何时复西归？——汉《乐府歌·长歌行》

东临碣石，以观沧海。——三国魏·曹操《观沧海》

山不厌高，海不厌深。周公吐哺，天下归心。——三国魏·曹操《短歌行》

春江潮水连海平，海上明月共潮生。——唐·张若虚《春江花月夜》

斜月沉沉藏海雾，碣石潇湘无限路。——唐·张若虚《春江花月夜》

海上生明月，天涯共此时。——唐·张九龄《望月怀古》

青海长云暗雪山，孤城遥望玉门关。——唐·王昌龄《从军行》

烽火城西百尺楼，黄昏独上海风秋。——唐·王昌龄《从军行》

月下飞天镜，云生结海楼。——唐·李白《渡荆门送别》

明月出天山，苍茫云海间。——唐·李白《关山月》

汉下白登道，胡窥青海湾。——唐·李白《关山月》

边庭流血成海水，武皇开边意未已。——唐·杜甫《兵车行》

瀚海阑干百丈冰，愁云惨淡万里凝。——唐·岑参《白雪歌送武判官归京》

君不见走马川行雪海边，平沙莽莽黄入天。——唐·岑参《走马川行奉送封大夫出师西征》

忽闻海上有仙山，山在虚无缥渺间。——唐·白居易《长恨歌》

曾经沧海难为水，除却巫山不是云。——唐·元稹《离思》

嫦娥应悔偷灵药，碧海青天夜夜心。——唐·李商隐《嫦娥》

沧海月明珠有泪，蓝田日暖玉生烟。——唐·李商隐《锦瑟》

试问卷帘人，却道海棠依旧。——宋·李清照《如梦令·昨夜雨疏风骤》

今年海角天涯，萧萧两鬓生华。——宋·李清照《清平乐·年年雪里》

三万里河东入海，五千仞岳上摩天。——宋·陆游《秋夜将晓出篱门迎凉有感》

盐烟半入海气白，风雨忽来溪树鸣。——元·王冕《偶成》

水涵银海月为镜，苔点瑶阶石作枰。——清·爱新觉罗·弘历《夏日题瀛台》

沧海横流，方显出英雄本色。——现代·郭沫若《满江红》

红

娥娥红粉妆，纤纤出素手。——汉《古诗十九首·青青河畔草》

荆溪白石出，天寒红叶稀。——唐·王维《山中》

红豆生南国，春来发几枝。——唐·王维《相思》

炉火照天地，红星乱紫烟。——唐·李白《秋浦歌》

晓看红湿处，花重锦官城。——唐·杜甫《春夜喜雨》

桃花一簇开无主，可爱深红爱浅红。——唐·杜甫《江畔独步寻花》

纷纷暮雪下辕门，风掣红旗冻不翻。——唐·岑参《白雪歌送武判官归京》

去年今日此门中，人面桃花相映红。——唐·崔护《题都城南庄》

绿蚁新醅酒，红泥小火炉。——唐·白居易《问刘十九》

半匹红绡一丈绫，系向牛头充炭直。——唐·白居易《卖炭翁》

一道残阳铺水中，半江瑟瑟半江红。——唐·白居易《暮江吟》

五陵年少争缠头，一曲红绡不知数。——唐·白居易《琵琶行》

千里莺啼绿映红，水村山郭酒旗风。——唐·杜牧《江南春·千里莺啼绿映红》

停车坐爱枫林晚，霜叶红于二月花。——唐·杜牧《山行》

家家乞巧望秋月，穿尽红丝几万条。——唐·林杰《乞巧》

林花谢了春红，太匆匆。——五代·李煜《相见欢·林花谢了春红》

百啭千声随意移，山花红紫树高低。——宋·欧阳修《画眉鸟》

何须浅碧深红色，自是花中第一流。——宋·李清照《鹧鸪天·桂花》

接天莲叶无穷碧，映日荷花别样红。——宋·杨万里《晓出净慈寺送林子方》

等闲识得东风面，万紫千红总是春。——宋·朱熹《春日》

念桥边红药，年年知为谁生。——宋·姜夔《扬州慢·淮左名都》

青山依旧在，几度夕阳红。——明·杨慎《临江仙·滚滚长江东逝水》

秋山复秋水，秋花红未已。——清·顾炎武《秋山》

看万山红遍，层林尽染；漫江碧透，百舸争流。——现代·毛泽东《沁园春·长沙》

须晴日，看红装素裹，分外妖娆。——现代·毛泽东《沁园春·雪》

华

桃之夭夭，灼灼其华。——先秦《诗经·周南·桃夭》

常恐秋节至，焜黄华叶衰。——汉《乐府歌·长歌行》

边庭节物与华异，冬霰秋霜春不歇。——隋·卢思道《从军行》

浮香绕曲岸，圆影覆华池。——唐·卢照邻《曲池荷》

此时相望不相闻，愿逐月华流照君。——唐·张若虚《春江花月夜》

念归林叶换，愁坐露华生。——唐·张九龄《西江夜行》
桃李待日开，荣华照当年。——唐·李白《长歌行》
云想衣裳花想容，春风拂槛露华浓。——唐·李白《清平调》
冠盖满京华，斯人独憔悴。——唐·杜甫《梦李白》
绿野堂开占物华，路人指道令公家。——唐·白居易《奉和令公绿野堂种花》

翠华摇摇行复止，西出都门百余里。——唐·白居易《长恨歌》
新年都未有芳华，二月初惊见草芽。——唐·韩愈《春雪》
定定住天涯，依依向物华。——唐·李商隐《忆梅》
锦瑟无端五十弦，一弦一柱思华年。——唐·李商隐《锦瑟》
闻道阊门萼绿华，昔年相望抵天涯。——唐·李商隐《无题》
玉颗珊珊下月轮，殿前拾得露华新。——唐·皮日休《天竺寺八月十五日夜桂子》
那堪正飘泊，明日岁华新。——唐·崔涂《除夜》
东南形胜，三吴都会，钱塘自古繁华。——宋·柳永《望海潮·东南形胜》
是处红衰翠减，苒苒物华休。——宋·柳永《八声甘州·对潇潇暮雨洒江天》
世味年来薄似纱，谁令骑马客京华。——宋·陆游《临安春雨初霁》

天地神灵扶庙社，京华父老望和銮。——宋·陆游《病起书怀》
岁华投老送多感，节物对愁争一新。——元·王寂《元夕有感》
小住京华，早又是、中秋佳节。——清·秋瑾《满江红·小住京华》
恰同学少年，风华正茂；书生意气，挥斥方遒。——现代·毛泽东《沁园春·长沙》

好

民生各有所乐兮，余独好修以为常。——战国·屈原《离骚》

襄阳好风日，留醉与山翁。——唐·王维《汉江临泛》

今日云景好，水绿秋山明。——唐·李白《九日》

雁引愁心去，山衔好月来。——唐·李白《与夏十二登岳阳楼》

五岳寻仙不辞远，一生好入名山游。——唐·李白《庐山谣寄卢侍御虚舟》

白日放歌须纵酒，青春作伴好还乡。——唐·杜甫《闻官军收河南河北》

映阶碧草自春色，隔叶黄鹂空好音。——唐·杜甫《蜀相》

好雨知时节，当春乃发生。——唐·杜甫《春夜喜雨》

正是江南好风景，落花时节又逢君。——唐·杜甫《江南逢李龟年》

最是一年春好处，绝胜烟柳满皇都。——唐·韩愈《早春呈水部张十八员外》

知汝远来应有意，好收吾骨瘴江边。——唐·韩愈《左迁至蓝关示侄孙湘》

江南好，风景旧曾谙。——唐·白居易《忆江南》

十月江南天气好，可怜冬景似春华。——唐·白居易《早冬》

夕阳无限好，只是近黄昏。——唐·李商隐《乐游原》

人人尽说江南好，游人只合江南老。——唐·韦庄《菩萨蛮·人人尽说江南好》

花明月暗笼轻雾，今宵好向郎边去。——五代·李煜《菩萨蛮·花明月暗笼轻雾》

好峰随处改，幽径独行迷。——宋·梅尧臣《鲁山山行》

况是清明好天气，不妨游衍莫忘归。——宋·程颢《郊行即事》

一年好景君须记，正是橙黄橘绿时。——宋·苏轼《赠刘景文》

水光潋滟晴方好，山色空蒙雨亦奇。——宋·苏轼《饮湖上初晴后雨》

好水好山看不足，马蹄催趁月明归。——宋·岳飞《池州翠微亭》

风日晴和人意好，夕阳箫鼓几船归。——宋·徐元杰《湖上》

旧时月色无人识，新岁梅花正好看。——元·王冕《雪后》

莫道春来便归去，江南虽好是他乡。——明·王恭《春雁》

先生七十健非常，好事频来索寿章。——清·李邺嗣《口占呈全完白》

不到长城非好汉，屈指行程二万。——现代·毛泽东《清平乐·六盘山》

河

泛楼船兮济汾河，横中流兮扬素波。——汉·刘彻《秋风辞》
牵牛织女遥相望，尔独何辜限河梁。——三国魏·曹丕《燕歌行》
河汉纵且横，北斗横复直。——南朝·沈约《夜夜曲》
杨柳东风树，青青夹御河。——唐·王之涣《送别》
黄河远上白云间，一片孤城万仞山。——唐·王之涣《凉州词》
白日登山望烽火，黄昏饮马傍交河。——唐·李颀《古从军行》
大漠孤烟直，长河落日圆。——唐·王维《使至塞上》
飞流直下三千尺，疑是银河落九天。——唐·李白《望庐山瀑布》
或从十五北防河，便至四十西营田。——唐·杜甫《兵车行》
五更鼓角声悲壮，三峡星河影动摇。——唐·杜甫《阁夜》

夜静星河出，耿耿辰与参。——唐·顾况《游子吟》
岁岁金河复玉关，朝朝马策与刀环。——唐·柳中庸《征人怨》
云母屏风烛影深，长河渐落晓星沉。——唐·李商隐《嫦娥》
七夕今宵看碧霄，牵牛织女渡河桥。——唐·林杰《乞巧》
关河三尺雪，何处是天山。——唐·陈陶《游子吟》
四十年来家国，三千里地山河。——五代·李煜《破阵子·四十年来家国》
满目山河空念远，落花风雨更伤春。——宋·晏殊《浣溪沙·一向年光有限身》
蒌蒿满地芦芽短，正是河豚欲上时。——宋·苏轼《惠崇春江晚景》
何日请缨提锐旅，一鞭直渡清河洛。——宋·岳飞《满江红·登黄鹤楼有感》
三万里河东入海，五千仞岳上摩天。——宋·陆游《秋夜将晓出篱门迎凉有感》

山河破碎风飘絮，身世浮沉雨打萍。——宋·文天祥《过零丁洋》
下则为河岳，上则为日星。——宋·文天祥《正气歌》
无限山河泪，谁言天地宽。——明·夏完淳《别云间》

望长城内外，惟余莽莽；大河上下，顿失滔滔。——现代·毛泽东《沁园春·雪》

何

江南可采莲，莲叶何田田。——汉《乐府歌·江南》

百川东到海，何时复西归？——汉《乐府歌·长歌行》

本是同根生，相煎何太急！——三国魏·曹植《七步诗》

滟滟随波千万里，何处春江无月明！——唐·张若虚《春江花月夜》

不知江月待何人，但见长江送流水。——唐·张若虚《春江花月夜》

羌笛何须怨杨柳，春风不度玉门关。——唐·王之涣《凉州词》

此夜曲中闻折柳，何人不起故园情！——唐·李白《春夜洛城闻笛》

但使主人能醉客，不知何处是他乡。——唐·李白《客中行》

主人何为言少钱，径须沽取对君酌。——唐·李白《将进酒》

旅馆寒灯独不眠，客心何事转凄然？——唐·高适《除夜作》

日暮乡关何处是？烟波江上使人愁。——唐·崔颢《黄鹤楼》

却看妻子愁何在，漫卷诗书喜欲狂。——唐·杜甫《闻官军收河南河北》

自经丧乱少睡眠，长夜沾湿何由彻！——唐·杜甫《茅屋为秋风所破歌》

人面不知何处去？桃花依旧笑春风。——唐·崔护《题都城南庄》

云横秦岭家何在？雪拥蓝关马不前。——唐·韩愈《左迁至蓝关示侄孙湘》

同是天涯沦落人，相逢何必曾相识！——唐·白居易《琵琶行》

卖炭得钱何所营？身上衣裳口中食。——唐·白居易《卖炭翁》

西北望乡何处是？东南见月几回圆。——唐·白居易《八月十五日夜湓亭望月》

借问酒家何处有？牧童遥指杏花村。——唐·杜牧《清明》

何当共剪西窗烛，却话巴山夜雨时。——唐·李商隐《夜雨寄北》

尽道丰年瑞，丰年事若何？——唐·罗隐《雪》

不知天上宫阙，今夕是何年？——宋·苏轼《水调歌头·明月几时有》

寄言众儿女，何必觅闲愁！——清·曹雪芹《春梦歌》

绿水青山枉自多，华佗无奈小虫何！——现代·毛泽东《送瘟神》

荷

制芰荷以为衣兮，集芙蓉以为裳。——战国·屈原《离骚》

晨兴理荒秽，带月荷锄归。——晋·陶渊明《归园田居》

荷叶罗裙一色裁，芙蓉向脸两边开。——唐·王昌龄《采莲曲》

桑野就耕父，荷锄随牧童。——唐·孟浩然《田家元日》

田夫荷锄至，相见语依依。——唐·王维《渭川田家》

荷风送香气，竹露滴清响。——唐·孟浩然《夏日南亭怀辛大》

镜湖三百里，菡萏发荷花。——唐·李白《子夜吴歌·夏歌》

荷笠带斜阳，青山独归远。——唐·刘长卿《送灵澈上人》

念彼荷戈士，穷年守边疆。——唐·杜甫《夏夜叹》

方春独荷锄，日暮还灌畦。——唐·杜甫《无家别》

菱叶萦波荷飐风，荷花深处小船通。——唐·白居易《采莲曲》

惟有绿荷红菡萏，卷舒开合任天真。——唐·李商隐《赠荷花》

荷叶生时春恨生，荷叶枯时秋恨成。——唐·李商隐《暮秋独游曲江》

秋阴不散霜飞晚，留得枯荷听雨声。——唐·李商隐《宿骆氏亭寄怀崔雍崔衮》

重湖叠巘清嘉，有三秋桂子，十里荷花。——宋·柳永《望海潮·东南形胜》

荷花开后西湖好，载酒来时。不用旌旗，前后红幢绿盖随。——宋·欧阳修《采桑子·荷花开后西湖好》

东风忽起垂杨舞，更作荷心万点声。——宋·刘攽《雨后池上》

荷尽已无擎雨盖，菊残犹有傲霜枝。——宋·苏轼《赠刘景文》

叶上初阳干宿雨，水面清圆，一一风荷举。——宋·周邦彦《苏幕遮·燎沉香》

荷盖倾新绿，榴巾蹙旧红。——宋·程垓《南歌子·荷盖倾新绿》

莲子已成荷叶老。清露洗、蘋花汀草。——宋·李清照《怨王孙·湖上风来波浩渺》

小荷才露尖尖角，早有蜻蜓立上头。——宋·杨万里《小池》

接天莲叶无穷碧，映日荷花别样红。——宋·杨万里《晓出净慈寺送林子方》

方床石枕眠清画，荷叶荷花互送香。——明·唐寅《濂溪图》

有眼无珠腹内空，荷花出水喜相逢。——清·曹雪芹《元宵灯谜》

会

悠悠三千里，何时复交会。——汉·蔡文姬《悲愤诗》

今日斗酒会，明旦沟水头。——汉·卓文君《白头吟》

府吏马在前，新妇车在后。隐隐何甸甸，俱会大道口。——汉《乐府歌·孔雀东南飞》

道路阻且长，会面安可知？——汉·佚名《古诗十九首·行行重行行》

君若清路尘，妾若浊水泥；浮沉各异势，会合何时谐？——三国魏·曹植《明月上高楼》

会稽愚妇轻买臣，余亦辞家西入秦。——唐·李白《南陵别儿童入京》

长风破浪会有时，直挂云帆济沧海。——唐·李白《行路难》

会当凌绝顶，一览众山小。——唐·杜甫《望岳》

但教心似金钿坚，天上人间会相见。——唐·白居易《长恨歌》

昨风一吹无人会，今夜清光似往年。——唐·白居易《八月十五日夜湓亭望月》

何期小会幽欢，变作离情别绪。——宋·柳永《昼夜乐·洞房记得初相遇》

东南形胜，三吴都会，钱塘自古繁华。——宋·柳永《望海潮·东南形胜》

求得人间成小会，试把金尊傍菊丛。——宋·晏殊《破阵子·燕子欲归时节》

惟有擘钗分钿侣，离别常多会面难。——宋·晏殊《破阵子·海上蟠桃易熟》

可怜人意，薄于云水，佳会更难重。——宋·晏几道《少年游·离多最是》

会挽雕弓如满月，西北望，射天狼。——宋·苏轼《江城子·密州出猎》

把吴钩看了，栏杆拍遍，无人会、登临意。——宋·辛弃疾《水龙吟·登建康赏心亭》

危楼还望，叹此意、今古几人曾会？——宋·陈亮《念奴娇·登多景楼》

悠然心会，妙处难与君说。——宋·张孝祥《念奴娇·过洞庭》

牛郎织女年年会，可惜容颜永别离。——明·唐寅《绮疏遗恨》

月下花会我留酌，花前月不厌人贫。——明·唐寅《花月吟效连珠体》

丈夫暗昧那能处，会向青天白日行。——清·张养重《鸡鸣行》

有缘千里来相会，三笑徒然当一痴。——清·黄增《集杭州俗语诗》

J

君

怨公子兮怅忘归，君思我兮不得闲。——战国·屈原《九歌·山鬼》

但为君故，沉吟至今。——三国魏·曹操《短歌行》

问君何能尔？心远地自偏。——晋·陶渊明《饮酒》

与君离别意，同是宦游人。——唐·王勃《送杜少府之任蜀州》

此时相望不相闻，愿逐月华流照君。——唐·张若虚《春江花月夜》

君自故乡来，应知故乡事。——唐·王维《杂诗》

愿君多采撷，此物最相思。——唐·王维《相思》

醉卧沙场君莫笑，古来征战几人回？——唐·王翰《凉州词》

与君歌一曲，请君为我倾耳听。——唐·李白《将进酒》

夜发清溪向三峡，思君不见下渝州。——唐·李白《峨眉山月歌》

莫愁前路无知己，天下谁人不识君。——唐·高适《别董大》

正是江南好风景，落花时节又逢君。——唐·杜甫《江南逢李龟年》

轮台东门送君去，去时雪满天山路。——唐·岑参《白雪歌送武判官归京》

马上相逢无纸笔，凭君传语报平安。——唐·岑参《逢入京使》

今夜闻君琵琶语，如听仙乐耳暂明。——唐·白居易《琵琶行》

君王掩面救不得，回看血泪相和流。——唐·白居易《长恨歌》

今日听君歌一曲，暂凭杯酒长精神。——唐·刘禹锡《酬乐天扬州初逢席上见赠》

君问归期未有期，巴山夜雨涨秋池。——唐·李商隐《夜雨寄北》

问君能有几多愁？恰似一江春水向东流。——五代·李煜《虞美人·春花秋月何时了》

我住长江头，君住长江尾。日日思君不见君，共饮长江水。——宋·李之仪《卜算子·我住长江头》

只愿君心似我心，定不负相思意。——宋·李之仪《卜算子·我住长江头》

君不见，清凉山前一灵石，一片方方大如席。——明·丘梁《登清凉石有感》

水晶楼角几时暖？独坐待君归不归？——清·陈维崧《惆怅词》

东方欲晓，莫道君行早。——现代·毛泽东《清平乐·会昌》

江

江南可采莲，莲叶何田田。——汉《乐府歌·江南》

不知江月待何人，但见长江送流水。——唐·张若虚《春江花月夜》

江畔何人初见月？江月何年初照人？——唐·张若虚《春江花月夜》

野旷天低树，江清月近人。——唐·孟浩然《宿建德江》

寒雨连江夜入吴，平明送客楚山孤。——唐·王昌龄《芙蓉楼送辛渐》

山随平野尽，江入大荒流。——唐·李白《渡荆门送别》

朝辞白帝彩云间，千里江陵一日还。——唐·李白《早发白帝城》

天门中断楚江开，碧水东流至此回。——唐·李白《望天门山》

孤帆远影碧空尽，唯见长江天际流。——唐·李白《黄鹤楼送孟浩然之广陵》

日暮乡关何处是？烟波江上使人愁。——唐·崔颢《登黄鹤楼》

野径云俱黑，江船火独明。——唐·杜甫《春夜喜雨》

无边落木萧萧下，不尽长江滚滚来。——唐·杜甫《登高》

月落乌啼霜满天，江枫渔火对愁眠。——唐·张继《枫桥夜泊》

一道残阳铺水中，半江瑟瑟半江红。——唐·白居易《暮江吟》

孤舟蓑笠翁，独钓寒江雪。——唐·柳宗元《江雪》

商女不知亡国恨，隔江犹唱后庭花。——唐·杜牧《泊秦淮》

春风又绿江南岸，明月何时照我还？——宋·王安石《泊船瓜洲》

大江东去，浪淘尽，千古风流人物。——宋·苏轼《念奴娇·赤壁怀古》

江山如画，一时多少豪杰。——宋·苏轼《念奴娇·赤壁怀古》

至今思项羽，不肯过江东。——宋·李清照《夏日绝句》

江晚正愁余，山深闻鹧鸪。——宋·辛弃疾《菩萨蛮·书江西造口壁》
千古江山，英雄无觅孙仲谋处。——宋·辛弃疾《永遇乐·京口北固亭怀古》
不知十月江寒重，陡觉三更布被轻。——清·查慎行《寒夜次潘岷原韵》
江山如此多娇，引无数英雄竞折腰。——现代·毛泽东《沁园春·雪》

家

向来相送人，各自还其家。——晋·陶渊明《拟挽歌辞》
谁家女儿对门居，开颜发艳照里闾。——南朝·萧衍《东飞伯劳歌》
可怜闺里月，长在汉家营。——唐·沈佺期《杂诗》
二月湖水清，家家春鸟鸣。——唐·孟浩然《春中喜王九相寻》
故人具鸡黍，邀我至田家。——唐·孟浩然《过故人庄》
中岁颇好道，晚家南山陲。——唐·王维《终南别业》
锦城虽云乐，不如早还家。——唐·李白《蜀道难》
回舟不待月，归去越王家。——唐·李白《子夜吴歌·夏歌》
相携及田家，童稚开荆扉。——唐·李白《下终南山过斛斯山人宿置酒》
曲巷幽人宅，高门大士家。——唐·李白《宴陶家亭子》

家临九江水，来去九江侧。——唐·崔颢《长干行》
烽火连三月，家书抵万金。——唐·杜甫《春望》
有弟皆分散，无家问死生。——唐·杜甫《月夜忆舍弟》
旧知山寺路，时宿野人家。——唐·皇甫冉《送陆鸿渐栖霞寺采茶》
家僮扫萝径，昨与故人期。——唐·钱起《谷口书斋寄杨补阙》
星河秋一雁，砧杵夜千家。——唐·韩翃《酬程延秋夜即事见赠》
扣门无犬吠，欲去问西家。——唐·皎然《寻陆鸿渐不遇》
携来朱门家，卖与白面郎。——唐·白居易《采地黄者》
其中豪贵家，捣椒泥四壁。——唐·张孜《雪诗》

王师北定中原日，家祭无忘告乃翁。——宋·陆游《示儿》

莫笑农家腊酒浑，丰年留客足鸡豚。——宋·陆游《游山西村》
浊酒一杯家万里，燕然未勒归无计。——宋·范仲淹《渔家傲》
人家在何许，云外一声鸡。——宋·梅尧臣《鲁山山行》
手持三尺定山河，四海为家共饮和。——清·洪秀全《吟剑诗》
不见前年秋月朗，订了三家条约。——现代·毛泽东《念奴娇·鸟儿问答》

酒

酒云能消忧，方此讵不劣！——晋·陶渊明《影答形》
开轩面场圃，把酒话桑麻。——唐·孟浩然《过故人庄》
葡萄美酒夜光杯，欲饮琵琶马上催。——唐·王翰《凉州词》
陈王昔时宴平乐，斗酒十千恣欢谑。——唐·李白《将进酒》
岑夫子，丹丘生，将进酒，杯莫停。——唐·李白《将进酒》
兰陵美酒郁金香，玉碗盛来琥珀光。——唐·李白《客中行》
艰难苦恨繁霜鬓，潦倒新停浊酒杯。——唐·杜甫《登高》
白日放歌须纵酒，青春作伴好还乡。——唐·杜甫《闻官军收河南河北》
中军置酒饮归客，胡琴琵琶与羌笛。——唐·岑参《白雪歌送武判官归京》
今日听君歌一曲，暂凭杯酒长精神。——唐·刘禹锡《酬乐天扬州初逢席上见赠》

主人下马客在船，举酒欲饮无管弦。——唐·白居易《琵琶行》
移船相近邀相见，添酒回灯重开宴。——唐·白居易《琵琶行》
千里莺啼绿映红，水村山郭酒旗风。——唐·杜牧《江南春》
烟笼寒水月笼沙，夜泊秦淮近酒家。——唐·杜牧《泊秦淮》
借问酒家何处有？牧童遥指杏花村。——唐·杜牧《清明》
浊酒一杯家万里，燕然未勒归无计。——宋·范仲淹《渔家傲·秋思》

一曲新词酒一杯，去年天气旧亭台。——宋·晏殊《浣溪沙·一曲新词酒一杯》

酒酣胸胆尚开张。鬓微霜，又何妨！——宋·苏轼《江城子·密州出猎》

三杯两盏淡酒，怎敌他、晚来风急！——宋·李清照《声声慢·寻寻觅觅》

东篱把酒黄昏后，有暗香盈袖。——宋·李清照《醉花阴·薄雾浓云愁永昼》

莫笑农家腊酒浑，丰年留客足鸡豚。——宋·陆游《游山西村》

一壶浊酒喜相逢。古今多少事，都付笑谈中。——明·杨慎《临江仙·滚滚长江东逝水》

将军玉帐貂鼠衣，手持酒杯看雪飞。——明·刘基《北风行》

长安公子因花癖，彭泽先生是酒狂。——清·曹雪芹《簪菊》

问讯吴刚何所有，吴刚捧出桂花酒。——现代·毛泽东《蝶恋花·答李淑一》

金

众口铄黄金，使君生别离。——汉·甄宓《塘上行》

白马从骊驹，青丝系马尾，黄金络马头。——汉《乐府歌·陌上桑》

虽无挥金事，浊酒聊可恃。——晋·陶渊明《饮酒》

侠客重周游，金鞭控紫骝。——唐·杨炯《紫骝马》

金灶初开火，仙桃正发花。——唐·孟浩然《宴梅道士山房》

黄金燃桂尽，壮志逐年衰。——唐·孟浩然《秦中感秋寄远上人》

既至金门远，孰云吾道非。——唐·王维《送綦毋潜落第还乡》

木兰之枻沙棠舟，玉箫金管坐两头。——唐·李白《江上吟》

行子对飞蓬，金鞭指铁骢。——唐·高适《送李侍御赴安西》

烽火连三月，家书抵万金。——唐·杜甫《春望》

不寝听金钥，因风想玉珂。——唐·杜甫《春宿左省》

千金买马鞍，百金装刀头。——唐·杜甫《后出塞》

一宿金山寺，超然离世群。——唐·张祜《题润州金山寺》

天上分金镜，人间望玉钩。——唐·李贺《七夕》

岂知赵飞燕，满髻钗黄金。——唐·于濆《里中女》

残萤栖玉露，早雁拂金河。——唐·许浑《早秋》

早晚谒金阙，不闻刁斗声。——唐·鲍君徽《关山月》

金榜题名墨尚新，今年依旧去年春。——唐·何扶《寄旧同年》

金炉香烬漏声残，剪剪轻风阵阵寒。——宋·王安石《春夜》

洞房花烛夜，金榜题名时。——宋·汪洙《神童诗》

春宵一刻值千金，花有清香月有阴。——宋·苏轼《春宵》

薄雾浓云愁永昼，瑞脑消金兽。——宋·李清照《醉花阴·薄雾浓云愁永昼》

已看铁骨经霜老，莫遣金心带雨斜。——明·张煌言《野人饷菊有感》

新闻才开老闻过，楼台金碧照江波。——清·何绍基《沪上杂书》

金猴奋起千钧棒，玉宇澄清万里埃。——现代·毛泽东《七律·和郭沫若同志》

尽

鸟尽良弓藏，谋极身必危。——三国魏·嵇康《五言赠秀才诗》

众鸟高飞尽，孤云独去闲。——唐·李白《独坐敬亭山》

孤帆远影碧空尽，唯见长江天际流。——唐·李白《黄鹤楼送孟浩然之广陵》

金陵子弟来相送，欲行不行各尽觞。——唐·李白《金陵酒肆留别》

归路岁时尽，长河朝夕流。—— 唐·刘长卿《睢阳赠李司仓》

尽日无来客，闲吟感此怀。——唐·张籍《和李仆射雨中寄卢、严二给事》

清源寻尽花绵绵，踏花觅径至洞前。——唐·刘禹锡《桃源行》

文昌星象尽东来，油幕朱门次第开。——唐·刘禹锡《和浙西尚书闻常州杨给事制新楼因寄之作》

野火烧不尽，春风吹又生。——唐·白居易《赋得古原草送别》

低眉信手续续弹，说尽心中无限事。——唐·白居易《琵琶行》
尽日后厅无一事，白头老监枕书眠。——唐·白居易《秘省后厅》
人间四月芳菲尽，山寺桃花始盛开。——唐·白居易《大林寺桃花》
一株繁艳春城尽，双树慈门忍草生。——唐·李绅《真娘墓》
恬死百忧尽，苟生万虑滋。——唐·柳宗元《哭连州凌员外司马》
尽日推闲事，还归空屋来。——唐·元稹《空屋题》
今古何处尽，千岁随风飘。——唐·李贺《古悠悠行》
当年不得尽一醉，别梦有时还重游。——唐·罗隐《忆夏口》
扁舟费尽篙师力，咫尺平澜上不来。——宋·辛弃疾《游武夷·作棹歌呈晦翁》
兴尽晚回舟，误入藕花深处。——宋·李清照《如梦令》
遗民泪尽胡尘里，南望王师又一年。——宋·陆游《秋夜将晓出篱门迎凉有感》

荷尽已无擎雨盖，菊残犹有傲霜枝。——宋·苏轼《赠刘景文》
大江东去，浪淘尽、千古风流人物。——宋·苏轼《念奴娇·赤壁怀古》
富贵本无根，尽从勤里得。——明·冯梦龙《醒世恒言》
机关算尽太聪明，反算了卿卿性命。——清·曹雪芹《聪明累》
春风杨柳万千条，六亿神州尽舜尧。——现代·毛泽东《七律·送瘟神》

旧

陟升皇之赫戏兮，忽临睨夫旧乡。——战国·屈原《离骚》
还顾望旧乡，长路漫浩浩。——汉·佚名《古诗十九首·涉江采芙蓉》
羁鸟恋旧林，池鱼思故渊。——晋·陶渊明《归园田居》
唯有门前镜湖水，春风不改旧时波。——唐·贺知章《回乡偶书》
琵琶起舞换新声，总是关山旧别情。——唐·王昌龄《从军行》
新鬼烦冤旧鬼哭，天阴雨湿声啾啾！——唐·杜甫《兵车行》
盘飧市远无兼味，樽酒家贫只旧醅。——唐·杜甫《客至》

不见定王城旧处，长怀贾傅井依然。——唐·杜甫《清明》

人面不知何处去，桃花依旧笑春风。——唐·崔护《题都城南庄》

怀旧空吟闻笛赋，到乡翻似烂柯人。——唐·刘禹锡《酬乐天扬州初逢席上见赠》

江南好，风景旧曾谙。——唐·白居易《忆江南》

归来池苑皆依旧，太液芙蓉未央柳。——唐·白居易《长恨歌》

一尺深红胜曲尘，天生旧物不如新。——唐·温庭筠《南歌子》

凭阑半日独无言，依旧竹声新月似当年。——五代·李煜《虞美人·风回小院庭芜绿》

今年元夜时，月与灯依旧。——宋·欧阳修《生查子·元夕》

千门万户曈曈日，总把新桃换旧符。——宋·王安石《元日》

雁过也，正伤心，却是旧时相识。——宋·李清照《声声慢·寻寻觅觅》

试问卷帘人，却道海棠依旧。——宋·李清照《如梦令·昨夜雨疏风骤》

关河梦断何处，尘暗旧貂裘。——宋·陆游《诉衷情·当年万里觅封侯》

待从头、收拾旧山河，朝天阙。——宋·岳飞《满江红·写怀》

横汾路，寂寞当年箫鼓，荒烟依旧平楚。——金·元好问《摸鱼儿·雁丘词》

青山依旧在，几度夕阳红。——明·杨慎《临江仙·滚滚长江东逝水》

施氏山前旧有人，吴王宫殿几重新。——明·陈嘉谋《无题》

新竹高于旧竹枝，全凭老干为扶持。——清·郑燮《新竹》

千里来寻故地，旧貌变新颜。——现代·毛泽东《水调歌头·重上井冈山》

惊

兔园标物序，惊时最是梅。——南朝·何逊《咏早梅》

独有宦游人，偏惊物候新。——唐·杜审言《和晋陵陆丞早春游望》

惊鹊栖未定，飞萤卷帘入。——唐·孟浩然《秋宵月下有怀》
月出惊山鸟，时鸣春涧中。——唐·王维《鸟鸣涧》
不敢高声语，恐惊天上人。——唐·李白《夜宿山寺》
初惊河汉落，半洒云天里。——唐·李白《望庐山瀑布》
感时花溅泪，恨别鸟惊心。——唐·杜甫《春望》
焦遂五斗方卓然，高谈雄辩惊四筵。——唐·杜甫《饮中八仙歌》
惊惶不敢前，叹息徒嗟吁。——唐·韦元甫《木兰歌》
路人借问遥招手，怕得鱼惊不应人。——唐·胡令能《小儿垂钓》

新年都未有芳华，二月初惊见草芽。——唐·韩愈《春雪》
渔阳鼙鼓动地来，惊破霓裳羽衣曲。——唐·白居易《长恨歌》
闻道汉家天子使，九华帐里梦魂惊。——唐·白居易《长恨歌》
无端陌上狂风急，惊起鸳鸯出浪花。——唐·刘禹锡《浪淘沙》
垂死病中惊坐起，暗风吹雨入寒窗。——唐·元稹《闻乐天授江州司马》
女娲炼石补天处，石破天惊逗秋雨。——唐·李贺《李凭箜篌引》
心关桂玉天难晓，运落风波梦亦惊。——唐·薛逢《长安夜雨》
飘飘飖飖寒丁丁，虫豸出蛰神鬼惊。——唐·牛殳《琵琶行》
雷惊天地龙蛇蛰，雨足郊原草木柔。——宋·黄庭坚《清明》
午梦惊回，满眼春娇。——宋·蔡伸《一剪梅·堆枕乌云堕翠翘》

明月别枝惊鹊，清风半夜鸣蝉。——宋·辛弃疾《西江月·夜行黄沙道中》
马作的卢飞快，弓如霹雳弦惊。——宋·辛弃疾《破阵子·为陈同甫赋壮词以寄之》
溪上有鸳鸯，艇子频惊起。——宋·吴潜《卜算子·茗雪水能清》
被酒莫惊春睡重，赌书消得泼茶香。——清·纳兰性德《浣溪沙·谁念西风独自凉》
神女应无恙，当惊世界殊。——现代·毛泽东《水调歌头·游泳》

久

久在樊笼里，复得返自然。——晋·陶渊明《归园田居》
山泽久见招，胡事乃踌躇？——晋·陶渊明《和刘柴桑》
银筝夜久殷勤弄，心怯空房不忍归。——唐·王涯《秋夜曲》
铁衣远戍辛勤久，玉箸应啼别离后。——唐·高适《燕歌行》
玉阶生白露，夜久侵罗袜。——唐·李白《玉阶怨》
欲去不得去，薄游成久游。——唐·李白《秋浦歌》
夜久语声绝，如闻泣幽咽。——唐·杜甫《石壕吏》
浮云终日行，游子久不至。——唐·杜甫《梦李白》
父老四五人，问我久远行。——唐·杜甫《羌村》
自嗟贫家女，久致罗襦裳。——唐·杜甫《新婚别》

草树知春不久归，百般红紫斗芳菲。——唐·韩愈《晚春》
感我此言良久立，却坐促弦弦转急。——唐·白居易《琵琶行》
天长地久有时尽，此恨绵绵无绝期。——唐·白居易《长恨歌》
石门思隐久，铜镜强窥频。——唐·贾岛《新年》
清漏渐移相望久，微云未接过来迟。——唐·李商隐《辛未七夕》
念我何留滞，辞家久未还。——唐·马戴《落日怅望》
佳节久从愁里过，壮心偶傍醉中来。——宋·苏洵《九日和韩魏公》
但愿人长久，千里共婵娟。——宋·苏轼《水调歌头·明月几时有》
坐久灯烬落，起看北斗斜。——宋·苏轼《守岁》
离别一何久，七度过中秋。——宋·苏辙《水调歌头·徐州中秋》

两情若是久长时，又岂在朝朝暮暮。——宋·秦观《鹊桥仙·纤云弄巧》
应怜屐齿印苍苔，小扣柴扉久不开。——宋·叶绍翁《游园不值》
久阳芳草笛悠悠，春尽惊看又转头。——明·唐寅《落花图咏》

客来久坐浑无语，饭熟茶香。——清·孙枝蔚《采桑子》
众芳久寂寞，赖汝照乾坤。——清·钱澄之《梅花》
力微任重久神疲，再竭衰庸定不支。——清·林则徐《赴戍登程口占示家人》
久有凌云志，重上井冈山。——现代·毛泽东《水调歌头·重上井冈山》
一万年太久，只争朝夕。——现代·毛泽东《满江红·和郭沫若同志》

居

借问女安居，乃在城南端。——三国魏·曹植《美女篇》
昔欲居南村，非为卜其宅。——晋·陶渊明《移居》
居高声自远，非是藉秋风。——唐·虞世南《蝉》
欲济无舟楫，端居耻圣明。——唐·孟浩然《望洞庭湖赠张丞相》
单车欲问边，属国过居延。——唐·王维《使至塞上》
居人共住武陵源，还从物外起田园。——唐·王维《桃源行》
同居长干里，两小无嫌猜。——唐·李白《长干行》
弃绝蓬室居，塌然摧肺肝。——唐·杜甫《垂老别》
绝代有佳人，幽居在空谷。——唐·杜甫《佳人》
居然成濩落，白首甘契阔。——唐·杜甫《自京赴奉先县咏怀五百字》

鱼龙寂寞秋江冷，故国平居有所思。——唐·杜甫《秋兴八首》
弟侄虽存不得书，干戈未息苦离居。——唐·杜甫《清明》
我从去年辞帝京，谪居卧病浔阳城。——唐·白居易《琵琶行》
两处春光同日尽，居人思客客思家。——唐·白居易《望驿台》
闲居少邻并，草径入荒园。——唐·贾岛《题李凝幽居》
浮云不系名居易，造化无为字乐天。——唐·李忱《吊白居易》
神女生涯原是梦，小姑居处本无郎。——唐·李商隐《无题·重帏深下莫愁堂》
预想前秋别，离居梦棹歌。——唐·李商隐《荷花》

十指不沾泥，鳞鳞居大厦。——宋·梅尧臣《陶者》

我居北海君南海，寄雁传书谢不能。——宋·黄庭坚《寄黄几复》

此地居然形胜，似曾小小兴亡。——宋·辛弃疾《清平乐·题上卢桥》

尝闻求福木居士，试向艾人成祝呵。——宋·赵蕃《端午》

隐居深在碧山空，涧壑才堪侧步通。——明·唐寅《山居图》

江干多是钓人居，柳陌菱塘一带疏。——清·王士禛《真州绝句》

谪居正是君恩厚，养拙刚于戍卒宜。——清·林则徐《赴戍登程口占示家人》

几

心几烦而不绝兮，得知王子。——先秦·佚名《越人歌》

少壮几时兮奈老何！——汉·刘彻《秋风辞》

罗敷年几何？二十尚不足，十五颇有余。——汉《乐府歌·陌上桑》

终日不成章，泣涕零如雨；河汉清且浅，相去复几许！——汉·佚名《古诗十九首·迢迢牵牛星》

不知乘月几人归，落月摇情满江树。——唐·张若虚《春江花月夜》

单于北望拂云堆，杀马登坛祭几回。——唐·王之涣《凉州词》

玉门山嶂几千重，山北山南总是烽。——唐·王昌龄《从军行七首》

红豆生南国，春来发几枝。——唐·王维《相思》

醉卧沙场君莫笑，古来征战几人回？——唐·王翰《凉州词》

长风几万里，吹度玉门关。——唐·李白《关山月》

巫峡啼猿数行泪，衡阳归雁几封书。——唐·高适《送李少府贬峡中王少府贬长沙》

岐王宅里寻常见，崔九堂前几度闻。——唐·杜甫《江南逢李龟年》

西北望乡何处是，东南见月几回圆。——唐·白居易《八月十五日夜湓亭望月》

几处早莺争暖树，谁家新燕啄春泥。——唐·白居易《钱塘湖春行》

家家乞巧望秋月，穿尽红丝几万条。——唐·林杰《乞巧》

问君能有几多愁？恰似一江春水向东流。——五代·李煜《虞美人·春花秋月何时了》

想佳人，妆楼颙望，误几回、天际识归舟。——宋·柳永《八声甘州·对潇潇暮雨洒江天》

一曲新词酒一杯，去年天气旧亭台。夕阳西下几时回？——宋·晏殊《浣溪沙·一曲新词酒一杯》

庭院深深深几许，杨柳堆烟，帘幕无重数。——宋·欧阳修《蝶恋花·庭院深深深几许》

明月几时有？把酒问青天。——宋·苏轼《水调歌头·明月几时有》

此水几时休，此恨何时已。——宋·李之仪《卜算子·我住长江头》

山外青山楼外楼，西湖歌舞几时休？——宋·林升《题临安邸》

天南地北双飞客，老翅几回寒暑。——金·元好问《摸鱼儿·雁丘词》

黄河水绕汉宫墙，河上秋风雁几行。——明·李梦阳《秋望》

水晶楼角几时暖？独坐待君归不归？——清·陈维崧《惆怅词》

气寒西北何人剑，声满东南几处箫。——清·龚自珍《秋心》

小小寰球，有几个苍蝇碰壁。——现代·毛泽东《满江红·和郭沫若同志》

佳

兰有秀兮菊有芳，怀佳人兮不能忘。——汉·刘彻《秋风辞》

无奈佳人兮，不在东墙。——汉·司马相如《凤求凰》

山气日夕佳，飞鸟相与还。——晋·陶渊明《饮酒》

不堪盈手赠，还寝梦佳期。——唐·张九龄《望月怀远》

佳期旷何许，望望空伫立。——唐·孟浩然《秋宵月下有怀》

独在异乡为异客，每逢佳节倍思亲。——唐·王维《九月九日忆山东兄弟》
谁能载酒开金盏，唤取佳人舞绣筵。——唐·杜甫《江畔独步寻花七绝句》
佳人拾翠春相问，仙侣同舟晚更移。——唐·杜甫《秋兴八首》
但将酩酊酬佳节，不用登临恨落晖。——唐·杜牧《九日齐山登高》
想佳人，妆楼颙望，误几回、天际识归舟。——宋·柳永《八声甘州·对潇潇暮雨洒江天》

何人解赏西湖好，佳景无时。——宋·欧阳修《采桑子·何人解赏西湖好》
墙外行人，墙里佳人笑。——宋·苏轼《蝶恋花·春景》
故乡归去千里，佳处辄迟留。——宋·苏轼《水调歌头·安石在东海》
佳节清明桃李笑，野田荒冢只生愁。——宋·黄庭坚《清明》
朱弦已为佳人绝，青眼聊因美酒横。——宋·黄庭坚《登快阁》
柔情似水，佳期如梦，忍顾鹊桥归路。——宋·秦观《鹊桥仙·纤云弄巧》
佳节又重阳，玉枕纱厨，半夜凉初透。——宋·李清照《醉花阴·薄雾浓云愁永昼》
元宵佳节，融和天气，次第岂无风雨。——宋·李清照《永遇乐·落日熔金》
长门事，准拟佳期又误。——宋·辛弃疾《摸鱼儿·更能消几番风雨》
淮左名都，竹西佳处，解鞍少驻初程。——宋·姜夔《扬州慢·淮左名都》

酬佳节，须酩酊，莫相违。——宋·朱熹《水调歌头·隐括杜牧之齐山诗》
秋来纨扇合收藏，何事佳人重感情？——明·唐寅《题秋风纨扇图》
他乡风月佳无比，只是中年以后，心情顿懒。——清·陈维崧《二月十一日夜风月甚佳过水绘园听诸郎弦管灯》
佳时倍惜风光别，不为登高。——清·纳兰性德《采桑子·九日》
小住京华，早又是，中秋佳节。——清·秋瑾《满江红·小住京华》

剑

带长剑兮挟秦弓，首身离兮心不惩。——战国·屈原《九歌·国殇》

游人五陵去，宝剑值千金。——唐·孟浩然《送朱大入秦》

君负鸿鹄志，蹉跎书剑年。——唐·孟浩然《送陈七赴西军》

白首相知犹按剑，朱门先达笑弹冠。——唐·王维《酌酒与裴迪》

一身转战三千里，一剑曾当百万师。——唐·王维《老将行》

弹剑谢公子，无鱼良可哀。——唐·李白《玉真公主别馆苦雨赠卫尉张卿》

剑阁峥嵘而崔嵬，一夫当关，万夫莫开。——唐·李白《蜀道难》

愿将腰下剑，直为斩楼兰。——唐·李白《塞下曲》

别时提剑救边去，遗此虎文金鞞靫。——唐·李白《北风行》

剑非万人敌，文窃四海声。——唐·李白《经乱离后天恩流夜郎忆旧游书怀赠江夏韦太守良宰》

停杯投箸不能食，拔剑四顾心茫然。——唐·李白《行路难》

汉皇按剑起，还召李将军。——唐·李白《塞下曲》

草木变衰行剑外，兵戈阻绝老江边。——唐·杜甫《恨别》

雄剑四五动，彼军为我奔。——唐·杜甫《前出塞》

清渭东流剑阁深，去住彼此无消息。——唐·杜甫《哀江头》

拔剑击大荒，日收胡马群。——唐·杜甫《后出塞》

剑外忽传收蓟北，初闻涕泪满衣裳。——唐·杜甫《闻官军收河南河北》

先帝侍女八千人，公孙剑器初第一。——唐·杜甫《观公孙大娘弟子舞剑器行》

昔有佳人公孙氏，一舞剑器动四方。——唐·杜甫《观公孙大娘弟子舞剑器行》

军门频纳受降书，一剑横行万里余。——唐·戴叔伦《塞上曲》

海畔尖山似剑铓，秋来处处割愁肠。——唐·柳宗元《与浩初上人同看山寄京华亲故》

重围如燕尾，宝剑似鱼肠。——唐·李贺《马诗》

君是南山遗爱守，我为剑外思归客。——宋·苏轼《满江红·江汉西来》

此身合是诗人未？细雨骑驴入剑门。——宋·陆游《剑门道中遇微雨》

一剑横空星斗寒，甫随平北复征蛮。——明·戚继光《题武夷》

乾坤剑气双龙啸，唤起幽潜共好春。——清·谭嗣同《除夕感怀》

今

时未遇兮无所将，何悟今兮升斯堂！——汉·司马相如《凤求凰》

今日斗酒会，明旦沟水头。——汉·卓文君《白头吟》

但为君故，沉吟至今。——三国魏·曹操《短歌行》

谁家今夜扁舟子？何处相思明月楼？——唐·张若虚《春江花月夜》

昨夜斗回北，今朝岁起东。——唐·孟浩然《田家元日》

弃我去者，昨日之日不可留；乱我心者，今日之日多烦忧。——唐·李白《宣州谢朓楼饯别校书叔云》

故乡今夜思千里，愁鬓明朝又一年。——唐·高适《除夜作》

昔闻洞庭水，今上岳阳楼。——唐·杜甫《登岳阳楼》

露从今夜白，月是故乡明。——唐·杜甫《月夜忆舍弟》

花径不曾缘客扫，蓬门今始为君开。——唐·杜甫《客至》

去年今日此门中，人面桃花相映红。——唐·崔护《题都城南庄》

今日听君歌一曲，暂凭杯酒长精神。——唐·刘禹锡《酬乐天扬州初逢席上见赠》

今我何功德，曾不事农桑。——唐·白居易《观刈麦》

今年欢笑复明年，秋月春风等闲度。——唐·白居易《琵琶行》

今宵酒醒何处？杨柳岸，晓风残月。——宋·柳永《雨霖铃·寒蝉凄切》

今年元夜时，月与灯依旧。——宋·欧阳修《生查子·元夕》

不知天上宫阙，今夕是何年。——宋·苏轼《水调歌头·明月几时有》
至今思项羽，不肯过江东。——宋·李清照《夏日绝句》
满地黄花堆积，憔悴损，如今有谁堪摘？——宋·李清照《声声慢·寻寻觅觅》
从今若许闲乘月，拄杖无时夜叩门。——宋·陆游《游山西村》

人成各，今非昨，病魂常似秋千索。——宋·唐婉《钗头凤·世情薄》
而今识尽愁滋味，欲说还休。——宋·辛弃疾《丑奴儿·书博山道中壁》
三年羁旅客，今日又南冠。——明·夏完淳《别云间》
词赋从今须少作，留取心魂相守。——清·顾贞观《金缕曲》
俱往矣，数风流人物，还看今朝。——现代·毛泽东《沁园春·雪》

见

昨夜见军帖，可汗大点兵。——北朝《乐府民歌·木兰诗》
归来见天子，天子坐明堂。——北朝《乐府民歌·木兰诗》
天苍苍，野茫茫，风吹草低见牛羊。——北朝《乐府民歌·敕勒歌》
朝见马岭黄沙合，夕望龙城阵云起。——隋·卢思道《从军行》
江畔何人初见月？江月何年初照人？——唐·张若虚《春江花月夜》
不知江月待何人，但见长江送流水。——唐·张若虚《春江花月夜》
忽见陌头杨柳色，悔教夫婿觅封侯。——唐·王昌龄《闺怨》
一为迁客去长沙，西望长安不见家。——唐·李白《与史郎中钦听黄鹤楼上吹笛》
君不见，黄河之水天上来，奔流到海不复回。——唐·李白《将进酒》
西上莲花山，迢迢见明星。——唐·李白《古风》

孤帆远影碧空尽，唯见长江天际流。——唐·李白《黄鹤楼送孟浩然之广陵》
舍南舍北皆春水，但见群鸥日日来。——唐·杜甫《客至》
穿花蛱蝶深深见，点水蜻蜓款款飞。——唐·杜甫《曲江》

何时眼前突兀见此屋，吾庐独破受冻死亦足！——唐・杜甫《茅屋为秋风所破歌》

山回路转不见君，雪上空留马行处。——唐・岑参《白雪歌送武判官归京》

新年都未有芳华，二月初惊见草芽。——唐・韩愈《春雪》

回头下望人寰处，不见长安见尘雾。——唐・白居易《长恨歌》

但教心似金钿坚，天上人间会相见。——唐・白居易《长恨歌》

相见时难别亦难，东风无力百花残。——唐・李商隐《无题》

推枕惘然不见，但空江、月明千里。——宋・苏轼《水龙吟・黄州梦过栖霞楼》

旧时茅店社林边，路转溪桥忽见。——宋・辛弃疾《西江月・夜行黄沙道中》

含情欲诉心中事，羞见牵牛织女星。——明・林鸿《投赠张红桥》

月黑见渔灯，孤光一点萤。——清・查慎行《舟夜书所见》

一片汪洋都不见，知向谁边？——现代・毛泽东《浪淘沙・北戴河》

唐寅《红叶题诗仕女图》

K

空

蔓草不复荣，园木空自凋。——晋·陶渊明《己酉岁九月九日》
寂寞对空窗，清疏临夜行。——南朝·萧子范《夏夜独坐诗》
空歌拔山力，羞作渡江人。——唐·于季子《咏项羽》
空堂坐相忆，酌茗聊代醉。——唐·孟浩然《清明即事》
空山不见人，但闻人语响。——唐·王维《鹿柴》
空山新雨后，天气晚来秋。——唐·王维《山居秋暝》
登舟望秋月，空忆谢将军。——唐·李白《夜泊牛渚怀古》
却望长安道，空怀恋主情。——唐·李白《观胡人吹笛》
家贫惟好月，空愧子猷过。——唐·刘长卿《月下呈章秀才》
虚室寒灯静，空阶落叶飘。——唐·皇甫冉《夜集张諲所居》

空山松子落，幽人应未眠。——唐·韦应物《秋夜寄邱员外》
空怜上林雁，朝夕待春还。——唐·宋之问《登北固山》
异国清明节，空江寂寞春。——唐·韦庄《遣兴》
空余蝉嘒嘒，犹向客依依。——唐·李商隐《桂林路中作》
芳草无行径，空山正落花。——唐·杨师道《还山宅》
欲识异乡苦，空山啼暮猿。——唐·惟审《别友人》
空怀钓鱼所，未定卜归年。——唐·许棠《塞外书事》
久雨寒蝉少，空山落叶深。——宋·秘演《山中》
死去元知万事空，但悲不见九州同。——宋·陆游《示儿》
水光潋滟晴方好，山色空濛雨亦奇。——宋·苏轼《饮湖上初晴后雨》

金鸡叫罢无人见，月满空山水满潭。——宋·朱熹《九曲棹歌》
毅魄归来日，灵旗空际看。——明·夏完淳《别云间》
空阔鱼龙气，婵娟帝子灵。——明·杨基《岳阳楼·春色醉巴陵》

别后相思空一水，重来回首已三生。——清·黄景仁《感旧》

客

远送新行客，岁暮乃来归。——三国魏·孔融《杂诗》

群燕辞归鹄南翔，念君客游思断肠。——三国魏·曹丕《燕歌行》

九月九日望乡台，他席他乡送客杯。——唐·王勃《九日登高》

儿童相见不相识，笑问客从何处来。——唐·贺知章《回乡偶书》

移舟泊烟渚，日暮客愁新。——唐·孟浩然《宿建德江》

寒雨连江夜入吴，平明送客楚山孤。——唐·王昌龄《芙蓉楼送辛渐》

独在异乡为异客，每逢佳节倍思亲。——唐·王维《九月九日忆山东兄弟》

渭城朝雨浥轻尘，客舍青青柳色新。——唐·王维《送元二使安西》

但使主人能醉客，不知何处是他乡。——唐·李白《客中行》

戍客望边色，思归多苦颜。——唐·李白《关山月》

旅馆寒灯独不眠，客心何事转凄然。——唐·高适《除夜作》

万里悲秋常作客，百年多病独登台。——唐·杜甫《登高》

花近高楼伤客心，万方多难此登临。——唐·杜甫《登楼》

中军置酒饮归客，胡琴琵琶与羌笛。——唐·岑参《白雪歌送武判官归京》

姑苏城外寒山寺，夜半钟声到客船。——唐·张继《枫桥夜泊》

浔阳江头夜送客，枫叶荻花秋瑟瑟。——唐·白居易《琵琶行》

忽闻水上琵琶声，主人忘归客不发。——唐·白居易《琵琶行》

江涵秋影雁初飞，与客携壶上翠微。——唐·杜牧《九日齐山登高》

梦里不知身是客，一晌贪欢。——五代·李煜《浪淘沙令·帘外雨潺潺》

莫笑农家腊酒浑，丰年留客足鸡豚。——宋·陆游《游山西村》

世味年来薄似纱，谁令骑马客京华。——宋·陆游《临安春雨初霁》

萧萧梧叶送寒声，江上秋风动客情。——宋·叶绍翁《夜书所见》

天南地北双飞客，老翅几回寒暑。——金·元好问《摸鱼儿·雁丘词》

金鞍玉勒寻芳客，未信我庐别有春。——明·于谦《观书》

明日客程还几许，沾衣况是新寒雨。——清·纳兰性德《蝶恋花·又到绿柳曾折处》

苦

譬如朝露，去日苦多。——三国魏·曹操《短歌行》

欢来苦夕短，已复至天旭。——晋·陶渊明《归园田居》

近来攀折苦，应为别离多。——唐·王之涣《送别》

孰知不向边庭苦，纵死犹闻侠骨香。——唐·王维《少年行》

戍客望边色，思归多苦颜。——唐·李白《关山月》

菊花何太苦，遭此两重阳？——唐·李白《九月十日即事》

倚门望行人，念君长城苦寒良可哀。——唐·李白《北风行》

君不见沙场征战苦，至今犹忆李将军。——唐·高适《燕歌行》

仲夏苦夜短，开轩纳微凉。——唐·杜甫《夏夜叹》

吏呼一何怒，妇啼一何苦。——唐·杜甫《石壕吏》

艰难苦恨繁霜鬓，潦倒新停浊酒杯。——唐·杜甫《登高》

此身飘泊苦西东，右臂偏枯半耳聋。——唐·杜甫《清明》

况复秦兵耐苦战，被驱不异犬与鸡。——唐·杜甫《兵车行》

富贵苦不早，令人摧心肝。——唐·陈陶《游子吟》

春宵苦短日高起，从此君王不早朝。——唐·白居易《长恨歌》

住近湓江地低湿，黄芦苦竹绕宅生。——唐·白居易《琵琶行》

采得百花成蜜后，为谁辛苦为谁甜？——唐·罗隐《蜂》

少年辛苦终身事，莫向光阴惰寸功。——唐·杜荀鹤《题弟侄书堂》

叹年来踪迹，何事苦淹留？——宋·柳永《八声甘州·对潇潇暮雨洒江天》

无意苦争春，一任群芳妒。——宋·陆游《卜算子·咏梅》

辛苦遭逢起一经，干戈寥落四周星。——宋·文天祥《过零丁洋》
欢乐趣，离别苦，就中更有痴儿女。——金·元好问《摸鱼儿·迈陂塘》
慈母倚门情，游子行路苦。——元·王冕《墨萱图》
也知造物曾何意，底事人心苦未平。——明·王守仁《次韵陆佥宪元日春晴》

口

指如削葱根，口如含朱丹。——汉《乐府歌·孔雀东南飞》
隐隐何甸甸，俱会大道口。——汉《乐府歌·孔雀东南飞》
来时浦口花迎入，采罢江头月送归。——唐·王昌龄《采莲曲》
家住孟津河，门对孟津口。——唐·王维《杂诗》
有耳莫洗颍川水，有口莫食首阳蕨。——唐·李白《行路难》
唇焦口燥呼不得，归来倚杖自叹息。——唐·杜甫《茅屋为秋风所破歌》
水槛温江口，茅堂石笋西。——唐·杜甫《绝句》
老妻寄异县，十口隔风雪。——唐·杜甫《自京赴奉先县咏怀五百字》
瞿塘峡口曲江头，万里风烟接素秋。——唐·杜甫《秋兴》
老人七十仍沽酒，千壶百瓮花门口。——唐·岑参《戏问花门酒家翁》

手把文书口称敕，回车叱牛牵向北。——唐·白居易《卖炭翁》
卖炭得钱何所营？身上衣裳口中食。——唐·白居易《卖炭翁》
去来江口守空船，绕船月明江水寒。——唐·白居易《琵琶行》
青虫不易捕，黄口无饱期。——唐·白居易《燕诗示刘叟》
道尽即闭口，萧散捐囚拘。——唐·柳宗元《读书》
君看渡口淘沙处，渡却人间多少人。——唐·刘禹锡《浪淘沙》
长峦谷口倚嵇家，白昼千峰老翠华。——唐·李贺《南园》

尘世难逢开口笑，菊花须插满头归。——唐·杜牧《九日齐山登高》

健儿无粮百姓饥，谁遣朝朝入君口。——唐·曹邺《官仓鼠》

京口瓜洲一水间，钟山只隔数重山。——宋·王安石《泊船瓜洲》

牧童归去横牛背，短笛无腔信口吹。——宋·雷震《村晚》

意欲捕鸣蝉，忽然闭口立。——清·袁枚《所见》

李杜诗篇万口传，至今已觉不新鲜。——清·赵翼《论诗》

人世难逢开口笑，上疆场彼此弯弓月。——现代·毛泽东《贺新郎·读史》

春来我不先开口，哪个虫儿敢做声！——现代·毛泽东《七古·咏哇》

看

出门东向看，泪落沾我衣。——汉《古诗·十五从军征》

出门看火伴，火伴皆惊忙。——北朝《乐府民歌·木兰诗》

空里流霜不觉飞，汀上白沙看不见。——唐·张若虚《春江花月夜》

远看山有色，近听水无声。——唐·王维《画》

相看两不厌，只有敬亭山。——唐·李白《独坐敬亭山》

日照香炉生紫烟，遥看瀑布挂前川。——唐·李白《望庐山瀑布》

却看妻子愁何在，漫卷诗书喜欲狂。——唐·杜甫《闻官军收河南河北》

老翁逾墙走，老妇出门看。——唐·杜甫《石壕吏》

晓看红湿处，花重锦官城。——唐·杜甫《春夜喜雨》

天街小雨润如酥，草色遥看近却无。——唐·韩愈《早春呈水部张十八员外二首（其一）》

君王掩面救不得，回看血泪相和流。——唐·白居易《长恨歌》

一看肠一断，好去莫回头。——唐·白居易《南浦别》

江南忆，最忆是杭州；山寺月中寻桂子，郡亭枕上看潮头。——唐·白居易《忆

江南》

天阶夜色凉如水，坐看牵牛织女星。——唐·杜牧《秋夕》

蓬山此去无多路，青鸟殷勤为探看。——唐·李商隐《无题·相见时难别亦难》

执手相看泪眼，竟无语凝噎。——宋·柳永《雨霖铃·寒蝉凄切》

横看成岭侧成峰，远近高低各不同。——宋·苏轼《题西林壁》

为报倾城随太守，亲射虎，看孙郎。——宋·苏轼《江城子·密州出猎》

看取晚来风势，故应难看梅花。——宋·李清照《清平乐·年年雪里》

把吴钩看了，栏杆拍遍，无人会、登临意。——宋·辛弃疾《水龙吟·登建康赏心亭》

醉里挑灯看剑，梦回吹角连营。——宋·辛弃疾《破阵子·为陈同甫赋壮词以寄之》

朝看水东流，暮看日西坠。——明·钱福《明日歌》

白发渔樵江渚上，惯看秋月春风。——明·杨慎《临江仙·滚滚长江东逝水》

看万山红遍，层林尽染；漫江碧透，百舸争流。——现代·毛泽东《沁园春·长沙》

俱往矣，数风流人物，还看今朝。——现代·毛泽东《沁园春·雪》

唐寅《骑驴归思图》

L

老

同心而离居，忧伤以终老。——汉·佚名《古诗十九首·涉江采芙蓉》

从来幽并客，皆共尘沙老。——唐·王昌龄《塞下曲》

老来懒赋诗，惟有老相随。——唐·王维《偶然作》

老至居人下，春归在客先。——唐·刘长卿《新年作》

歧路相逢无可赠，老年空有泪沾衣。——唐·刘长卿《青溪口送人归岳州》

手栽松树苍苍老，身卧桃园寂寂春。——唐·刘长卿《寻龙井杨老》

亲朋无一字，老病有孤舟。——唐·杜甫《登岳阳楼》

老夫不出长蓬蒿，稚子无忧走风雨。——唐·杜甫《秋雨叹》

入门依旧四壁空，老妻睹我颜色同。——唐·杜甫《百忧集行》

老尽名花春不管，年年啼鸟怨东风。——唐·张继《金谷园》

门前冷落鞍马稀，老大嫁作商人妇。——唐·白居易《琵琶行》

江村日暮寻遗老，江水东流横浩浩。——唐·顾况《江村乱后》

梧桐相待老，鸳鸯会双死。——唐·孟郊《烈女操》

先生去后身须老，乞与贫儒换骨丹。——唐·吕岩《七言》

归计未知身已老，九衢双阙夜苍苍。——唐·罗隐《长安秋夜》

才微易向风尘老，身贱难酬知己恩。——唐·郭震《寄刘校书》

山水不移人自老，见却多少后生人。——唐·寒山《诗三百》

游人不管春将老，来往亭前踏落花。——宋·欧阳修《丰乐亭游春》

遗民几度垂垂老，游女长歌缓缓归。——宋·苏轼《陌上花》

老去形容虽变改，醉来意气尚轩昂。——宋·陆游《自嘲》

壮心未与年俱老，死去犹能作鬼雄。——宋·陆游《书愤》

古人学问无遗力，少壮工夫老始成。——宋·陆游《冬夜读书示子聿》

老夫聊发少年狂，左牵黄，右擎苍。——宋·苏轼《江城子·密州出猎》

山僧过岭看茶老，村女当垆煮酒香。——明·祝允明《首夏山中行吟》

天若有情天亦老，人间正道是沧桑。——现代·毛泽东《七律·人民解放军占领南京》

落

桑之落矣，其黄而陨。——先秦《诗经·卫风·氓》

秋风萧瑟天气凉，草木摇落露为霜。——三国魏·曹丕《燕歌行》

花开花落不长久，落红满地归寂中。——南朝·陈叔宝《玉树后庭花·丽宇芳林对高阁》

夜来风雨声，花落知多少。——唐·孟浩然《春晓》

木落雁南度，北风江上寒。——唐·孟浩然《早寒江上有怀》

荒城临古渡，落日满秋山。——唐·王维《归嵩山作》

渡头余落日，墟里上孤烟。——唐·王维《辋川闲居赠裴秀才迪》

明朝挂帆席，枫叶落纷纷。——唐·李白《夜泊牛渚怀古》

浮云游子意，落日故人情。——唐·李白《送友人》

有时自发钟磬响，落日更见渔樵人。——唐·杜甫《崔氏东山草堂》

落花游丝白日静，鸣鸠乳燕青春深。——唐·杜甫《题省中院壁》

长江一帆远，落日五湖春。——唐·刘长卿《饯别王十一南游》

落叶纷纷满四邻，萧条环堵绝风尘。——唐·刘长卿《酬屈突陕》

落花芳草无寻处，万壑千峰独闭门。——唐·刘长卿《过郑山人所居》

落日孤舟去，青山万里看。——唐·贾岛《却赴南邑留别苏台知己》

落叶满空山，何处寻行迹。——唐·韦应物《寄全椒山中道士》

落落精神终有立，飘飘才思杳无穷。——唐·杜牧《送刘秀才归江陵》

荒戍落黄叶，浩然离故关。——唐·温庭筠《送人东游》

落叶人何在，寒云路几层。——唐·李商隐《北青萝》

落叶他乡树，寒灯独夜人。——唐·马戴《灞上秋居》

落木满江水，离人怀渭城。——唐·许棠《秋江霁望》

落木千山天远大，澄江一道月分明。——宋·黄庭坚《登快阁》

落日无情最有情，遍催万树暮蝉鸣。——宋·杨万里《初秋行圃》

落红不是无情物，化作春泥更护花。——清·龚自珍《己亥杂诗》

国际悲歌歌一曲，狂飙为我从天落。——现代·毛泽东《蝶恋花·从汀州向长沙》

流

泛楼船兮济汾河，横中流兮扬素波。——汉·刘彻《秋风辞》

沅江流水到辰阳，溪口逢君驿路长。——唐·王昌龄《送吴十九往沅陵》

埋骨白云长已矣，空余流水向人间。——唐·王维《送殷四葬》

岩下维舟不忍去，青溪流水暮潺潺。——唐·灵一《与元居士青山潭饮茶》

闻道幽深石涧寺，不逢流水亦难知。——唐·朱放《游石涧寺》

雨中禁火空斋冷，江上流莺独坐听。——唐·韦应物《寒食寄京师诸弟》

上方下方雪中路，白云流水如闲步。——唐·卢纶《过仙游寺》

借问流莺与飞蝶，更知何处有幽花。——唐·刘言史《寻花》

桃花流出武陵洞，梦想仙家云树春。——唐·刘商《题水洞》

墙东便是伤心地，夜夜流萤飞去来。——唐·刘禹锡《代靖安佳人怨》

野店东头花落处，一条流水号罗敷。——唐·白居易《罗敷水》

今日流莺来旧处，百般言语泥空枝。——唐·白居易《惜花》

古时应是山头水，自古流来江路深。——唐·元稹《嘉陵水》

满眼流光随日度，今朝花落更纷纷。——唐·元稹《与吴侍御春游》

一弹流水一弹月，水月风生松树枝。——唐·卢仝《风中琴》

若见青云旧相识，为言流落在天涯。——唐·韦庄《送人归上国》

不是流莺独占春，林间彩翠四时新。——唐·司空图《鹂》
自是去人身渐老，暮山流水任东来。——唐·于鹄《别旧山》
闻道瞿塘滟滪堆，青山流水近阳台。——唐·刘媛《送远》
问君能有几多愁，恰似一江春水向东流。——五代·李煜《虞美人·春花秋月何时了》

大江东去，浪淘尽，千古风流人物。——宋·苏轼《念奴娇·赤壁怀古》
清溪流过碧山头，空水澄鲜一色秋。——宋·程颢《秋月》
武夷山上有仙灵，山下寒流曲曲清。——宋·朱熹《九曲棹歌》
曲曲折折向东流，山山岭岭难阻留。——明·唐寅《流水诗》
到处莺歌燕舞，更有潺潺流水，高路入云端。——现代·毛泽东《水调歌头·重上井冈山》

路

道路阻且长，会面安可知？——汉·佚名《古诗十九首·行行重行行》
道路迥且长，风波阻中途。——晋·陶渊明《饮酒》
青溪归路直，乘月夜歌还。——唐·王绩《夜还东溪》
关山客子路，花柳帝王城。——唐·卢照邻《送二兄入蜀》
不辞山路远，踏雪也相过。——唐·张九龄《答陆澧》
桃李卖阳艳，路人行且迷。——唐·李白《赠韦侍御黄裳》
何时石门路，重有金樽开。——唐·李白《鲁郡东石门送杜二甫》
朱门酒肉臭，路有冻死骨。——唐·杜甫《自京赴奉先县咏怀五百字》
寒食江村路，风花高下飞。——唐·杜甫《寒食》
清明时节雨纷纷，路上行人欲断魂。——唐·杜牧《清明》

蓬山此去无多路，青鸟殷勤为探看。——唐·李商隐《无题》

昨夜西风凋碧树，独上高楼，望尽天涯路。——宋·晏殊《蝶恋花·槛菊愁烟兰泣露》

玉勒雕鞍游冶处，楼高不见章台路。——宋·欧阳修《蝶恋花·庭院深深深几许》

柔情似水，佳期如梦，忍顾鹊桥归路。——宋·秦观《鹊桥仙·纤云弄巧》

谁知巴峡路，却见洛城花。——宋·苏轼《临江仙·以为异人》

山下兰芽短浸溪，松间沙路净无泥。——宋·苏轼《浣溪沙·游蕲水清泉寺》

酒困路长惟欲睡，日高人渴漫思茶。——宋·苏轼《浣溪沙·簌簌衣巾落枣花》

梦到故园多少路，酒醒南望隔天涯。——宋·苏轼《浣溪沙·山色横侵蘸晕霞》

常记溪亭日暮，沉醉不知归路。——宋·李清照《如梦令》

山重水复疑无路，柳暗花明又一村。——宋·陆游《游山西村》

四十三年，望中犹记，烽火扬州路。——宋·辛弃疾《永遇乐·京口北固亭怀古》

东风夜放花千树，更吹落，星如雨。宝马雕车香满路。——宋·辛弃疾《青玉案·元夕》

旧时茅店社林边。路转溪桥忽见。——宋·辛弃疾《西江月·夜行黄沙道中》

徐行不记山深浅，一路莺啼送到家。——明·杨基《天平山中》

高情不入时人眼，拍手凭他笑路旁。——清·曹雪芹《簪菊》

林

羁鸟恋旧林，池鱼思故渊。——晋·陶渊明《归园田居》

日入群动息，归鸟趋林鸣。——晋·陶渊明《饮酒》

蝉噪林逾静，鸟鸣山更幽。——南朝·王籍《入若耶溪》

江流宛转绕芳甸，月照花林皆似霰。——唐·张若虚《春江花月夜》

林表明霁色，城中增暮寒。——唐·祖咏《终南望余雪》

返景入深林，复照青苔上。——唐·王维《鹿柴》

出身仕汉羽林郎，初随骠骑战渔阳。——唐·王维《少年行》

积雨空林烟火迟，蒸藜炊黍饷东菑。——唐·王维《秋归辋川庄作》

但见悲鸟号古木，雄飞雌从绕林间。——唐·李白《蜀道难》

千千石楠树，万万女贞林。——唐·李白《秋浦歌》

平林漠漠烟如织，寒山一带伤心碧。——唐·李白《菩萨蛮·平林漠漠烟如织》

一树寒梅白玉条，迥临林村傍溪桥。——唐·张谓《早梅》

苍苍竹林寺，杳杳钟声晚。——唐·刘长卿《送灵澈上人》

茅飞渡江洒江郊，高者挂罥长林梢，下者飘转沉塘坳。——唐·杜甫《茅屋为秋风所破歌》

若待上林花似锦，出门俱是看花人。——唐·杨巨源《城东早春》

停车坐爱枫林晚，霜叶红于二月花。——唐·杜牧《山行》

林花谢了春红，太匆匆。——五代·李煜《相见欢·林花谢了春红》

始知锁向金笼听，不及林间自在啼。——宋·欧阳修《画眉鸟》

莫听穿林打叶声，何妨吟啸且徐行。——宋·苏轼《定风波·莫听穿林打叶声》

敲成玉磬穿林响，忽作玻璃碎地声。——宋·杨万里《稚子弄冰》

旧时茅店社林边，路转溪桥忽见。——宋·辛弃疾《西江月·夜行黄沙道中》

冰雪林中著此身，不同桃李混芳尘。——元·王冕《白梅》

野犬吠丛薄，深林知有村。——清·谭嗣同《江行》

牧童骑黄牛，歌声振林樾。——清·袁枚《所见》

看万山红遍，层林尽染；漫江碧透，百舸争流。——现代·毛泽东《沁园春·长沙》

龙

山有乔松，隰有游龙，不见子充，乃见狡童。——先秦《诗经·郑风·山有扶苏》

朝见马岭黄沙合，夕望龙城阵云起。——隋·卢思道《从军行》

牙璋辞凤阙，铁骑绕龙城。——唐·杨炯《从军行》

鸿雁长飞光不度，鱼龙潜跃水成文。——唐·张若虚《春江花月夜》
但使龙城飞将在，不教胡马度阴山。——唐·王昌龄《出塞》
吾欲揽六龙，回车挂扶桑。——唐·李白《短歌行》
杨花落尽子规啼，闻道龙标过五溪。——唐·李白《闻王昌龄左迁龙标遥有此寄》
上有六龙回日之高标，下有冲波逆折之回川。——唐·李白《蜀道难》
水深波浪阔，无使蛟龙得。——唐·杜甫《梦李白》
卧龙跃马终黄土，人事音书漫寂寥。——唐·杜甫《阁夜》

云移雉尾开宫扇，日绕龙鳞识圣颜。——唐·杜甫《秋兴》
故园东望路漫漫，双袖龙钟泪不干。——唐·岑参《逢入京使》
天旋地转回龙驭，到此踌躇不能去。——唐·白居易《长恨歌》
嗟以龙钟身，如何岁复新。——唐·贾岛《新年》
龙山万里无多远，留待行人二月归。——唐·李商隐《对雪》
若教临水畔，字字恐成龙。——唐·韩偓《草书屏风》
凤阁龙楼连霄汉，玉树琼枝作烟萝，几曾识干戈？——五代·李煜《破阵子·四十年来家国》
雷惊天地龙蛇蛰，雨足郊原草木柔。——宋·黄庭坚《清明》
飞云当面化龙蛇，夭矫转空碧。——宋·秦观《好事近·梦中作》
青墩溪畔龙钟客，独立东风看牡丹。——宋·陈与义《咏牡丹》

凤箫声动，玉壶光转，一夜鱼龙舞。——宋·辛弃疾《青玉案·元夕》
但使雕龙销杀气，未妨白发老边才。——明·戚继光《登盘山绝顶》
明年再有新生者，十丈龙孙绕凤池。——清·郑板桥《新竹》
今日长缨在手，何时缚住苍龙？——现代·毛泽东《清平乐·六盘山》

楼

西北有高楼，上与浮云齐。——汉《古诗十九首·西北有高楼》

日出东南隅，照我秦氏楼。——汉《乐府歌·陌上桑》
可怜楼上月徘徊，应照离人妆镜台。——唐·张若虚《春江花月夜》
欲穷千里目，更上一层楼。——唐·王之涣《登鹳雀楼》
月下飞天镜，云生结海楼。——唐·李白《渡荆门送别》
高楼当此夜，叹息未应闲。——唐·李白《关山月》
故人西辞黄鹤楼，烟花三月下扬州。——唐·李白《黄鹤楼送孟浩然之广陵》
长风万里送秋雁，对此可以酣高楼。——唐·李白《宣州谢朓楼饯别校书叔云》
昔人已乘黄鹤去，此地空余黄鹤楼。——唐·崔颢《黄鹤楼》
昔闻洞庭水，今上岳阳楼。——唐·杜甫《登岳阳楼》

花近高楼伤客心，万方多难此登临。——唐·杜甫《登楼》
东望少城花满烟，百花高楼更可怜。——唐·杜甫《江畔独步寻花》
楼阁玲珑五云起，其中绰约多仙子。——唐·白居易《长恨歌》
南朝四百八十寺，多少楼台烟雨中。——唐·杜牧《江南春·千里莺啼绿映红》
绿树阴浓夏日长，楼台倒影入池塘。——唐·高骈《山亭夏日》
无言独上西楼，月如钩。——五代·李煜《相见欢·无言独上西楼》
小楼昨夜又东风，故国不堪回首月明中。——五代·李煜《虞美人·春花秋月何时了》
渐霜风凄紧，关河冷落，残照当楼。——宋·柳永《八声甘州·对潇潇暮雨洒江天》
我欲乘风归去，又恐琼楼玉宇，高处不胜寒。——宋·苏轼《水调歌头·丙辰中秋》
卷地风来忽吹散，望湖楼下水如天。——宋·苏轼《六月二十七日望湖楼醉书》

云中谁寄锦书来，雁字回时，月满西楼。——宋·李清照《一剪梅·红藕香残玉簟秋》
楼船夜雪瓜洲渡，铁马秋风大散关。——宋·陆游《书愤》
落日楼头，断鸿声里，江南游子。——宋·辛弃疾《水龙吟·登建康赏心亭》
山外青山楼外楼，西湖歌舞几时休？——宋·林升《题临安邸》
新闻才开老闻过，楼台金碧照江波。——清·何绍基《沪上杂书》

离

愿得一心人，白头不相离。——汉·卓文君《白头吟》
郁郁涧底松，离离山上苗。——晋·左思《咏史》
渐离击悲筑，宋意唱高声。——晋·陶渊明《咏荆轲》
入春才七日，离家已二年。——隋·薛道衡《人日思归》
与君离别意，同是宦游人。——唐·王勃《送杜少府之任蜀州》
少小离家老大回，乡音无改鬓毛衰。——唐·贺知章《回乡偶书》
离别家乡岁月多，近来人事半消磨。——唐·贺知章《回乡偶书》
弟侄虽存不得书，干戈未息苦离居。——唐·杜甫《清明》
飒飒秋风生，愁人怨离别。——唐·孟郊《古怨别》
里巷千来往，都门五别离。——唐·白居易《偶作寄朗之》

离离原上草，一岁一枯荣。——唐·白居易《草》
商人重利轻别离，前月浮梁买茶去。——唐·白居易《琵琶行》
棠梨花映白杨树，尽是死生别离处。——唐·白居易《寒食野望吟》
别离还有经年客，怅望不如河鼓星。——唐·徐凝《七夕》
数声风笛离亭晚，君向潇湘我向秦。——唐·郑谷《淮上与友人别》
多情只有春庭月，犹为离人照落花。——唐·张泌《寄人》
离恨恰如春草，更行更远还生。——五代·李煜《清平乐·别来春半》
离愁渐远渐无穷，迢迢不断如春水。——宋·欧阳修《踏莎行·候馆梅残》
离别一何久，七度过中秋。——宋·苏辙《水调歌头·徐州中秋》
国亡身殒今何有，只留离骚在世间。——宋·张耒《和端午》

一怀愁绪，几年离索。——宋·陆游《钗头凤·红酥手》
病骨支离纱帽宽，孤臣万里客江干。——宋·陆游《病起书怀》
若教眼底无离恨，不信人间有白头。——宋·辛弃疾《鹧鸪天·晚日寒鸦一片愁》

牛郎织女年年会，可惜容颜永别离。——明·唐寅《绮疏遗恨》
浩荡离愁白日斜，吟鞭东指即天涯。——清·龚自珍《己亥杂诗》

留

婕妤去辞宠，淹留终不见。——晋·陆机《班婕妤》
江山留胜迹，我辈复登临。——唐·孟浩然《与诸子登岘山》
随意春芳歇，王孙自可留。——唐·王维《山居秋暝》
襄阳好风日，留醉与山翁。——唐·王维《汉江临泛》
题诗留万古，绿字锦苔生。——唐·李白《秋浦歌》
蚕饥妾欲去，五马莫留连。——唐·李白《子夜吴歌·春歌》
古来圣贤皆寂寞，惟有饮者留其名。——唐·李白《将进酒》
留连戏蝶时时舞，自在娇莺恰恰啼。——唐·杜甫《江畔独步寻花》
山回路转不见君，雪上空留马行处。——唐·岑参《白雪歌送武判官归京》
莫遣只轮归海窟，仍留一箭射天山。——唐·李益《塞下曲》

白头老母遮门啼，挽断衫袖留不止。——唐·韩愈《谁氏子》
长得看来犹有恨，可堪逢处更难留。——唐·吴融《途中见杏花》
多谢浣溪人不折，雨中留得盖鸳鸯。——唐·郑谷《莲叶》
歌舞留春春似海，美人颜色正如花。——唐·唐彦谦《春日偶成》
为君持酒劝斜阳，且向花间留晚照。——宋·宋祁《玉楼春·春景》
国亡身殒今何有，只留离骚在世间。——宋·张耒《和端午》
莫笑农家腊酒浑，丰年留客足鸡豚。——宋·陆游《游山西村》
梅子留酸软齿牙，芭蕉分绿与窗纱。——宋·杨万里《闲居初夏午睡起》
人生自古谁无死，留取丹心照汗青。——宋·文天祥《过零丁洋》
不要人夸颜色好，只留清气满乾坤。——元·王冕《墨梅》

粉骨碎身全不怕，要留清白在人间。——明·于谦《石灰吟》

生平未报国，留作忠魂补。——明·杨继盛《就义诗》

非无脚下浮云闹，来不相知去不留。——清·郑燮《题画兰》

最是人间留不住，朱颜辞镜花辞树。——清·王国维《蝶恋花·阅尽天涯离别苦》

乐

民生各有所乐兮，余独好修以为常。——战国·屈原《离骚》

箫鼓鸣兮发棹歌，欢乐极兮哀情多。——汉·刘彻《秋风辞》

闻多素心人，乐与数晨夕。——晋·陶渊明《移居》

一朝卧病无相识，三春行乐在谁边？——唐·刘希夷《代悲白头翁》

异方之乐令人悲，羌笛胡笳不用吹。——唐·孟浩然《凉州词》

暂伴月将影，行乐须及春。——唐·李白《月下独酌》

我醉君复乐，陶然共忘机。——唐·李白《下终南山过斛斯山人宿置酒》

且乐生前一杯酒，何须身后千载名？——唐·李白《行路难》

乐游原上清秋节，咸阳古道音尘绝。——唐·李白《忆秦娥·箫声咽》

陈王昔时宴平乐，斗酒十千恣欢谑。——唐·李白《将进酒》

烹羊宰牛且为乐，会须一饮三百杯。——唐·李白《将进酒》

骊宫高处入青云，仙乐风飘处处闻。——唐·白居易《长恨歌》

浔阳地僻无音乐，终岁不闻丝竹声。——唐·白居易《琵琶行》

今夜闻君琵琶语，如听仙乐耳暂明。——唐·白居易《琵琶行》

回乐峰前沙似雪，受降城外月如霜。——唐·李益《夜上受降城闻笛》

今夕少愉乐，起坐开清尊。——唐·柳宗元《饮酒》

万树鸣蝉隔岸虹，乐游原上有西风。——唐·李商隐《乐游原》

曾逐东风拂舞筵，乐游春苑断肠天。——唐·李商隐《柳》

莫奏开元旧乐章，乐中歌曲断人肠。——唐·薛逢《开元后乐》

泽国江山入战图，生民何计乐樵苏。——唐·曹松《己亥岁》

家山虽在干戈地，弟侄常修礼乐风。——唐·杜荀鹤《题弟侄书堂》
时人不识余心乐，将谓偷闲学少年。——宋·程颢《春日偶成》
哀哉沮洳场，为我安乐国。——宋·文天祥《正气歌》
书卷多情似故人，晨昏忧乐每相亲。——明·于谦《观书》
齐唱宪王春乐府，金梁桥外月如霜。——明·李梦阳《汴京元夕》

露

蒹葭苍苍，白露为霜。——先秦《诗经·秦风·蒹葭》
朝饮木兰之坠露兮，夕餐秋菊之落英。——战国·屈原《离骚》
青青园中葵，朝露待日晞。——汉《乐府歌·长歌行》
白骨露于野，千里无鸡鸣。——三国魏·曹操《蒿里行》
譬如朝露，去日苦多。——三国魏·曹操《短歌行》
道狭草木长，夕露沾我衣。——晋·陶渊明《归园田居》
念归林叶换，愁坐露华生。——唐·张九龄《西江夜行》
秋空明月悬，光彩露沾湿。——唐·孟浩然《秋宵月下有怀》
荷风送香气，竹露滴清响。——唐·孟浩然《夏日南亭怀辛大》
山中习静观朝槿，松下清斋折露葵。——唐·王维《积雨辋川庄作》

玉阶生白露，夜久侵罗袜。——唐·李白《玉阶怨》
脱巾挂石壁，露顶洒松风。——唐·李白《夏日山中》
云想衣裳花想容，春风拂槛露华浓。——唐·李白《清平调》
露从今夜白，月是故乡明。——唐·杜甫《月夜忆舍弟》
中庭地白树栖鸦，冷露无声湿桂花。——唐·王建《十五夜望月寄杜郎中》
可怜九月初三夜，露似真珠月似弓。——唐·白居易《暮江吟》

昆山玉碎凤凰叫，芙蓉泣露香兰笑。——唐·李贺《李凭箜篌引》

晓迎秋露一枝新，不占园中最上春。——唐·杜牧《紫薇花》

风波不信菱枝弱，月露谁教桂叶香。——唐·李商隐《无题》

昨夜风开露井桃，未央前殿月轮高。——唐·王昌龄《春宫曲》

起舞徘徊风露下，今夕不知何夕。——宋·苏轼《念奴娇·中秋》

小荷才露尖尖角，早有蜻蜓立上头。——宋·杨万里《小池》

方仞云峰护一山，九天风露透衣寒。——明·李颖《登大半山》

梧桐叶底见银河，露气当窗冷碧罗。——清·陈文述《秋夜》

桂花秋一苑，凉露夜三更。——清·谭嗣同《桂花五律》

绿

秋兰被长坂，朱华冒绿池。——三国魏·曹植《公燕诗》

绿草蔓如丝，杂树红英发。——南朝·谢朓《王孙游》

白毛浮绿水，红掌拨清波。——唐·骆宾王《咏鹅》

碧玉妆成一树高，万条垂下绿丝绦。——唐·贺知章《咏柳》

绿树村边合，青山郭外斜。——唐·孟浩然《过故人庄》

燕草如碧丝，秦桑低绿枝。——唐·李白《春思》

今日云景好，水绿秋山明。——唐·李白《九日》

瓢弃尊无绿，炉存火似红。——唐·杜甫《对雪》

诗家清景在新春，绿柳才黄半未匀。——唐·杨巨源《城东早春》

绿蚁新醅酒，红泥小火炉。——唐·白居易《问刘十九》

乱点碎红山杏发，平铺新绿水蘋生。——唐·白居易《南湖早春》

最爱湖东行不足，绿杨阴里白沙堤。——唐·白居易《钱塘湖春行》

烟销日出不见人，欸乃一声山水绿。——唐·柳宗元《渔翁》

千里莺啼绿映红，水村山郭酒旗风。——唐·杜牧《江南春》
惟有绿荷红菡萏，卷舒开合任天真。——唐·李商隐《赠荷花》
今夜偏知春气暖，虫声新透绿窗纱。——唐·刘方平《月夜》
金谷园中草初绿，石崇一弄思归曲。——唐·牛殳《琵琶行》
绿杨烟外晓寒轻，红杏枝头春意闹。——宋·宋祁《玉楼春·春景》
春风又绿江南岸，明月何时照我还？——宋·王安石《泊船瓜洲》
一水护田将绿绕，两山排闼送青来。——宋·王安石《书湖阴先生壁》

一年好景君须记，正是橙黄橘绿时。——宋·苏轼《赠刘景文·冬景》
绿阴不减来时路，添得黄鹂四五声。——宋·曾几《三衢道中》
梅子留酸软齿牙，芭蕉分绿与窗纱。——宋·杨万里《闲居初夏午睡起》
芍药打团红，萱草成窝绿。——宋·洪咨夔《卜算子·芍药打团红》
绿遍山原白满川，子规声里雨如烟。——宋·翁卷《乡村四月》
浓似春云淡似烟，参差绿到大江边。——清·纪昀《富春至严陵山水甚佳》
赤橙黄绿青蓝紫，谁持彩练当空舞？——现代·毛泽东《菩萨蛮·大柏地》

柳

榆柳荫后檐，桃李罗堂前。——晋·陶渊明《归园田居》
柳条折尽花飞尽，借问行人归不归？——隋·佚名《送别诗》
羌笛何须怨杨柳，春风不度玉门关。——唐·王之涣《凉州词》
杨柳东风树，青青夹御河。——唐·王之涣《送别》
忽见陌头杨柳色，悔教夫婿觅封侯。——唐·王昌龄《闺怨》
车声上路合，柳色东城翠。——唐·孟浩然《清明即事》
忽过新丰市，还归细柳营。——唐·王维《观猎》
渭城朝雨浥轻尘，客舍青青柳色新。——唐·王维《渭城曲》
此夜曲中闻折柳，何人不起故园情。——唐·李白《春夜洛城闻笛》

风吹柳花满店香，吴姬压酒唤客尝。——唐·李白《金陵酒肆留别》

春城无处不飞花，寒食东风御柳斜。——唐·韩翃《寒食》
诗家清景在新春，绿柳才黄半未匀。—— 唐·杨巨源《城东早春》
最是一年春好处，绝胜烟柳满皇都。——唐·韩愈《早春呈水部张十八员外》
杨柳青青江水平，闻郎江上唱歌声。——唐·刘禹锡《竹枝词》
芙蓉如面柳如眉，对此如何不泪垂。——唐·白居易《长恨歌》
靖安宅里当窗柳，望驿台前扑地花。——唐·白居易《望驿台》
扬子江头杨柳春，杨花愁杀渡江人。——唐·郑谷《淮上友人别》
月上柳梢头，人约黄昏后。——宋·欧阳修《生查子·元夕》
云淡风轻近午天，傍花随柳过前川。——宋·程颢《春日偶成》
山重水复疑无路，柳暗花明又一村。——宋·陆游《游山西村》

梦断香消四十年，沈园柳老不吹绵。——宋·陆游《沈园》
柳条百尺拂银塘，且莫深青只浅黄。——宋·杨万里《新柳》
沾衣欲湿杏花雨，吹面不寒杨柳风。——宋·志南《绝句·古木阴中系短篷》
草长莺飞二月天，拂堤杨柳醉春烟。——清·高鼎《村居》
春风杨柳万千条，六亿神州尽舜尧。——现代·毛泽东《七律·送瘟神》

腊

腊月正月早惊春，众花未发梅花新。——南朝·江总《梅花落》
梅蕊腊前破，梅花年后多。——唐·杜甫《江梅》
岸容待腊将舒柳，山意冲寒欲放梅。——唐·杜甫《小至》
古庙杉松巢水鹤，岁时伏腊走村翁。——唐·杜甫《咏怀古迹》
腊日常年暖尚遥，今年腊日冻全消。——唐·杜甫《腊日》
红粉当垆弱柳垂，金花腊酒解酴醾。——唐·贾至《春思》

腊月闻山鸟，寒崖见蛰熊。——唐·卢象《竹里馆》
愁云残腊下阳台，混却乾坤六出开。——唐·姚合《咏雪》
腊月草根甜，天街雪似盐。——唐·李贺《马诗》
老来经节腊，乐事甚悠悠。——唐·卢仝《守岁》

残腊即又尽，东风应渐闻。——唐·曹松《除夜》
江南近腊时，已亚雪中枝。——唐·熊皎《早梅》
颦眉腊月露，愁杀未成霜。——唐·晁采《子夜歌》
腊尽星回次，寒余月建寅。——唐·冷朝阳《立春》
灞岸江头腊雪消，东风偷软入纤条。——唐·李山甫《柳十首》
游人若要春消息，直向江头腊后看。——唐·李山甫《柳十首》
愁云恨雨两牵萦，新春残腊相催逼。——宋·柳永《归朝欢·双调》
江南腊尽，早梅花开后，分付新春与垂柳。——宋·苏轼《洞仙歌·咏柳》
莫笑农家腊酒浑，丰年留客足鸡豚。——宋·陆游《游山西村》
煮酒春前腊后蒸，一年长飨瓮头清。——宋·范成大《冬日田园杂兴》

万物迎春送残腊，一年结局在今宵。——宋·戴复古《除夜》
腊树迎春，一路清寒，能消几日羁思。——宋·邓剡《疏影·笋薄之平江》
断送古今惟岁月，昏昏腊酒又迎年。——清·谭嗣同《除夕感怀》
酒未开樽句未裁，寻春问腊到蓬莱。——清·曹雪芹《访妙玉乞红梅》

来

归来宴平乐，美酒斗十千。——三国魏·曹植《名都篇》
玉户帘中卷不去，捣衣砧上拂还来。——唐·张若虚《春江花月夜》
醉卧沙场君莫笑，古来征战几人回。——唐·王翰《凉州词》
待到重阳日，还来就菊花。——唐·孟浩然《过故人庄》

夜来风雨声，花落知多少。——唐·孟浩然《春晓》

空山新雨后，天气晚来秋。——唐·王维《山居秋暝》

深林人不知，明月来相照。——唐·王维《竹里馆》

由来征战地，不见有人还。——唐·李白《关山月》

天生我材必有用，千金散尽还复来。——唐·李白《将进酒》

两岸青山相对出，孤帆一片日边来。——唐·李白《望天门山》

无边落木萧萧下，不尽长江滚滚来。——唐·杜甫《登高》

忽如一夜春风来，千树万树梨花开。——唐·岑参《白雪歌送武判官归京》

春潮带雨晚来急，野渡无人舟自横。—— 唐·韦应物《滁州西涧》

夜来南风起，小麦覆陇黄。——唐·白居易《观刈麦》

千呼万唤始出来，犹抱琵琶半遮面。——唐·白居易《琵琶行》

去来江口守空船，绕船月明江水寒。——唐·白居易《琵琶行

日出江花红胜火，春来江水绿如蓝。——唐·白居易《忆江南》

夜来城外一尺雪，晓驾炭车辗冰辙。——唐·白居易《卖炭翁》

长恨春归无觅处，不知转入此中来。——唐·白居易《大林寺桃花》

塞下秋来风景异，衡阳雁去无留意。——宋·范仲淹《渔家傲·秋思》

夜来幽梦忽还乡，小轩窗，正梳妆。——宋·苏轼《江城子·乙卯正月二十日夜记梦》

三杯两盏淡酒，怎敌他、晚来风急！——宋·李清照《声声慢·寻寻觅觅》

佳人晓起出兰房，折来对镜化红妆。——明·唐寅《妒花》

痴心父母古来多，孝顺儿孙谁见了？——清·曹雪芹《好了歌》

今日欢呼孙大圣，只缘妖雾又重来。——现代·毛泽东《七律·和郭沫若同志》

里

星汉灿烂，若出其里。——三国魏·曹操《观沧海》

老骥伏枥，志在千里。——三国魏·曹操《龟虽寿》

万里赴戎机，关山度若飞。——北朝《乐府民歌·木兰诗》

滟滟随波千万里，何处春江无月明！——唐·张若虚《春江花月夜》

独坐幽篁里，弹琴复长啸。——唐·王维《竹里馆》

此地一为别，孤蓬万里征。——唐·李白《送友人》

仍怜故乡水，万里送行舟。——唐·李白《渡荆门送别》

万里悲秋常作客，百年多病独登台。——唐·杜甫《登高》

布衾多年冷似铁，娇儿恶卧踏里裂。——唐·杜甫《茅屋为秋风所破歌》

瀚海阑干百丈冰，愁云惨淡万里凝。——唐·岑参《白雪歌送武判官归京》

洛阳城里见秋风，欲作家书意万重。——唐·张籍《秋思》

最爱湖东行不足，绿杨阴里白沙堤。——唐·白居易《钱塘湖春行》

千里莺啼绿映红，水村山郭酒旗风。——唐·杜牧《江南春·千里莺啼绿映红》

念去去，千里烟波，暮霭沉沉楚天阔。——宋·柳永《雨霖铃·寒蝉凄切》

浊酒一杯家万里，燕然未勒归无计。——宋·范仲淹《渔家傲·秋思》

但愿人长久，千里共婵娟。——宋·苏轼《水调歌头·明月几时有》

九万里风鹏正举，风休住，蓬舟吹取三山去。——宋·李清照《渔家傲·天接云涛连晓雾》

三十功名尘与土，八千里路云和月。——宋·岳飞《满江红·写怀》

众里寻他千百度，蓦然回首，那人却在、灯火阑珊处。——宋·辛弃疾《青玉案·元夕》

稻花香里说丰年，听取蛙声一片。——宋·辛弃疾《西江月·夜行黄沙道中》

醉里挑灯看剑，梦回吹角连营。——宋·辛弃疾《破阵子·为陈同甫赋壮词以

寄之》

惶恐滩头说惶恐，零丁洋里叹零丁。——宋·文天祥《过零丁洋》

绿遍山原白满川，子规声里雨如烟。——宋·翁卷《乡村四月》

人生千里与万里，黯然销魂别而已。——清·吴伟业《悲歌赠吴季子》

北国风光，千里冰封，万里雪飘。——现代·毛泽东《沁园春·雪》

M

明

今日斗酒会，明旦沟水头。——汉·卓文君《白头吟》

明月照高楼，流光正徘徊。——三国魏·曹植《七哀》

菩提本无树，明镜亦非台。——唐·惠能《菩提偈》

暗尘随马去，明月逐人来。——唐·苏味道《正月十五夜》

相思在万里，明月正孤悬。——唐·卢照邻《关山月》

深林人不知，明月来相照。——唐·王维《竹里馆》

明月松间照，清泉石上流。——唐·王维《山居秋暝》

明朝驿使发，一夜絮征袍。——唐·李白《子夜吴歌·冬歌》

明月出天山，苍茫云海间。——唐·李白《关山月》

明日谁同路，新年独到乡。——唐·刘长卿《送蔡侍御赴上都》

明日隔山岳，世事两茫茫。——唐·杜甫《赠卫八处士》

故人入我梦，明我长相忆。——唐·杜甫《梦李白》

忧人半夜起，明月在林端。——唐·韦应物《秋夜》

明日巴陵道，秋山又几重。——唐·李益《喜见外弟又言别》

春风来海上，明月在江头。——唐·白居易《正月十五日夜月》

明朝归去路，犹隔洞庭秋。——唐·崔道融《夜泊九江》

今岁今宵尽，明年明日催。——唐·史青《应诏赋得除夜》

春风又绿江南岸，明月何时照我还？——宋·王安石《泊船瓜洲》

山重水复疑无路，柳暗花明又一村。——宋·陆游《游山西村》

无花无酒过清明，兴味萧然似野僧。——宋·王禹偁《清明》

清风明月无人管，并作南来一味凉。——宋·黄庭坚《鄂州南楼书事》

明日复明日，明日何其多。——明·钱福《明日歌》

两座楼头钟鼓响，一轮明月满乾坤。——明·吴承恩《一轮明月满乾坤》

吹灯窗更明，月照一天雪。——清·袁枚《十二月十五夜》

门

寂寂杨子宅，门无卿相舆。——晋·左思《咏史八首》

树下即门前，门中露翠钿。——南朝《乐府民歌·西洲曲》

楼观沧海日，门对浙江潮。——唐·宋之问《灵隐寺》

羌笛何须怨杨柳，春风不度玉门关。——唐·王之涣《凉州词》

青海长云暗雪山，孤城遥望玉门关。——唐·王昌龄《从军行》

倚杖柴门外，临风听暮蝉。——唐·王维《辋川闲居赠裴秀才迪》

门前五杨柳，井上二梧桐。——唐·李白《赠崔秋浦》

长风几万里，吹度玉门关。——唐·李白《关山月》

渡远荆门外，来从楚国游。——唐·李白《渡荆门送别》

天门中断楚江开，碧水东流至此回。——唐·李白《望天门山》

柴门鸟雀噪，归客千里至。——唐·杜甫《羌村》

窗含西岭千秋雪，门泊东吴万里船。——唐·杜甫《绝句》

泉源在庭户，洞壑当门前。——唐·元结《贼退示官吏》

扣门无犬吠，欲去问西家。——唐·皎然《寻陆鸿渐不遇》

窗里人将老，门前树已秋。——唐·韦应物《淮上遇洛阳李主簿》

门前负局人，为我一磨拂。——唐·刘禹锡《磨镜篇》

身从渔父笑，门任雀罗张。——唐·白居易《九日醉吟》

轻棹驻回流，门登西虎丘。——唐·张祜《题虎丘寺》

独有长门里，蛾眉对晓晴。——唐·杜牧《长安夜月》

沧江好烟月，门系钓鱼船。——唐·杜牧《旅宿》

庭前花不扫，门外柳谁攀。——唐·布燮《思乡作》

千门万户曈曈日，总把新桃换旧符。——宋·王安石《元日》

此身合是诗人未？细雨骑驴入剑门。——宋·陆游《剑门道中遇微雨》

都门帐饮无绪，留恋处，兰舟催发。——宋·柳永《雨霖铃·寒蝉凄切》

可怜绣户侯门女，独卧青灯古佛旁。——清·曹雪芹《惜春》

马

使君从南来，五马立踟蹰。——汉·佚名《乐府民歌·陌上桑》

羽檄从北来，厉马登高堤。——三国魏·曹植《白马篇》

白马饰金羁，连翩西北驰。——三国魏·曹植《白马篇》

结庐在人境，而无车马喧。——晋·陶渊明《饮酒》

牧人驱犊返，猎马带禽归。——唐·王绩《野望》

暗尘随马去，明月逐人来。——唐·苏味道《正月十五夜》

葡萄美酒夜光杯，欲饮琵琶马上催。——唐·王翰《凉州词》

骝马新跨白玉鞍，战罢沙场月色寒。——唐·王昌龄《出塞》

挥手自兹去，萧萧班马鸣。——唐·李白《送友人》

五花马，千金裘，呼儿将出换美酒，与尔同销万古愁。——唐·李白《将进酒》

戎马关山北，凭轩涕泗流。——唐·杜甫《登岳阳楼》

山回路转不见君，雪上空留马行处。——唐·岑参《白雪歌送武判官归京》

马上相逢无纸笔，凭君传语报平安。——唐·岑参《逢入京使》

云横秦岭家何在？雪拥蓝关马不前。——唐·韩愈《左迁至蓝关示侄孙湘》

主人下马客在船，举酒欲饮无管弦。——唐·白居易《琵琶行》

门前冷落车马稀，老大嫁作商人妇。——唐·白居易《琵琶行》

君臣相顾尽沾衣，东望都门信马归。——唐·白居易《长恨歌》

乱花渐欲迷人眼，浅草才能没马蹄。——唐·白居易《钱塘湖春行》

竹杖芒鞋轻胜马，谁怕？一蓑烟雨任平生。——宋·苏轼《定风波·莫听穿林打

叶声》

夜阑卧听风吹雨，铁马冰河入梦来。——宋·陆游《十一月四日风雨大作》

楼船夜雪瓜洲渡，铁马秋风大散关。——宋·陆游《书愤》

当年万里觅封侯，匹马戍梁州。——宋·陆游《诉衷情·当年万里觅封侯》

马作的卢飞快，弓如霹雳弦惊。——宋·辛弃疾《破阵子·为陈同甫赋壮词以寄之》

想当年，金戈铁马，气吞万里如虎。——宋·辛弃疾《永遇乐·京口北固亭怀古》

奔腾急，万马战犹酣。——现代·毛泽东《十六字令》

梦

慷慨思古人，梦想见容辉。——三国魏·嵇康《述志诗》

昨夜闲潭梦落花，可怜春半不还家。——唐·张若虚《春江花月夜》

不堪盈手赠，还寝梦佳期。——唐·张九龄《望月怀远》

气蒸云梦泽，波撼岳阳城。——唐·孟浩然《望洞庭湖赠张丞相》

故人入我梦，明我长相忆。——唐·杜甫《梦李白》

春风一夜吹乡梦，又逐春风到洛城。——唐·武元衡《春兴》

闻道汉家天子使，九华帐里梦魂惊。——唐·白居易《长恨歌》

庄生晓梦迷蝴蝶，望帝春心托杜鹃。——唐·李商隐《锦瑟》

神女生涯原是梦，小姑居处本无郎。——唐·李商隐《无题·重帏深下莫愁堂》

远书归梦两悠悠，只有空床敌素秋。——唐·李商隐《端居》

因思杜陵梦，凫雁满回塘。——唐·温庭筠《商山早行》

江雨霏霏江草齐，六朝如梦鸟空啼。——唐·韦庄《台城》

梦里不知身是客，一晌贪欢。——五代·李煜《浪淘沙令·帘外雨潺潺》

楼头残梦五更钟，花底离情三月雨。——宋·晏殊《玉楼春·春恨》

夜来幽梦忽还乡，小轩窗。正梳妆。——宋·苏轼《江城子·乙卯正月二十日夜

记梦》

柔情似水，佳期如梦，忍顾鹊桥归路。——宋·秦观《鹊桥仙·纤云弄巧》

自在飞花轻似梦，无边丝雨细如愁。——宋·秦观《浣溪沙·漠漠轻寒上小楼》

夜来清梦好，应是发南枝。——宋·李清照《临江仙·梅》

为我一场清梦、去相亲。——宋·欧阳澈《虞美人·玉楼缥缈孤烟际》

夜阑卧听风吹雨，铁马冰河入梦来。——宋·陆游《十一月四日风雨大作》

醉里挑灯看剑，梦回吹角连营。——宋·辛弃疾《破阵子·为陈同甫赋壮词以寄之》

布被秋宵梦觉，眼前万里江山。——宋·辛弃疾《清平乐·独宿博山王氏庵》

竹影和诗瘦，梅花入梦香。——元·王庭筠《绝句》

风一更，雪一更，聒碎乡心梦不成，故园无此声。——清·纳兰性德《长相思·山一程》

别梦依稀咒逝川，故园三十二年前。——现代·毛泽东《七律·到韶山》

暮

迷惑失故路，薄暮无宿栖。——三国魏·曹操《苦寒行》

日暮伯劳飞，风吹乌臼树。——南朝·佚名《乐府民歌·西洲曲》

关城榆叶早疏黄，日暮云沙古战场。——唐·王昌龄《从军行》

林表明霁色，城中增暮寒。——唐·祖咏《终南望余雪》

倚杖柴门外，临风听暮蝉。——唐·王维《辋川闲居赠裴秀才迪》

暮从碧山下，山月随人归。——唐·李白《下终南山过斛斯山人宿置酒》

日暮苍山远，天寒白屋贫。——唐·刘长卿《逢雪宿芙蓉山主人》

岁暮阴阳催短景，天涯霜雪霁寒宵。——唐·杜甫《阁夜》

暮投石壕村，有吏夜捉人。——唐·杜甫《石壕吏》

渭北春天树，江东日暮云。——唐·杜甫《春日忆李白》

纷纷暮雪下辕门，风掣红旗冻不翻。——唐·岑参《白雪歌送武判官归京》

蜀江水碧蜀山青，圣主朝朝暮暮情。——唐·白居易《长恨歌》

朝真暮伪何人辨，古往今来底事无。——唐·白居易《放言》

日暮酒醒人已远，满天风雨下西楼。——唐·许浑《谢亭送别》

况是青春日将暮，桃花乱落如红雨。——唐·李贺《将进酒》

已恨碧山相阻隔，碧山还被暮云遮。——宋·李觏《乡思》

回首暮云远，飞絮搅青冥。——宋·苏轼《水调歌头·昵昵儿女语》

两情若是久长时，又岂在朝朝暮暮。——宋·秦观《鹊桥仙·纤云弄巧》

常记溪亭日暮，沉醉不知归路。——宋·李清照《如梦令·常记溪亭日暮》

落日无情最有情，遍催万树暮蝉鸣。——宋·杨万里《初秋行圃》

平冈细草鸣黄犊，斜日寒林点暮鸦。——宋·辛弃疾《鹧鸪天·陌上柔桑破嫩芽》

日暮诗成天又雪，与梅并作十分春。——宋·卢梅坡《雪梅》

路长羽翼短，日暮当如何？——明·刘基《旅兴》

日暮并舟归，鸬鹚方晒翅。——清·查慎行《青溪口号》

暮色苍茫看劲松，乱云飞渡仍从容。——现代·毛泽东《七绝·为李进同志题所摄庐山仙人洞照》

木

朝饮木兰之坠露兮，夕餐秋菊之落英。——战国·屈原《离骚》

惟草木之零落兮，恐美人之迟暮。——战国·屈原《离骚》

树木丛生，百草丰茂。——三国魏·曹操《观沧海》

秋风萧瑟天气凉，草木摇落露为霜。——三国魏·曹丕《燕歌行》

秋风起兮木叶飞，吴江水兮鲈正肥。——晋·张翰《思吴江歌》

孟夏草木长，绕屋树扶疏。——晋·陶渊明《读山海经》

道狭草木长，夕露沾我衣。——晋·陶渊明《归园田居》

但见悲鸟号古木，雄飞雌从绕林间。——唐·李白《蜀道难》

青枫江上秋帆远，白帝城边古木疏。——唐·高适《送李少府贬峡中王少府贬长沙》

国破山河在，城春草木深。——唐·杜甫《春望》

无边落木萧萧下，不尽长江滚滚来。——唐·杜甫《登高》

沉舟侧畔千帆过，病树前头万木春。——唐·刘禹锡《酬乐天扬州初逢席上见赠》

林木含白露，星斗在青天。——唐·贾岛《口号》

青山隐隐水迢迢，秋尽江南草未凋。——唐·杜牧《寄扬州韩绰判官》

近水楼台先得月，向阳花木易为春。——宋·苏麟《断句》

茅檐长扫净无苔，花木成畦手自栽。——宋·王安石《书湖阴先生壁》

雷惊天地龙蛇蛰，雨足郊原草木柔。——宋·黄庭坚《清明》

落木千山天远大，澄江一道月分明。——宋·黄庭坚《登快阁》

白头吊古风霜里，老木沧波无限悲。——宋·陈与义《登岳阳楼》

箨龙已过头番笋，木笔犹开第一花。——宋·陆游《幽居初夏》

律回岁晚冰霜少，春到人间草木知。——宋·张栻《立春偶成》

古木阴中系短篷，杖藜扶我过桥东。——宋·志南《绝句·古木阴中系短篷》

阴洞烟霞辉草木，古祠风雨出蛟龙。——明·刘基《会稽》

木叶纷纷归路，残月晓风何处。——清·纳兰性德《如梦令》

满

不知乘月几人归，落月摇情满江树。——唐·张若虚《春江花月夜》

灭烛怜光满，披衣觉露滋。——唐·张九龄《望月怀远》

谁家玉笛暗飞声，散入春风满洛城。——唐·李白《春夜洛城闻笛》

欲渡黄河冰塞川，将登太行雪满山。——唐·李白《行路难》

出师未捷身先死，长使英雄泪满襟。——唐·杜甫《蜀相》

黄四娘家花满蹊，千朵万朵压枝低。——唐·杜甫《江畔独步寻花》
剑外忽传收蓟北，初闻涕泪满衣裳。——唐·杜甫《闻官军收河南河北》
轮台东门送君去，去时雪满天山路。——唐·岑参《白雪歌送武判官归京》
月落乌啼霜满天，江枫渔火对愁眠。——唐·张继《枫桥夜泊》
最是一年春好处，绝胜烟柳满皇都。——唐·韩愈《早春呈水部张十八员外》

又送王孙去，萋萋满别情。——唐·白居易《赋得古原草送别》
满面尘灰烟火色，两鬓苍苍十指黑。——唐·白居易《卖炭翁》
凄凄不似向前声，满座重闻皆掩泣。——唐·白居易《琵琶行》
羌管悠悠霜满地，人不寐，将军白发征夫泪。——宋·范仲淹《渔家傲·秋思》
纵使相逢应不识，尘满面，鬓如霜。——宋·苏轼《江城子·乙卯正月二十日夜记梦》
会挽雕弓如满月，西北望，射天狼。——宋·苏轼《江城子·密州出猎》
蒌蒿满地芦芽短，正是河豚欲上时。——宋·苏轼《惠崇春江晚景》
满地黄花堆积，憔悴损，如今有谁堪摘？——宋·李清照《声声慢·寻寻觅觅》
云中谁寄锦书来，雁字回时，月满西楼。——宋·李清照《一剪梅·红藕香残玉簟秋》
红酥手，黄縢酒，满城春色宫墙柳。——宋·陆游《钗头凤·红酥手》

何处望神州？满眼风光北固楼。——宋·辛弃疾《南乡子·登京口北固亭有怀》
绿遍山原白满川，子规声里雨如烟。——宋·翁卷《乡村四月》
不要人夸好颜色，只留清气满乾坤。——元·王冕《墨梅》
相逢风雪满淮西。记得去年残烛照征衣。——清·毛奇龄《南柯子》

梅

中庭多杂树，偏为梅咨嗟。——南朝·鲍照《梅花落》

兔园标物序，惊时最是梅。——南朝·何逊《咏早梅》
游伎皆秾李，行歌尽落梅。——唐·苏味道《正月十五夜》
来日绮窗前，寒梅著花未？——唐·王维《杂诗》
黄鹤楼中吹玉笛，江城五月落梅花。——唐·李白《与史郎中钦听黄鹤楼上吹笛》
六么水调家家唱，白雪梅花处处吹。——唐·白居易《杨柳枝》
早梅发高树，迥映楚天碧。——唐·柳宗元《早梅》
砌下落梅如雪乱，拂了一身还满。——五代·李煜《清平乐·别来春半》
山梅倏忽花经眼，园杏须臾子满枝。——宋·曾布《二月》
雨轻风色暴，梅子青时节。——宋·张先《千秋岁·数声鶗鴂》

墙角数枝梅，凌寒独自开。——宋·王安石《梅花》
驿寄梅花，鱼传尺素，砌成此恨无重数。——宋·秦观《踏莎行·郴州旅舍》
指冷玉笙寒，吹彻小梅春透。——宋·秦观《如梦令·春景》
暖雨晴风初破冻，柳眼梅腮，已觉春心动。——宋·李清照《蝶恋花·暖雨晴风初破冻》
柳梢梅萼渐分明。春归秣陵树，人老建康城。——宋·李清照《临江仙·庭院深深深几许》
何方可化身千亿，一树梅花一放翁。——宋·陆游《梅花绝句》
梅子黄时日日晴，小溪泛尽却山行。——宋·曾几《三衢道中》
梅子金黄杏子肥，麦花雪白菜花稀。——宋·范成大《四时田园杂兴》
江南几度梅花发，人在天涯鬓已斑。——宋·刘著《鹧鸪天·雪照山城玉指寒》
黄梅时节家家雨，青草池塘处处蛙。——宋·赵师秀《约客》

梅须逊雪三分白，雪却输梅一段香。——宋·卢梅坡《雪梅》
有梅无雪不精神，有雪无诗俗了人。——宋·卢梅坡《雪梅》
春还草阁梅先动，月满虚庭雪未消。——明·王守仁《元夕》
梅花欢喜漫天雪，冻死苍蝇未足奇。——现代·毛泽东《七律·冬云》

美

有美一人，清扬婉兮。——先秦《诗经·郑风·野有蔓草》
美女妖且闲，采桑歧路间。——三国魏·曹植《美女篇》
美人今何在，灵芝徒有芳。——唐·杨炯《巫峡》
此翁白头真可怜，伊昔红颜美少年。——唐·刘希夷《代悲白头翁》
葡萄美酒夜光杯，欲饮琵琶马上催。——唐·王翰《凉州词》
新丰美酒斗十千，咸阳游侠多少年。——唐·王维《少年行》
且须饮美酒，乘月醉高台。——唐·李白《月下独酌》
穷愁千万端，美酒三百杯。——唐·李白《月下独酌》
美人卷珠帘，深坐颦蛾眉。——唐·李白《怨情》
美人如花隔云端，上有青冥之高天，下有渌水之波澜。——唐·李白《长相思》

战士军前半死生，美人帐下犹歌舞。——唐·高适《燕歌行》
临颍美人在白帝，妙舞此曲神扬扬。——唐·杜甫《观公孙大娘弟子舞剑器行》
曾与美人桥上别，恨无消息到今朝。——唐·刘禹锡《杨柳枝》
歌舞留春春似海，美人颜色正如花。——唐·唐彦谦《春日偶成》
残月出门时，美人和泪辞。——唐·韦庄《菩萨蛮·红楼别夜堪惆怅》
寂寂花时闭院门，美人相并立琼轩。——唐·朱庆馀《宫词》
归山深浅去，须尽丘壑美。——唐·裴迪《崔九欲往南山马上口号与别》
江上往来人，但爱鲈鱼美。——宋·范仲淹《江上渔者》
江南好，千钟美酒，一曲满庭芳。——宋·苏轼《满庭芳·蜗角虚名》
朱弦已为佳人绝，青眼聊因美酒横。——宋·黄庭坚《登快阁》

虚负人生归去好，谁知美事难双得。——元·许衡《满江红》
雪满山中高士卧，月明林下美人来。——明·高启《咏梅》
锦字无凭南雁杳，美人家在长干道。——清·邵瑞彭《蝶恋花·十二楼前生碧草》

安得倚天抽宝剑，把汝裁为三截？一截遗欧，一截赠美，一截还东国。太平世界，环球同此凉热。——现代·毛泽东《念奴娇·昆仑》

N

年

少年见罗敷，脱帽着帩头。——汉《乐府歌·陌上桑》
烈士暮年，壮心不已。——三国魏·曹操《龟虽寿》
宿昔青云志，蹉跎白发年。——唐·张九龄《照镜见白发》
异俗非乡俗，新年改故年。——唐·孟浩然《同张将蓟门观灯》
报恩无有日，归国定何年？——唐·晁衡《思归》
万重关塞断，何日是归年。——唐·李白《奔亡道中》
今春看又过，何日是归年。——唐·杜甫《绝句》
十书九不到，一到忽经年。——唐·贾岛《寄远》
自喜寻幽夜，新当及第年。——唐·施肩吾《及第后夜访月仙子》
故国三千里，深宫二十年。——唐·张祜《宫词》

不是因逢闰，还应是隔年。——唐·李频《游蜀回简友人》
青风自年年，吹遍天涯绿。——唐·唐彦谦《春草》
江乡宜晚霁，楚老语丰年。——唐·司空图《松滋渡》
容华难久驻，知得几多年。——唐·国邵南《梦崔暇妻诗》
佳期不可再，风雨杳如年。——唐·湘驿女子《题玉泉溪》
凭仗樵人语，相期白永年。——唐·樵夫《贻白永年诗》
畏途方万里，生涯近百年。——唐·郑蜀宾《别亲朋》
今朝虽送别，会却有明年。——唐·封特卿《离别难》
仙子别经年，相看共惊喜。——宋·朱熹《元范尊兄示及十梅》
遗民泪尽胡尘里，南望王师又一年。——宋·陆游《秋夜将晓出篱门迎凉有感》

莫笑农家腊酒浑，丰年留客足鸡豚。——宋·陆游《游山西村》
时人不识余心乐，将谓偷闲学少年。——宋·程颢《春日偶成》
他年觅得封侯印，愿学幽人住此山。——明·戚继光《题武夷》

江山代有才人出，各领风骚数百年。——清·赵翼《论诗》

一年一度秋风劲，不似春光。胜似春光，寥廓江天万里霜。——现代·毛泽东《采桑子·重阳》

南

孔雀东南飞，五里一徘徊。——汉《乐府歌·孔雀东南飞》

南国有佳人，容华若桃李。——三国魏·曹植《杂诗》

采菊东篱下，悠然见南山。——晋·陶渊明《饮酒》

南风知我意，吹梦到西洲。——南朝《乐府民歌·西洲曲》

南市买辔头，北市买长鞭。——北朝《乐府民歌·木兰诗》

西陆蝉声唱，南冠客思侵。——唐·骆宾王《咏蝉》

终南阴岭秀，积雪浮云端。——唐·祖咏《终南望余雪》

四月南风大麦黄，枣花未落桐叶长。——唐·李颀《送陈章甫》

红豆生南国，春来发几枝。——唐·王维《相思》

天台四万八千丈，对此欲倒东南倾。——唐·李白《梦游天姥吟留别》

吴楚东南坼，乾坤日夜浮。——唐·杜甫《登岳阳楼》

江南瘴疠地，逐客无消息。——唐·杜甫《梦李白》

青山霁后云犹在，画出西南四五峰。——唐·郎士元《柏林寺南望》

日晚江南望江北，寒鸦飞尽水悠悠。——唐·严维《丹阳送韦参军》

南朝四百八十寺，多少楼台烟雨中。——唐·杜牧《江南春》

天北天南绕路边，托根无处无延绵。——唐·唐彦谦《春草》

际夜转西壑，隔山望南斗。——唐·綦毋潜《春泛若耶溪》

年年春自东南来，建溪先暖冰微开。——宋·范仲淹《武夷茶歌》

四月清和雨乍晴，南山当户转分明。——宋·司马光《客中初夏》

春风又绿江南岸，明月何时照我还。——宋·王安石《泊船瓜洲》

遗民泪尽胡尘里，南望王师又一年。——宋·陆游《秋夜将晓，出篱门迎凉有感》

臣心一片磁针石，不指南方不肯休。——宋·文天祥《扬子江》

京国多年情尽改，忽听春雨忆江南。——元·虞集《听雨》

千磨万击还坚劲，任尔东西南北风。——清·郑板桥《竹石》

泛舟南北两湖头，到处青幽不用求。——现代·董必武《游镜泊湖》

难

芳菲菲而难亏兮，芬至今犹未沫。——战国·屈原《离骚》

非为织作迟，君家妇难为。——汉《乐府歌·孔雀东南飞》

慨当以慷，忧思难忘。——三国魏·曹操《短歌行》

捐躯赴国难，视死忽如归！——三国魏·曹植《白马篇》

蜀道之难，难于上青天，使人听此凋朱颜。——唐·李白《蜀道难》

艰难苦恨繁霜鬓，潦倒新停浊酒杯。——唐·杜甫《登高》

花近高楼伤客心，万方多难此登临。——唐·杜甫《登楼》

将军角弓不得控，都护铁衣冷难着。——唐·岑参《白雪歌送武判官归京》

天生丽质难自弃，一朝选在君王侧。——唐·白居易《长恨歌》

曾经沧海难为水，除却巫山不是云。——唐·元稹《离思》

尘世难逢开口笑，菊花须插满头归。——唐·杜牧《九日齐山登高》

相见时难别亦难，东风无力百花残。——唐·李商隐《无题》

飒飒西风满院栽，蕊寒香冷蝶难来。——唐·黄巢《题菊花》

雁来音信无凭，路遥归梦难成。——五代·李煜《清平乐·别来春半》

不忍登高临远，望故乡渺邈，归思难收。——宋·柳永《八声甘州·对潇潇暮雨洒江天》

人有悲欢离合，月有阴晴圆缺，此事古难全。——宋·苏轼《水调歌头·丙辰中秋》

十年生死两茫茫。不思量，自难忘。——宋·苏轼《江城子》

乍暖还寒时候，最难将息。——宋·李清照《声声慢·寻寻觅觅》

万里来游还望远，三年多难更凭危。——宋·陈与义《登岳阳楼》

山盟虽在，锦书难托。——宋·陆游《钗头凤·红酥手》

少年易老学难成，一寸光阴不可轻。——宋·朱熹《劝学诗》

纵豆蔻词工，青楼梦好，难赋深情。——宋·姜夔《扬州慢·淮左名都》

费得炉烟无数，只有轻寒难度。——明·陈子龙《谒金门·五月雨》

况复百丈至千丈，水云烟雾难分焉。——清·袁枚《大龙湫之瀑》

红军不怕远征难，万水千山只等闲。——现代·毛泽东《七律·长征》

鸟

归鸟赴乔林，翩翩厉羽翼。——三国魏·曹植《赠白马王彪》

山气日夕佳，飞鸟相与还。——晋·陶渊明《饮酒》

羁鸟恋旧林，池鱼思故渊。——晋·陶渊明《归园田居》

春眠不觉晓，处处闻啼鸟。——唐·孟浩然《春晓》

月出惊山鸟，时鸣春涧中。——唐·王维《鸟鸣涧》

人行明镜中，鸟度屏风里。——唐·李白《清溪行》

但见悲鸟号古木，雄飞雌从绕林间。——唐·李白《蜀道难》

蜀国曾闻子规鸟，宣城还见杜鹃花。——唐·李白《宣城见杜鹃花》

感时花溅泪，恨别鸟惊心。——唐·杜甫《春望》

荡胸生层云，决眦入归鸟。——唐·杜甫《望岳》

风急天高猿啸哀，渚清沙白鸟飞回。——唐·杜甫《登高》

涧树含朝雨，山鸟哢余春。——唐·韦应物《简卢陟》

鸟栖红叶树，月照青苔地。——唐·白居易《秋思》

时时闻鸟语，处处是泉声。——唐·白居易《遗爱寺》

在天愿作比翼鸟，在地愿为连理枝。——唐·白居易《长恨歌》
千山鸟飞绝，万径人踪灭。——唐·柳宗元《江雪》
鸟宿池边树，僧敲月下门。——唐·贾岛《题李凝幽居》
孤云与归鸟，千里片时间。——唐·马戴《落日怅望》
青苔满阶砌，白鸟故迟留。——唐·杜牧《题扬州禅智寺》
蓬山此去无多路，青鸟殷勤为探看。——唐·李商隐《无题》

前驱风触鸣珂，过霜林、渐觉惊栖鸟。——宋·柳永《轮台子》
翻空白鸟时时见，照水红蕖细细香。——宋·苏轼《鹧鸪天·林断山明竹隐墙》
客来倚棹岩花落，猿鸟不惊春意闲。——宋·朱熹《九曲棹歌》
北窗高卧，莫教啼鸟惊著。——宋·辛弃疾《念奴娇·赋雨岩》

暖

暖岁节物早，万萌迎春达。——南朝·鲍照《绍古辞》
南中气候暖，朱华凌白雪。——南朝·江淹《谢临川灵运游山》
寒辞去冬雪，暖带入春风。——唐·李世民《守岁》
花暖青牛卧，松高白鹤眠。——唐·李白《寻雍尊师隐居》
泥融飞燕子，沙暖睡鸳鸯。——唐·杜甫《绝句》
结发为君妻，席不暖君床。——唐·杜甫《新婚别》
腊日常年暖尚遥，今年腊日冻全消。——唐·杜甫《腊日》
风恬日暖荡春光，戏蝶游蜂乱入房。——唐·岑参《山房春事》
散入珠帘湿罗幕，狐裘不暖锦衾薄。——唐·岑参《白雪歌送武判官归京》
几处早莺争暖树，谁家新燕啄春泥。——唐·白居易《钱塘湖春行》

风回云断雨初晴，返照湖边暖复明。——唐·白居易《南湖早春》
沧海月明珠有泪，蓝田日暖玉生烟。——唐·李商隐《锦瑟》

隔座送钩春酒暖，分曹射覆蜡灯红。——唐 · 李商隐《无题》

暖日映山调正气，东风入树舞残寒。——唐 · 方干《元日 · 晨鸡两遍报》

今夜偏知春气暖，虫声新透绿窗纱。——唐 · 刘方平《月夜》

气暖禽声变，风恬草色鲜。——唐 · 林滋《春望》

爆竹声中一岁除，春风送暖入屠苏。——宋 · 王安石《元日》

乍暖还寒时候，最难将息。——宋 · 李清照《声声慢 · 寻寻觅觅》

暖雨晴风初破冻，柳眼梅腮，已觉春心动。——宋 · 李清照《蝶恋花 · 暖雨晴风初破冻》

暖风熏得游人醉，直把杭州作汴州。——宋 · 林升《题临安邸》

但愿苍生俱饱暖，不辞辛苦出山林。——明 · 于谦《咏煤炭》

风暖有人能作伴，日长无事可思量。——明 · 杨基《浣溪沙 · 上巳》

风寒犹得暖，水逝不复还！——清 · 谭嗣同《别意》

金沙水拍云崖暖，大渡桥横铁索寒。——现代 · 毛泽东《七律 · 长征》

戴进《三顾草庐》

P

平

出不入兮往不反，平原忽兮路超远。——战国·屈原《九歌·国殇》

春江潮水连海平，海上明月共潮生。——唐·张若虚《春江花月夜》

烽火照西京，心中自不平。——唐·杨炯《从军行》

迷津欲有问，平海夕漫漫。——唐·孟浩然《早寒江上有怀》

寒雨连江夜入吴，平明送客楚山孤。——唐·王昌龄《芙蓉楼送辛渐》

回看射雕处，千里暮云平。——唐·王维《观猎》

水如一匹练，此地即平天。——唐·李白《秋浦歌》

平林漠漠烟如织，寒山一带伤心碧。——唐·李白《菩萨蛮·平林漠漠烟如织》

山随平野尽，江入大荒流。——唐·李白《渡荆门送别》

何日平胡虏，良人罢远征。——唐·李白《子夜吴歌·秋歌》

出门搔白首，若负平生志。——唐·杜甫《梦李白》

马上相逢无纸笔，凭君传语报平安。——唐·岑参《逢入京使》

君不见走马川行雪海边，平沙莽莽黄入天。——唐·岑参《走马川行奉送出师西征》

弦弦掩抑声声思，似诉平生不得志。——唐·白居易《琵琶行》

孤山寺北贾亭西，水面初平云脚低。——唐·白居易《钱塘湖春行》

天平山上白云泉，云自无心水自闲。——唐·白居易《白云泉》

烛残漏断频欹枕，起坐不能平。——五代·李煜《乌夜啼·昨夜风兼雨》

竹杖芒鞋轻胜马，谁怕？一蓑烟雨任平生。——宋·苏轼《定风波·三月七日》

长恨此身非我有，何时忘却营营！夜阑风静縠纹平。——宋·苏轼《临江仙·夜饮东坡醒复醉》

花开红树乱莺啼，草长平湖白鹭飞。——宋·徐元杰《湖上》

忧国孤臣泪，平胡壮士心。——宋·陆游《新春》

平野无山遮落日，西窗红到月来时。——宋·杨万里《晚风》

平生不敢轻言语，一叫千门万户开。——明·唐寅《画鸡》

也知造物曾何意，底事人心苦未平。——明·王守仁《次韵陆佥宪元日春晴》

愁风闷雨人无寐，海国平分鬼气多。——清·何绍基《沪上杂书》

更立西江石壁，截断巫山云雨，高峡出平湖。——现代·毛泽东《水调歌头·游泳》

唐寅《柴门掩雪图》

Q

清

伏清白以死直兮，固前圣之所厚。——战国·屈原《离骚》
河汉清且浅，相去复几许！——汉·佚名《古诗十九首·迢迢牵牛星》
野旷天低树，江清月近人。——唐·孟浩然《宿建德江》
八月湖水平，涵虚混太清。——唐·孟浩然《望洞庭湖赠张丞相》
明月松间照，清泉石上流。——唐·王维《山居秋暝》
羿昔落九乌，天人清且安。——唐·李白《古朗月行》
夜发清溪向三峡，思君不见下渝州。——唐·李白《峨眉山月歌》
蓬莱文章建安骨，中间小谢又清发。——唐·李白《宣州谢朓楼饯别校书叔云》
秋风清，秋月明，落叶聚还散，寒鸦栖复惊。——唐·李白《秋风词》
风急天高猿啸哀，渚清沙白鸟飞回。——唐·杜甫《登高》

清明时节雨纷纷，路上行人欲断魂。——唐·杜牧《清明》
无言独上西楼，月如钩。寂寞梧桐深院锁清秋。——五代·李煜《相见欢·无言独上西楼》
多情自古伤离别，更那堪，冷落清秋节。——宋·柳永《雨霖铃·寒蝉凄切》
燕子来时新社，梨花落后清明。——宋·晏殊《破阵子·春景》
起舞弄清影，何似在人间。——宋·苏轼《水调歌头·明月几时有》
寻寻觅觅，冷冷清清，凄凄惨惨戚戚。——宋·李清照《声声慢·寻寻觅觅》
明月别枝惊鹊，清风半夜鸣蝉。——宋·辛弃疾《西江月·夜行黄沙道中》
楚天千里清秋，水随天去秋无际。——宋·辛弃疾《水龙吟·登建康赏心亭》
郁孤台下清江水，中间多少行人泪。——宋·辛弃疾《菩萨蛮·书江西造口壁》
皇路当清夷，含和吐明庭。——宋·文天祥《正气歌》

问渠那得清如许？为有源头活水来。——宋·朱熹《观书有感》
不要人夸颜色好，只留清气满乾坤。——元·王冕《墨梅》

粉骨碎身全不怕，要留清白在人间。——明·于谦《石灰吟》
常忧思解愠，乐志余清悲。——清·爱新觉罗·玄烨《咏四面云山》
清明涕泣江边望，千里东风一梦遥！——清·曹雪芹《贾探春》
清清见卵石，小鱼囿中央。——现代·毛泽东《赞井》

秋

常恐秋节至，焜黄华叶衰。——汉《乐府歌·长歌行》
秋风萧瑟，洪波涌起。——三国魏·曹操《观沧海》
树树皆秋色，山山唯落晖。——唐·王绩《野望》
解落三秋叶，能开二月花。——唐·李峤《风》
空山新雨后，天气晚来秋。——唐·王维《山居秋暝》
秋风吹不尽，总是玉关情。——唐·李白《子夜吴歌·秋歌》
长风万里送秋雁，对此可以酣高楼。——唐·李白《宣州谢朓楼饯别校书叔云》
秋风清，秋月明，落叶聚还散，寒鸦栖复惊。——唐·李白《秋风词》
八月秋高风怒号，卷我屋上三重茅。——唐·杜甫《茅屋为秋风所破歌》
俄顷风定云墨色，秋天漠漠向昏黑。——唐·杜甫《茅屋为秋风所破歌》

万里悲秋常作客，百年多病独登台。——唐·杜甫《登高》
洛阳城里见秋风，欲作家书意万重。——唐·张籍《秋思》
湖光秋月两相和，潭面无风镜未磨。——唐·刘禹锡《望洞庭》
南浦凄凄别，西风袅袅秋。——唐·白居易《南浦别》
春风桃李花开日，秋雨梧桐叶落时。——唐·白居易《长恨歌》
东船西舫悄无言，唯见江心秋月白。——唐·白居易《琵琶行》
今年欢笑复明年，秋月春风等闲度。——唐·白居易《琵琶行》
春江花朝秋月夜，往往取酒还独倾。——唐·白居易《琵琶行》
角声满天秋色里，塞上燕脂凝夜紫。——唐·李贺《雁门太守行》

君问归期未有期，巴山夜雨涨秋池。——唐·李商隐《夜雨寄北》

多情自古伤离别，更那堪，冷落清秋节。——宋·柳永《雨霖铃·寒蝉凄切》

塞下秋来风景异，衡阳雁去无留意。——宋·范仲淹《渔家傲·秋思》

萧萧梧叶送寒声，江上秋风动客情。——宋·叶绍翁《夜书所见》

歌管楼台声细细，秋千院落夜沉沉。——宋·苏轼《春宵》

白发渔樵江渚上，惯看秋月春风。——明·杨慎《临江仙》

想眼中能有多少泪珠儿，怎禁得秋流到冬，春流到夏！——清·曹雪芹《枉凝眉》

萧瑟秋风今又是，换了人间。——现代·毛泽东《浪淘沙·北戴河》

独立寒秋，湘江北去，橘子洲头。——现代·毛泽东《沁园春·长沙》

青

青青园中葵，朝露待日晞。——汉《乐府歌·长歌行》

青青子衿，悠悠我心。——三国魏·曹操《短歌行》

白云一片去悠悠，青枫浦上不胜愁。——唐·张若虚《春江花月夜》

绿树村边合，青山郭外斜。——唐·孟浩然《过故人庄》

返景入深林，复照青苔上。——唐·王维《鹿柴》

渭城朝雨浥轻尘，客舍青青柳色新。——唐·王维《送元二使安西》

青山横北郭，白水绕东城。——唐·李白《送友人》

两岸青山相对出，孤帆一片日边来。——唐·李白《望天门山》

三山半落青天外，二水中分白鹭洲。——唐·李白《登金陵凤凰台》

青枫江上秋帆远，白帝城边古木疏。——唐·高适《送李少府贬峡中王少府贬长沙》

江碧鸟逾白，山青花欲燃。——唐·杜甫《绝句》

白日放歌须纵酒，青春作伴好还乡。——唐·杜甫《闻官军收河南河北》

青箬笠，绿蓑衣，斜风细雨不须归。——唐·张志和《渔歌子·西塞山前白鹭飞》

遥望洞庭山水翠，白银盘里一青螺。——唐·刘禹锡《望洞庭》

杨柳青青江水平，闻郎江上唱歌声。——唐·刘禹锡《竹枝词》

梨园弟子白发新，椒房阿监青娥老。——唐·白居易《长恨歌》

蓬山此去无多路，青鸟殷勤为探看。——唐·李商隐《无题》

一水护田将绿绕，两山排闼送青来。——宋·王安石《书湖阴先生壁》

青山遮不住，毕竟东流去。——宋·辛弃疾《菩萨蛮·书江西造口壁》

黄梅时节家家雨，青草池塘处处蛙。——宋·赵师秀《约客》

人生自古谁无死，留取丹心照汗青。——宋·文天祥《过零丁洋》

山外青山楼外楼，西湖歌舞几时休。——宋·林升《题临安邸》

咬定青山不放松，立根原在破岩中。——清·郑板桥《竹石》

风起绿洲吹浪去，雨从青野上山来。——现代·毛泽东《七律·和周世钊同志》

踏遍青山人未老，风景这边独好。——现代·毛泽东《清平乐·会昌》

气

男儿重意气，何用钱刀为。——汉·卓文君《白头吟》

秋风萧瑟天气凉，草木摇落露为霜。——三国魏·曹丕《燕歌行》

山气日夕佳，飞鸟相与还。——晋·陶渊明《饮酒》

朔气传金柝，寒光照铁衣。——北朝《乐府民歌·木兰诗》

田家占气候，共说此年丰。——唐·孟浩然《田家元日》

气蒸云梦泽，波撼岳阳城。——唐·孟浩然《望洞庭湖赠张丞相》

荷风送香气，竹露滴清响。——唐·孟浩然《夏日南亭怀辛大》

空山新雨后，天气晚来秋。——唐·王维《山居秋暝》

相逢意气为君饮，系马高楼垂柳边。——唐·王维《少年行》

满堂空翠如可扫，赤城霞气苍梧烟。——唐·李白《当涂赵炎少府粉图山水歌》

杀气三时作阵云，寒声一夜传刁斗。——唐·高适《燕歌行》

马毛带雪汗气蒸，五花连钱旋作冰，幕中草檄砚水凝。——唐·岑参《走马川行奉送封大夫出师西征》

王濬楼船下益州，金陵王气黯然收。——唐·刘禹锡《西塞山怀古》

排空驭气奔如电，升天入地求之遍。——唐·白居易《长恨歌》

足蒸暑土气，背灼炎天光，力尽不知热，但惜夏日长。——唐·白居易《观刈麦》

南山与秋色，气势两相高。——唐·杜牧《长安秋望》

今夜偏知春气暖，虫声新透绿窗纱。——唐·刘方平《月夜》

一曲新词酒一杯，去年天气旧亭台。——宋·晏殊《浣溪沙·一曲新词酒一杯》

况是清明好天气，不妨游衍莫忘归。——宋·程颢《郊行即事》

求田问舍，怕应羞见，刘郎才气。——宋·辛弃疾《水龙吟·登建康赏心亭》

想当年，金戈铁马，气吞万里如虎。——宋·辛弃疾《永遇乐·京口北固亭怀古》

早岁那知世事艰，中原北望气如山。——宋·陆游《书愤》

是气所磅礴，凛烈万古存。——宋·文天祥《正气歌》

檐前蕉叶绿成林，长夏全无暑气侵。——明·王守仁《书庭蕉》

恰同学少年，风华正茂；书生意气，挥斥方遒。——现代·毛泽东《沁园春·长沙》

情

举手长劳劳，二情同依依。——汉《乐府歌·孔雀东南飞》

交情通意心和谐，中夜相从知者谁。——汉·司马相如《凤求凰》

不知乘月几人归，落月摇情满江树。——唐·张若虚《春江花月夜》

近乡情更怯，不敢问来人。——唐·宋之问《渡汉江》

情人怨遥夜，竟夕起相思。——唐·张九龄《望月怀远》

坐观垂钓者，徒有羡鱼情。——唐·孟浩然《望洞庭湖赠张丞相》

浮云游子意，落日故人情。——唐·李白《送友人》

秋风吹不尽，总是玉关情。——唐·李白《子夜吴歌·秋歌》
桃花潭水深千尺，不及汪伦送我情。——唐·李白《赠汪伦》
此夜曲中闻折柳，何人不起故园情。——唐·李白《春夜洛城闻笛》

转轴拨弦三两声，未成曲调先有情。——唐·白居易《琵琶行》
惟将旧物表深情，钿合金钗寄将去。——唐·白居易《长恨歌》
晴空一鹤排云上，便引诗情到碧霄。——唐·刘禹锡《秋词》
少年佳节倍多情，老去谁知感慨生。——唐·殷尧藩《端午日》
多情自古伤离别，更那堪、冷落清秋节。——宋·柳永《雨霖铃·寒蝉凄切》
适与野情惬，千山高复低。——宋·梅尧臣《鲁山山行》
故国神游，多情应笑我，早生华发。——宋·苏轼《念奴娇·赤壁怀古》
两情若是久长时，又岂在朝朝暮暮。——宋·秦观《鹊桥仙·纤云弄巧》
此情无计可消除，才下眉头，却上心头。——宋·李清照《一剪梅·红藕香残玉簟秋》
世情薄，人情恶，雨送黄昏花易落。——宋·唐婉《钗头凤·世情薄》

萧萧梧叶送寒声，江上秋风动客情。——宋·叶绍翁《夜书所见》
问世间，情为何物，直教生死相许？——金·元好问《摸鱼儿·雁丘词》
书卷多情似故人，晨昏忧乐每相亲。——明·于谦《观书》
君生日日说恩情，君死又随人去了。——清·曹雪芹《好了歌》
天若有情天亦老，人间正道是沧桑。——现代·毛泽东《七律·人民解放军占领南京》

轻

罗衣何飘飘，轻裾随风还。——三国魏·曹植《美女篇》
山光物态弄春晖，莫为轻阴便拟归。——唐·张旭《山行留客》

渭城朝雨浥轻尘，客舍青青柳色新。——唐·王维《渭城曲》

两岸猿声啼不住，轻舟已过万重山。——唐·李白《早发白帝城》

宣父犹能畏后生，丈夫未可轻年少。——唐·李白《上李邕》

扁舟轻裹缆，小径曲通村。——唐·杜甫《绝句》

日暮汉宫传蜡烛，轻烟散入五侯家。——唐·韩翃《寒食》

欲将轻骑逐，大雪满弓刀。——唐·卢纶《和张仆射塞下曲》

轻拢慢捻抹复挑，初为《霓裳》后《六幺》。——唐·白居易《琵琶行》

商人重利轻别离，前月浮梁买茶去。——唐·白居易《琵琶行》

霜轻未杀萋萋草，日暖初干漠漠沙。——唐·白居易《早冬》

落魄江南载酒行，楚腰纤细掌中轻。——唐·杜牧《遣怀》

飒飒东风细雨来，芙蓉塘外有轻雷。——唐·李商隐《无题》

花明月暗笼轻雾，今宵好向郎边去。——五代·李煜《菩萨蛮·花明月暗笼轻雾》

绿杨烟外晓寒轻，红杏枝头春意闹。——宋·宋祁《玉楼春·春景》

人为丝轻那忍折，莺嫌枝嫩不胜吟。——宋·欧阳修《望江南·江南柳》

云淡风轻近午天，傍花随柳过前川。——宋·程颢《春日偶成》

一夕轻雷落万丝，霁光浮瓦碧参差。——宋·秦观《春日》

自在飞花轻似梦，无边丝雨细如愁。——宋·秦观《浣溪沙·漠漠轻寒上小楼》

何须浅碧深红色，自是花中第一流。——宋·李清照《鹧鸪天·桂花》

少年易老学难成，一寸光阴不可轻。——宋·朱熹《劝学诗·偶成》

昨夜江边春水生，艨艟巨舰一毛轻。——宋·朱熹《活水亭观书有感》

爱惜芳心莫轻吐，且教桃李闹春风。——金·元好问《同儿辈赋未开海棠》

平生不敢轻言语，一叫千门万户开。——明·唐寅《画鸡》

泉

白骨归黄泉，肌体乘尘飞。——汉·孔融《杂诗》
朔方烽火照甘泉，长安飞将出祁连。——隋·卢思道《从军行》
明月松间照，清泉石上流。——唐·王维《山居秋暝》
山中一夜雨，树杪百重泉。——唐·王维《送梓州李使君》
泉声咽危石，日色冷青松。——唐·王维《过香积寺》
野竹分青霭，飞泉挂碧峰。——唐·李白《访戴天山道士不遇》
拨云寻古道，倚石听流泉。——唐·李白《寻雍尊师隐居》
烽火动沙漠，连照甘泉云。——唐·李白《塞下曲》
在山泉水清，出山泉水浊。——唐·杜甫《佳人》
时时闻鸟语，处处是泉声。——唐·白居易《遗爱寺》

天平山上白云泉，云自无心水自闲。——唐·白居易《白云泉》
间关莺语花底滑，幽咽泉流冰下难。——唐·白居易《琵琶行》
冰泉冷涩弦凝绝，凝绝不通声暂歇。——唐·白居易《琵琶行》
中夜忽自起，汲此百尺泉。——唐·贾岛《口号》
山泉散漫绕阶流，万树桃花映小楼。——唐·元稹《离思》
羲和自趁虞泉宿，不放斜阳更向东。——唐·李商隐《乐游原》
紫泉宫殿锁烟霞，欲取芜城作帝家。——唐·李商隐《隋宫》
家家流血如泉沸，处处冤声声动地。——唐·韦庄《秦妇吟》
窗竹影摇书案上，野泉声入砚池中。——唐·杜荀鹤《题弟侄书堂》
阻风开步障，乘月溉寒泉。——五代·李煜《梅花》

香雾噀人惊半破，清泉流齿怯初尝。——宋·苏轼《浣溪沙·咏橘》
泉眼无声惜细流，树阴照水爱晴柔。——宋·杨万里《小池》
人生有酒须当醉，一滴何曾到九泉。——宋·高翥《清明日对酒》

雾灵山上杂花生，山下流泉入塞声。——清·顾炎武《古北口》

去

河汉清且浅，相去复几许。——汉·佚名《古诗十九首·迢迢牵牛星》

误落尘网中，一去三十年。——晋·陶渊明《归园田居》

汉家天子今神武，不肯和亲归去来。——唐·王之涣《凉州词》

游人五陵去，宝剑值千金。——唐·孟浩然《送朱大入秦》

众鸟高飞尽，孤云独去闲。——唐·李白《独坐敬亭山》

轮台东门送君去，去时雪满天山路。——唐·岑参《白雪歌送武判官归京》

报道山中去，归时每日斜。——唐·皎然《寻陆鸿渐不遇》

天旋地转回龙驭，到此踌躇不能去。——唐·白居易《长恨歌》

又送王孙去，萋萋满别情。——唐·白居易《赋得古原草送别》

去年今日此门中，人面桃花相映红。——唐·崔护《题都城南庄》

松下问童子，言师采药去。——唐·贾岛《寻隐者不遇》

蓬山此去无多路，青鸟殷勤为探看。——唐·李商隐《无题》

流水落花春去也，天上人间。——五代·李煜《浪淘沙令·帘外雨潺潺》

此去经年，应是良辰好景虚设。——唐·柳永《雨霖铃·寒蝉凄切》

念去去千里烟波，暮霭沉沉楚天阔。——宋·柳永《雨霖铃·寒蝉凄切》

罗幕轻寒，燕子双飞去。——宋·晏殊《蝶恋花·槛菊愁烟兰泣露》

今年花胜去年红，可惜明年花更好，知与谁同？——宋·欧阳修《浪淘沙·把酒祝东风》

去年元夜时，花市灯如昼。——宋·欧阳修《生查子·元夕》

我欲乘风归去，又恐琼楼玉宇，高处不胜寒。——宋·苏轼《水调歌头·丙辰中秋》

九万里风鹏正举，风休住，蓬舟吹取三山去。——宋·李清照《渔家傲·天接云涛连晓雾》

乾坤空落落，岁月去堂堂。—— 宋 · 文天祥《除夜》

世人若被明日累，春去秋来老将至。——明 · 钱福《明日歌》

小禽儿，唤得人归去，唤不得愁归去。——明 · 夏完淳《寻芳草 · 别恨》

一腔热血勤珍重，洒去犹能化碧涛。——清 · 秋瑾《对酒》

千

中野何萧条，千里无人烟。——三国魏 · 曹植《送应氏》

老骥伏枥，志在千里。——三国魏 · 曹操《龟虽寿》

过江千尺浪，入竹万竿斜。——唐 · 李峤《风》

欲穷千里目，更上一层楼。——唐 · 王之涣《登鹳雀楼》

朝辞白帝彩云间，千里江陵一日还。——唐 · 李白《早发白帝城》

飞流直下三千尺，疑是银河落九天。——唐 · 李白《望庐山瀑布》

桃花潭水深千尺，不及汪伦送我情。——唐 · 李白《赠汪伦》

尔来四万八千岁，不与秦塞通人烟。——唐 · 李白《蜀道难》

千里黄云白日曛，北风吹雁雪纷纷。——唐 · 高适《别董大》

黄鹤一去不复返，白云千载空悠悠。——唐 · 崔颢《黄鹤楼》

黄四娘家花满蹊，千朵万朵压枝低。——唐 · 杜甫《江畔独步寻花》

沉舟侧畔千帆过，病树前头万木春。——唐 · 刘禹锡《酬乐天扬州初逢席上见赠》

千呼万唤始出来，犹抱琵琶半遮面。——唐 · 白居易《琵琶行》

千里莺啼绿映红，水村山郭酒旗风。——唐 · 杜牧《江南春 · 千里莺啼绿映红》

念去去，千里烟波，暮霭沉沉楚天阔。——宋 · 柳永《雨霖铃 · 寒蝉凄切》

飞来山上千寻塔，闻说鸡鸣见日升。——宋 · 王安石《登飞来峰》

墙里秋千墙外道，墙外行人，墙里佳人笑。——宋 · 苏轼《蝶恋花 · 春景》

左牵黄，右擎苍，锦帽貂裘，千骑卷平冈。——宋 · 苏轼《江城子 · 密州出猎》

天接云涛连晓雾，星河欲转千帆舞。——宋 · 李清照《渔家傲 · 天接云涛连晓雾》

三万里河东入海，五千仞岳上摩天。——宋·陆游《秋夜将晓出篱门迎凉有感》

千古兴亡多少事？悠悠，不尽长江滚滚流。——宋·辛弃疾《南乡子·登京口北固亭有怀》

千古江山，英雄无觅，孙仲谋处。——宋·辛弃疾《永遇乐·京口北固亭怀古》

千锤万凿出深山，烈火焚烧若等闲。——明·于谦《石灰吟》

千磨万击还坚劲，任尔东西南北风。——清·郑燮《竹石》

山一程，水一程，身向榆关那畔行，夜深千帐灯。——清·纳兰性德《长相思·山一程》

红军不怕远征难，万水千山只等闲。——现代·毛泽东《七律·长征》

前

前望舒使先驱兮，后飞廉使奔属。——战国·屈原《离骚》

驰骋未能半，双兔过我前。——三国魏·曹植《名都篇》

不惜微躯退，但惧苍蝇前。——晋·陆机《塘上行》

树下即门前，门中露翠钿。——南朝《乐府民歌·西洲曲》

人归落雁后，思发在花前。——隋·薛道衡《人日思归》

郡邑浮前浦，波澜动远空。——唐·王维《汉江临泛》

复值接舆醉，狂歌五柳前。——唐·王维《辋川闲居赠裴秀才迪》

床前明月光，疑是地上霜。——唐·李白《静夜思》

日照香炉生紫烟，遥看瀑布挂前川。——唐·李白《望庐山瀑布》

战士军前半死生，美人帐下犹歌舞。——唐·高适《燕歌行》

听妇前致词，三男邺城戍。——唐·杜甫《石壕吏》

天明登前途，独与老翁别。——唐·杜甫《石壕吏》

何时眼前突兀见此屋，吾庐独破受冻死亦足。——唐·杜甫《茅屋为秋风所破歌》

沉舟侧畔千帆过，病树前头万木春。——唐·刘禹锡《酬乐天扬州初逢席上见赠》

六军不发无奈何，宛转蛾眉马前死。——唐 · 白居易《长恨歌》
折戟沉沙铁未销，自将磨洗认前朝。——唐 · 杜牧《赤壁》
可怜夜半虚前席，不问苍生问鬼神。——唐 · 李商隐《贾生》
雨前初见花间蕊，雨后全无叶底花。——唐 · 王驾《雨晴》
游人不管春将老，来往亭前踏落花。——宋 · 欧阳修《丰乐亭游春》
谁道人生无再少？门前流水尚能西！——宋 · 苏轼《浣溪沙 · 游蕲水清泉寺》

七八个星天外，两三点雨山前。——宋 · 辛弃疾《西江月 · 夜行黄沙道中》
了却君王天下事，赢得生前身后名。——宋 · 辛弃疾《破阵子 · 为陈同甫赋壮词以寄之》
檐前蕉叶绿成林，长夏全无暑气侵。——明 · 王守仁《书庭蕉》
风前带是同心结，杯底人如解语花。——清 · 黄景仁《感旧》
一唱雄鸡天下白，万方乐奏有于阗，诗人兴会更无前。——现代 · 毛泽东《浣溪沙 · 和柳亚子先生》

唐寅《看泉听风图》

R

人

南国有佳人，容华若桃李。——三国魏·曹植《杂诗》
醉卧沙场君莫笑，古来征战几人回。——唐·王翰《凉州词》
野旷天低树，江清月近人。——唐·孟浩然《宿建德江》
空山不见人，但闻人语响。——唐·王维《鹿柴》
春去花还在，人来鸟不惊。——唐·王维《画》
劝君更尽一杯酒，西出阳关无故人。——唐·王维《送元二使安西》
遥知兄弟登高处，遍插茱萸少一人。——唐·王维《九月九日忆山东兄弟》
故人西辞黄鹤楼，烟花三月下扬州。——唐·李白《黄鹤楼送孟浩然之广陵》
人生得意须尽欢，莫使金樽空对月。——唐·李白《将进酒》
莫愁前路无知己，天下谁人不识君。——唐·高适《别董大》

柴门闻犬吠，风雪夜归人。——唐·刘长卿《逢雪宿芙蓉山主人》
此曲只应天上有，人间能得几回闻。——唐·杜甫《赠花卿》
春潮带雨晚来急，野渡无人舟自横。——唐·韦应物《滁州西涧》
同是天涯沦落人，相逢何必曾相识。——唐·白居易《琵琶行》
去年今日此门中，人面桃花相映红。——唐·崔护《题都城南庄》
千山鸟飞绝，万径人踪灭。——唐·柳宗元《江雪》
清明时节雨纷纷，路上行人欲断魂。——唐·杜牧《清明》
远上寒山石径斜，白云生处有人家。——唐·杜牧《山行》
月上柳梢头，人约黄昏后。——宋·欧阳修《生查子》
但愿人长久，千里共婵娟。——宋·苏轼《水调歌头·明月几时有》

生当做人杰，死亦为鬼雄。——宋·李清照《夏日绝句》
蓦然回首，那人却在灯火阑珊处。——宋·辛弃疾《青玉案·元夕》
人生自古谁无死，留取丹心照汗青。——宋·文天祥《过零丁洋》
枯藤老树昏鸦，小桥流水人家。——元·马致远《天净沙·秋思》

共在人间说天上，不知天上忆人间。——明·边贡《嫦娥》

我劝天公重抖擞，不拘一格降人才。——清·龚自珍《己亥杂诗》

人生易老天难老，岁岁重阳。——现代·毛泽东《采桑子·重阳》

日

青青园中葵，朝露待日晞。——汉《乐府歌·长歌行》

待到重阳日，还来就菊花。——唐·孟浩然《过故人庄》

大漠孤烟直，长河落日圆。——唐·王维《使至塞上》

浮云游子意，落日故人情。——唐·李白《送友人》

日照香炉生紫烟，遥看瀑布挂前川。——唐·李白《望庐山瀑布》

水生春缆没，日出野船开。——唐·杜甫《登白马潭》

白日放歌须纵酒，青春作伴好还乡。——唐·杜甫《闻官军收河南河北》

七月七日长生殿，夜半无人私语时。——唐·白居易《长恨歌》

自古逢秋悲寂寥，我言秋日胜春朝。——唐·刘禹锡《秋词》

关河初落日，霜雪下穷冬。——唐·黄滔《送友人游边》

晴风暖日苦相催，春物所余知有几。——宋·欧阳修《和圣俞感李花》

曈曈初日注窗明，窗外雏莺乳燕声。——宋·蔡襄《春晓》

无人来远渡，尽日上高城。——宋·陶弼《秋日登南城台》

风吹舴艋轻如驶，日照浮图峻若翔。——宋·程师孟《入涌泉道中》

千门万户曈曈日，总把新桃换旧符。——宋·王安石《元日》

风住尘香花已尽，日晚倦梳头。——宋·李清照《武陵春·春晚》

常记溪亭日暮，沉醉不知归路。——宋·李清照《如梦令·常记溪亭日暮》

王师北定中原日，家祭无忘告乃翁。——宋·陆游《示儿》

接天莲叶无穷碧，映日荷花别样红。——宋·杨万里《晓出净慈寺送林子方》

胜日寻芳泗水滨，无边光景一时新。——宋·朱熹《春日》

今日西船使风上，适从何来急於浪。——宋·方岳《东西船》

天意知侬今日出，先期一夕荐新凉。——宋·姚勉《豫章道间》

一年三百六十日，多是横戈马上行。——明·戚继光《马上作》

东西南北敦皇极，日月星辰奏凯歌。——清·洪秀全《吟剑诗》

须晴日，看红装素裹，分外妖娆。——现代·毛泽东《沁园春·雪》

如

人生天地间，忽如远行客。——汉·佚名《古诗十九首·青青陵上柏》

捐躯赴国难，视死忽如归。——三国魏·曹植《白马篇》

银鞍照白马，飒沓如流星。——唐·李白《侠客行》

君不见高堂明镜悲白发，朝如青丝暮成雪。——唐·李白《将进酒》

锦城虽云乐，不如早还家。——唐·李白《蜀道难》

忧来其如何，凄怆摧心肝。——唐·李白《古朗月行》

床头屋漏无干处，雨脚如麻未断绝。——唐·杜甫《茅屋为秋风所破歌》

安得广厦千万间，大庇天下寒士俱欢颜，风雨不动安如山。——唐·杜甫《茅屋为秋风所破歌》

忽如一夜春风来，千树万树梨花开。——唐·岑参《白雪歌送武判官归京》

一川碎石大如斗，随风满地石乱走。——唐·岑参《走马川行奉送出师西征》

将军金甲夜不脱，半夜军行戈相拨，风头如刀面如割。——唐·岑参《走马川行奉送出师西征》

天街小雨润如酥，草色遥看近却无。——唐·韩愈《早春呈水部张十八员外》

来如春梦几多时？去似朝云无觅处。——唐·白居易《花非花》

日出江花红胜火，春来江水绿如蓝。——唐·白居易《忆江南》

大弦嘈嘈如急雨，小弦切切如私语。——唐·白居易《琵琶行》

今夜闻君琵琶语，如听仙乐耳暂明。——唐·白居易《琵琶行》

大漠沙如雪，燕山月似钩。——唐・李贺《马诗》

天阶夜色凉如水，坐看牵牛织女星。——唐・杜牧《秋夕》

无言独上西楼，月如钩。——五代・李煜《相见欢・无言独上西楼》

江山如画，一时多少豪杰。——宋・苏轼《念奴娇・赤壁怀古》

纵使相逢应不识，尘满面，鬓如霜。——宋・苏轼《江城子・乙卯正月二十日夜记梦》

会挽雕弓如满月，西北望，射天狼。——宋・苏轼《江城子・密州出猎》

卷地风来忽吹散，望湖楼下水如天。——宋・苏轼《六月二十七日望湖楼醉书》

零落成泥碾作尘，只有香如故。——宋・陆游《卜算子・咏梅》

早岁那知世事艰，中原北望气如山。——宋・陆游《书愤》

桂殿焚香酒半醒，露华如水点银屏。——明・林鸿《投赠张红桥》

白骨如山忘姓氏，无非公子与红妆。——清・曹雪芹《嘲顽石幻相》

江山如此多娇，引无数英雄竞折腰。——现代・毛泽东《沁园春・雪》

文徵明《墨竹图》

S

山

少无适俗韵，性本爱丘山。——晋·陶渊明《归园田居》

采菊东篱下，悠然见南山。——晋·陶渊明《饮酒》

万里赴戎机，关山度若飞。——北朝《乐府民歌·木兰诗》

青海长云暗雪山，孤城遥望玉门关。——唐·王昌龄《从军行》

但使龙城飞将在，不教胡马度阴山。——唐·王昌龄《出塞》

白日依山尽，黄河入海流。——唐·王之涣《登鹳雀楼》

黄河远上白云间，一片孤城万仞山。——唐·王之涣《凉州词》

空山新雨后，天气晚来秋。——唐·王维《山居秋暝》

明月出天山，苍茫云海间。——唐·李白《关山月》

相看两不厌，只有敬亭山。——唐·李白《独坐敬亭山》

两岸猿声啼不住，轻舟已过万重山。——唐·李白《早发白帝城》

会当凌绝顶，一览众山小。——唐·杜甫《望岳》

国破山河在，城春草木深。——唐·杜甫《春望》

遥望洞庭山水翠，白银盘里一青螺。——唐·刘禹锡《望洞庭》

千山鸟飞绝，万径人踪灭。——唐·柳宗元《江雪》

何当共剪西窗烛，却话巴山夜雨时。——唐·李商隐《夜雨寄北》

不识庐山真面目，只缘身在此山中。——宋·苏轼《题西林壁》

青山遮不住，毕竟东流去。——宋·辛弃疾《菩萨蛮·书江西造口壁》

七八个星天外，两三点雨山前。——宋·辛弃疾《夜行黄沙道中》

山重水复疑无路，柳暗花明又一村。——宋·陆游《游山西村》

好水好山看不足，马蹄催趁月明归。——宋·岳飞《池州翠微亭》

山河破碎风飘絮，身世浮沉雨打萍。——宋·文天祥《过零丁洋》

千锤万凿出深山，烈火焚烧若等闲。——明·于谦《石灰吟》

江山代有才人出，各领风骚数百年。——清·赵翼《论诗》

待到山花烂漫时，她在丛中笑。——现代·毛泽东《卜算子·咏梅》

水

坎坎伐檀兮，置之河之干兮，河水清且涟猗。——先秦《诗经·魏风·伐檀》

游鱼潜渌水，翔鸟薄天飞。——三国魏·曹植《情诗》

不知江月待何人，但见长江送流水。——唐·张若虚《春江花月夜》

鸿雁长飞光不度，鱼龙潜跃水成文。——唐·张若虚《春江花月夜》

青山横北郭，白水绕东城。——唐·李白《送友人》

仍怜故乡水，万里送行舟。——唐·李白《渡荆门送别》

天门中断楚江开，碧水东流至此回。——唐·李白《望天门山》

桃花潭水深千尺，不及汪伦送我情。——唐·李白《赠汪伦》

巴山楚水凄凉地，二十三年弃置身。——唐·刘禹锡《酬乐天扬州初逢席上见赠》

遥望洞庭山水翠，白银盘里一青螺。——唐·刘禹锡《望洞庭》

孤山寺北贾亭西，水面初平云脚低。——唐·白居易《钱塘湖春行》

一道残阳铺水中，半江瑟瑟半江红。——唐·白居易《暮江吟》

烟笼寒水月笼沙，夜泊秦淮近酒家。——唐·杜牧《泊秦淮》

千里莺啼绿映红，水村山郭酒旗风。——唐·杜牧《江南春》

天阶夜色凉如水，坐看牵牛织女家。——唐·杜牧《秋夕》

问君能有几多愁？恰似一江春水向东流。——五代·李煜《虞美人·春花秋月何时了》

京口瓜洲一水间，钟山只隔数重山。——宋·王安石《泊船瓜洲》

谁道人生无再少，门前流水尚能西。——宋·苏轼《浣溪沙·游蕲水清泉寺》

水光潋滟晴方好，山色空蒙雨亦奇。——宋·苏轼《饮湖上初晴后雨》

泉眼无声惜细流，树阴照水爱晴柔。——宋·杨万里《小池》

胜日寻芳泗水滨，无边光景一时新。——宋·朱熹《春日》

山重水复疑无路，柳暗花明又一村。——宋·陆游《游山西村》
问渠那得清如许？为有源头活水来。——宋·朱熹《观书有感》
波光水鸟惊犹宿，露冷流萤湿不飞。——明·汤显祖《江宿》
曾记否，到中流击水，浪遏飞舟。——现代·毛泽东《沁园春·长沙》

声

雁南征兮欲寄边声，雁北归兮为得汉音。——汉·蔡琰《胡笳十八拍》
夜来风雨声，花落知多少。——唐·孟浩然《春晓》
远看山有色，近听水无声。——唐·王维《画》
长安一片月，万户捣衣声。——唐·李白《子夜吴歌·秋歌》
李白乘舟将欲行，忽闻岸上踏歌声。——唐·李白《赠汪伦》
谁家玉笛暗飞声，散入春风满洛城。——唐·李白《春夜洛城闻笛》
两岸猿声啼不住，轻舟已过万重山。——唐·李白《早发白帝城》
随风潜入夜，润物细无声。——唐·杜甫《春夜喜雨》
夜久语声绝，如闻泣幽咽。——唐·杜甫《石壕吏》
姑苏城外寒山寺，夜半钟声到客船。——唐·张继《枫桥夜泊》

行宫见月伤心色，夜雨闻铃肠断声。——唐·白居易《长恨歌》
转轴拨弦三两声，未成曲调先有情。——唐·白居易《琵琶行》
别有幽愁暗恨生，此时无声胜有声。——唐·白居易《琵琶行》
角声满天秋色里，塞上燕脂凝夜紫。——唐·李贺《雁门太守行》
半卷红旗临易水，霜重鼓寒声不起。——唐·李贺《雁门太守行》
今夜偏知春气暖，虫声新透绿窗纱。——唐·刘方平《月夜》
爆竹声中一岁除，春风送暖入屠苏。——宋·王安石《元日》
莫听穿林打叶声，何妨吟啸且徐行。——宋·苏轼《定风波·莫听穿林打叶声》
泉眼无声惜细流，树阴照水爱晴柔。——宋·杨万里《小池》

八百里分麾下炙，五十弦翻塞外声，沙场秋点兵。——宋·辛弃疾《破阵子·为陈同甫赋壮词以寄之》

绿遍山原白满川，子规声里雨如烟。——宋·翁卷《乡村四月》

风一更，雪一更，聒碎乡心梦不成，故园无此声。——清·纳兰性德《长相思·山一程》

牧童骑黄牛，歌声振林樾。——清·袁枚《所见》

霜晨月，马蹄声碎，喇叭声咽。——现代·毛泽东《忆秦娥·娄山关》

深

战战兢兢，如临深渊，如履薄冰。——先秦《诗经·小雅·小旻》

神龙藏深泉，猛兽步高冈。——三国魏·曹操《却东西门行》

深林人不知，明月来相照。——唐·王维《竹里馆》

事了拂衣去，深藏身与名。——唐·李白《侠客行》

桃花潭水深千尺，不及汪伦送我情。——唐·李白《赠汪伦》

熊咆龙吟殷岩泉，栗深林兮惊层巅。——唐·李白《梦游天姥吟留别》

国破山河在，城春草木深。——唐·杜甫《春望》

深山秋事早，君去复何如。——唐·皇甫冉《送元晟归潜山所居》

荒谷啸山鬼，深林啼子规。——唐·独孤及《癸卯岁赴南丰道中闻京师失守寄权士繇韩幼深》

深夜竹亭雪，孤灯案上书。——唐·韦应物《答崔都水》

深藏数片将归去，红缕金针绣取看。——唐·刘言史《看山木瓜花》

深巷乌衣盛，高门画戟闲。——唐·严维《剡中赠张卿侍御》

深宫岂无乐，扰扰复何为。——唐·孟郊《感怀》

深处碧磷磷，浅处清溅溅。——唐·白居易《题牛相公归仁里宅新成小滩》

只在此山中，云深不知处。——唐·贾岛《寻隐者不遇》

东风不与周郎便，铜雀春深锁二乔。——唐·杜牧《赤壁》

深荷吾宗有知己，好将刀笔为英雄。——唐·罗隐《魏博罗令公附卷有回》

珍重主人心，酒深情亦深。——唐·韦庄《菩萨蛮·劝君今夜须沉醉》

深夜数瓯唯柏叶，清晨一器是云华。——唐·皮日休《寒日书斋即事》

深冬若得朝丹阙，太华峰前衣锦归。——唐·刘兼《宣赐锦袍设上赠诸郡客》

深山不畏虎，当路却防人。——唐·裴说《旅行闻寇》

深冬寒月，庭户凝霜雪。——五代·冯延巳《清平乐》

烛明香暗画楼深，满鬓清霜残雪思难任。——五代·李煜《虞美人·风回小院庭芜绿》

小楼一夜听春雨，深巷明朝卖杏花。——宋·陆游《临安春雨初霁》

篱落疏疏一径深，树头花落未成阴。——宋·杨万里《宿新市徐公店》

一往情深深几许？深山夕照深秋雨。——清·纳兰容若《蝶恋花·出塞》

宁化、清流、归化，路隘林深苔滑。今日向何方，直指武夷山下。——现代·毛泽东《如梦令·元旦》

山高路远坑深，大军纵横驰奔。——现代·毛泽东《致彭德怀同志》

书

昔年十四五，志尚好书诗。——三国魏·阮籍《咏怀》

岭外音书断，经冬复历春。——唐·宋之问《渡汉江》

书幌无人长不卷，秋来芳草自为萤。——唐·刘长卿《过裴舍人故居》

读书破万卷，下笔如有神。——唐·杜甫《奉赠韦左丞丈二十二韵》

烽火连三月，家书抵万金。——唐·杜甫《春望》

数州消息断，愁坐正书空。——唐·杜甫《对雪》

书信中原阔，干戈北斗深。——唐·杜甫《风疾舟中伏枕书怀三十六韵奉呈湖南亲友》

却看妻子愁何在，漫卷诗书喜欲狂。——唐·杜甫《闻官军收河南河北》

洛阳城里见秋风，欲作家书意万重。——唐·张籍《秋思》

书魔昏两眼，酒病沉四肢。——唐·白居易《白发》

书意诗情不偶然，苦云梦想在林泉。——唐·白居易《以诗代书酬慕巢尚书见寄》

书报微之晦叔知，欲题崔字泪先垂。——唐·白居易《初丧崔儿报微之晦叔》

书卷略寻聊取睡，酒杯浅把粗开颜。——唐·白居易《闲居》

请君暂上凌烟阁，若个书生万户侯。——唐·李贺《南园》

梦为远别啼难唤，书被催成墨未浓。——唐·李商隐《无题》

书言不尽画难成，留与人间作奇特。——唐·曹邺《题广福岩》

书名寻雪石，澄鼎露金沙。——唐·李洞《和知己赴任华州》

书托雁，梦归家，觉来江月斜。——唐·牛峤《更漏子》

故书不厌百回读，熟读深思子自知。——宋·苏轼《送安敦秀才失解西归》

书当快意读易尽，客有可人期不来。——宋·陈师道《绝句》

往来一万三千里。写得家书空满纸！——宋·陆游《渔家傲·寄仲高》

书册埋头无了日，不如抛却去寻春。——宋·许月卿《川原》

云中谁寄锦书来？雁字回时，月满西楼。——宋·李清照《一剪梅》

江水三千里，家书十五行。——明·袁凯《京师得家书》

恰同学少年，风华正茂；书生意气，挥斥方遒。——现代·毛泽东《沁园春·长沙》

身

妾身守空闺，良人行从军。——三国魏·曹植《杂诗》

仰手接飞猱，俯身散马蹄。——三国魏·曹植《白马篇》

悲凉千里道，凄断百年身。——唐·王勃《别薛华》

曲在身不返，空余弄玉名。——唐·李白《相和歌辞·凤台曲》

别君谁暖眼，将老病缠身。——唐·杜甫《与严二郎奉礼别》

出师未捷身先死，长使英雄泪满襟。——唐·杜甫《蜀相》
愿得此身长报国，何须生入玉门关。——唐·戴叔伦《塞上曲》
月如芳草远，身比夕阳高。——唐·耿湋《登沃州山》
终南同往意，赵北独游身。——唐·贾岛《题刘华书斋》
嫌我身腥膻，似我见戎夷。——唐·姚合《赠卢沙弥小师》

身无彩凤双飞翼，心有灵犀一点通。——唐·李商隐《无题·昨夜星辰昨夜风》
浪迹江湖白发新，浮云一片是吾身。——唐·李商隐《赠郑谠处士》
家在楚乡身在蜀，一年春色负归期。——唐·罗邺《看花》
归计未知身已老，九衢双阙夜苍苍。——唐·罗隐《长安秋夜》
一身唯一室，高静若僧家。——唐·韦庄《赠武处士》
地角天涯倍苦辛，十年铅椠未酬身。——唐·殷文圭《边将别》
此生谁料，心在天山，身老沧洲。——宋·陆游《诉衷情·当年万里觅封侯》
此身合是诗人未？细雨骑驴入剑门。——宋·陆游《剑门道中遇微雨》
何方可化身千亿，一树梅花一放翁。——宋·陆游《梅花》
不畏浮云遮望眼，只缘身在最高层。——宋·王安石《登飞来峰》

智力区区不为身，欲将何物助强秦。——宋·王安石《愍儒坑》
遍身罗绮者，不是养蚕人。——宋·张俞《蚕妇》
粉骨碎身全不怕，要留清白在人间。——明·于谦《咏石灰》
鸡鸣风雨潇潇，侧身天地无刘表。——明·刘基《水龙吟》
珊瑚百尺珠千斛，难换罗敷未嫁身。——清·黄景仁《感旧》

诗

悲彼东山诗，悠悠使我哀。——三国魏·曹操《苦寒行》
赋诗欲言志，此志难具纪。——晋·潘安《悼亡诗》

伊怀难具道，为君作此诗。——晋·陶渊明《拟古》
诗书复何罪？一朝成灰尘。——晋·陶渊明《饮酒》
兴酣落笔摇五岳，诗成笑傲凌沧洲。——唐·李白《江上吟》
白也诗无敌，飘然思不群。——唐·杜甫《春日忆李白》
笔落惊风雨，诗成泣鬼神。——唐·杜甫《寄李十二白二十韵》
却看妻子愁何在，漫卷诗书喜欲狂。——唐·杜甫《闻官军收河南河北》
闲心近掩陶使君，诗兴遥齐谢康乐。——唐·韩翃《赠兖州孟都督》
宣城谢守一首诗，遂使声名齐五岳。——唐·刘禹锡《九华山歌》

晴空一鹤排云上，便引诗情到碧霄。——唐·刘禹锡《秋词》
把君诗卷灯前读，诗尽灯残天未明。——唐·白居易《舟中读元九诗》
欲和古诗成窦锦，倍悲秋扇损齐纨。——唐·鲍溶《赠远》
吟君别我诗，怅望水烟际。——唐·曹邺《送厉图南下第归澧州》
巨塔列名题，诗心亦罕齐。——唐·曹松《送陈樵校书归泉州》
天上诗名天下传，引来齐列玉皇前。——唐·杜荀鹤《依韵次同年张曙先辈见寄之什》
江流爱吴越，诗格愈齐梁。——唐·郑谷《李夷遇侍御久滞水乡因抒寄怀》
此身合是诗人未，细雨骑驴入剑门。——宋·陆游《剑门道中遇微雨》
论诗宁下涪翁拜，未作江西社里人。——金·元好问《论诗》
只知诗到苏黄尽，沧海横流却是谁？——金·元好问《论诗》

老来留得诗千首，却被何人校短长？——金·元好问《论诗》
新诗旧叶题将遍，老调疏桐恨传深。——明·王守仁《书庭蕉》
谁将诗卷掷江流，定不与江东向流。——清·黄景仁《笥河先生偕宴太白歌醉中作歌》
乌舍凌波肌似雪，亲持红叶索题诗。——清·苏曼殊《本事》
洞庭波涌连天雪，长岛人歌动地诗。——现代·毛泽东《七律·答友人》

色

色同心复同，藕异心无异。——南朝·萧衍《子夜四时歌·夏歌》

色夺歌人脸，香乱舞衣风。——隋·杜公瞻《咏同心芙蓉》

坐看苍苔色，欲上人衣来。——唐·王维《书事》

声喧乱石中，色静深松里。——唐·王维《青溪》

远看山有色，近听水无声。——唐·王维《画》

秋波落泗水，海色明徂徕。——唐·李白《鲁郡东石门送杜二甫》

戍客望边色，思归多苦颜。——唐·李白《关山月》

驽骀漫深泥，何不避雨色。——唐·杜甫《戏赠友》

不改南山色，其余事事新。——唐·刘禹锡《初至长安》

五色绣团圆，登君玳瑁筵。——唐·刘禹锡《抛球乐》

满眼云水色，月明楼上人。——唐·白居易《江楼望归》

曈曈太阳如火色，上行千里下一刻。——唐·白居易《短歌行》

铫煎黄蕊色，碗转曲尘花。——唐·元稹《一七令·茶》

味轻花上露，色似洞中泉。——唐·姚合《寄卫拾遗乞酒》

年华未是登朝晚，春色何因向酒疏。——唐·姚合《和李绅助教不赴看花》

露华生笋径，苔色拂霜根。——唐·李贺《竹》

独起望山色，水鸡鸣蓼洲。——唐·杜牧《晓望》

山色不离眼，鹤声长在琴。——唐·韦庄《题许仙师院》

满山雨色应难见，隔涧经声又不闻。——唐·鲍溶《秋夜怀紫阁峰僧》

楚童夜宿烟波侧，沙上布罗连草色。——唐·鲍溶《鸣雁行》

行入汉江秋月色，襄阳耆旧几人存？——唐·顾况《送少微上人还鹿门》

春色满园关不住，一枝红杏出墙来。——宋·叶绍翁《游园不值》

终南山色，不改旧时青。——金·张中孚《蓦山溪·山河百二》

不要人夸颜色好，只留清气满乾坤。——元·王冕《墨梅》
横空出世，莽昆仑，阅尽人间春色。——现代·毛泽东《念奴娇·昆仑》

思

思君令人老，岁月忽已晚。——汉·佚名《古诗十九首·行行重行行》
思君如流水，何有穷已时。——汉·徐干《室思》
慨当以慷，忧思难忘。——三国魏·曹操《短歌行》
思君如满月，夜夜减清辉。——唐·张九龄《赋得自君之出矣》
情人怨遥夜，竟夕起相思。——唐·张九龄《望月怀远》
愿君多采撷，此物最相思。——唐·王维《红豆》
独在异乡为异客，每逢佳节倍思亲。——唐·王维《九月九日忆山东兄弟》
夜发清溪向三峡，思君不见下渝州。——唐·李白《峨眉山月歌》
戍客望边色，思归多苦颜。——唐·李白《关山月》
相思杳如梦，珠泪湿罗衣。——唐·李白《学古思边》

长相思，摧心肝。——唐·李白《长相思》
杨花榆荚无才思，惟解漫天作雪飞。——唐·韩愈《晚春》
马思边草拳毛动，雕眄青云睡眼开。——唐·刘禹锡《始闻秋风》
思悠悠，恨悠悠，恨到归时方始休。——唐·白居易《长相思·汴水流》
春心莫共花争发，一寸相思一寸灰。——唐·李商隐《无题》
玲珑骰子安红豆，入骨相思知不知？——唐·温庭筠《新添声杨柳枝词》
酒入愁肠，化作相思泪。——宋·范仲淹《苏幕遮·怀旧》
十年生死两茫茫，不思量，自难忘。——宋·苏轼《江城子》
至今思项羽，不肯过江东。——宋·李清照《绝句》
僵卧孤村不自哀，尚思为国戍轮台。——宋·陆游《十一月四日风雨大作》

思往事，愁如织。——元·萨都剌《满江红·金陵怀古》
思妇劳人怨，长歌短剑豪。——清·谭嗣同《角声》
相思树底说相思，思郎恨郎郎不知。——现代·梁启超《台湾竹枝词》
思想好，能分析。分析好，大有益。——现代·毛泽东《八连颂》

石

东临碣石，以观沧海。——三国魏·曹操《观沧海》
洞开朝雾敛，石湿晓云浓。——隋·薛道衡《展敬上凤林寺诗》
谷中石虎经衔箭，山上金人曾祭天。——隋·卢思道《从军行》
斜月沉沉藏海雾，碣石潇湘无限路。——唐·张若虚《春江花月夜》
隐隐飞桥隔野烟，石矶西畔问渔船。——唐·张旭《桃花溪》
明月松间照，清泉石上流。——唐·王维《山居秋暝》
荆溪白石出，天寒红叶稀。——唐·王维《山中》
脱巾挂石壁，露顶洒松风。——唐·李白《夏日山中》
拨云寻古道，倚石听流泉。——唐·李白《寻雍尊师隐居》
千千石楠树，万万女贞林。——唐·李白《秋浦歌》

飞湍瀑流争喧豗，砯崖转石万壑雷。——唐·李白《蜀道难》
地崩山摧壮士死，然后天梯石栈相钩连。——唐·李白《蜀道难》
摐金伐鼓下榆关，旌旆逶迤碣石间。——唐·高适《燕歌行》
暮投石壕村，有吏夜捉人。——唐·杜甫《石壕吏》
江流石不转，遗恨失吞吴。——唐·杜甫《八阵图》
击石乃有火，不击元无烟。——唐·孟郊《劝学》
千寻铁锁沉江底，一片降幡出石头。——唐·刘禹锡《西塞山怀古》
女娲炼石补天处，石破天惊逗秋雨。——唐·李贺《李凭箜篌引》
远上寒山石径斜，白云生处有人家。——唐·杜牧《山行》

乱石穿空，惊涛拍岸，卷起千堆雪。——宋·苏轼《念奴娇·赤壁怀古》

臣心一片磁针石，不指南方不肯休。——宋·文天祥《扬子江》

石桥两畔好人烟，匹似诸村别一川。——宋·杨万里《过杨村》

石榴花映石榴裙，有情应得撞腮春。——宋·张先《浣溪沙》

石壕村里夫妻别，泪比长生殿上多。——清·袁枚《马嵬》

人猿相揖别。只几个石头磨过，小儿时节。——现代·毛泽东《贺新郎·读史》

树

月明星稀，乌鹊南飞。绕树三匝，何枝可依？——三国魏·曹操《短歌行》

狗吠深巷中，鸡鸣桑树颠。——晋·陶渊明《归园田居》

中庭多杂树，偏为梅咨嗟。——南朝·鲍照《梅花落》

树树皆秋色，山山唯落晖。——唐·王绩《野望》

碧玉妆成一树高，万条垂下绿丝绦。——唐·贺知章《柳枝词》

杨柳东风树，青青夹御河。——唐·王之涣《送别》

绿树村边合，青山郭外斜。——唐·孟浩然《过故人庄》

野旷天低树，江清月近人。——唐·孟浩然《宿建德江》

仙人垂两足，桂树何团团。——唐·李白《古朗月行》

晴川历历汉阳树，芳草萋萋鹦鹉洲。——唐·崔颢《黄鹤楼》

忽如一夜春风来，千树万树梨花开。——唐·岑参《白雪歌送武判官归京》

独怜幽草涧边生，上有黄鹂深树鸣。——唐·韦应物《滁州西涧》

白雪却嫌春色晚，故穿庭树作飞花。——唐·韩愈《春雪》

沉舟侧畔千帆过，病树前头万木春。——唐·刘禹锡《酬乐天扬州初逢席上见赠》

几处早莺争暖树，谁家新燕啄春泥。——唐·白居易《钱塘湖春行》

鸟宿池边树，僧敲月下门。——唐·贾岛《题李凝幽居》

昨夜西风凋碧树，独上高楼，望尽天涯路。——宋·晏殊《蝶恋花·槛菊愁烟兰泣露》

霜落熊升树，林空鹿饮溪。——宋·梅尧臣《鲁山山行》

百啭千声随意移，山花红紫树高低。——宋·欧阳修《画眉鸟》

泉眼无声惜细流，树阴照水爱晴柔。——宋·杨万里《小池》

篱落疏疏一径深，树头花落未成阴。——宋·杨万里《宿新市徐公店》

斜阳草树，寻常巷陌，人道寄奴曾住。——宋·辛弃疾《永遇乐·京口北固亭怀古》

吾家洗砚池头树，朵朵花开淡墨痕。——元·王冕《墨梅》

姑苏城外一茅屋，万树梅花月满天。——明·唐寅《把酒对月歌》

最是人间留不住，朱颜辞镜花辞树。——清·王国维《蝶恋花·阅尽天涯离别苦》

飞凤亭边树，桃花岭上风。——现代·毛泽东《五律·看山》

世

鸷鸟之不群兮，自前世而固然。——战国·屈原《离骚》

力拔山兮气盖世，时不利兮骓不逝。——汉·项羽《垓下歌》

世胄蹑高位，英俊沉下僚。——晋·左思《咏史》

峡里谁知有人事，世中遥望空云山。——唐·王维《桃源行》

一朝不得意，世事徒为空。——唐·李白《怨歌行》

人生在世不称意，明朝散发弄扁舟。——唐·李白《宣州谢朓楼饯别校书叔云》

世间行乐亦如此，古来万事东流水。——唐·李白《梦游天姥吟留别》

含光混世贵无名，何用孤高比云月。——唐·李白《行路难·有耳莫洗颍川水》

遍寻真迹蹑莓苔，世事全抛不忍回。——唐·裴度《真慧寺》

世间渐觉无多事，虽有空名未著身。——唐·张籍《赠施肩吾》

世乱同南去，时清独北还。——唐·司空曙《贼平后送人北归》

想君白马悬雕弓，世间何处无春风。——唐·李贺《有所思》

人世几回伤往事，山形依旧枕寒流。——唐·刘禹锡《西塞山怀古》

世惟材是梓，人仰骥中骅。——唐·柳宗元《同刘二十八院长述旧言怀感时书事》

难世斯人犹不达，此时吾道岂能通。——唐·李咸用《依韵修睦上人山居》

世间无限丹青手，一片伤心画不成。——唐·高蟾《金陵晚望》

出师一表真名世，千载谁堪伯仲间。——宋·陆游《书愤》

世味年来薄似纱，谁令骑马客京华。——宋·陆游《临安春雨初霁》

山河破碎风飘絮，身世浮沉雨打萍。——宋·文天祥《过零丁洋》

世情薄，人情恶，雨送黄昏花易落。——宋·唐婉《钗头凤·世情薄》

世人笑我太疯癫，我笑世人看不穿。——明·唐寅《桃花庵歌》

身世悠悠何足问，冷笑置之而已。——清·纳兰性德《金缕曲·赠梁汾》

沧海横流安足虑，世事纷纭从君理。——现代·毛泽东《七古·送纵宇一郎东行》

神女应无恙，当惊世界殊。——现代·毛泽东《水调歌头·游泳》

岁

三岁为妇，靡室劳矣。——先秦《诗经·卫风·氓》

汩余若将不及兮，恐年岁之不吾与。——战国·屈原《离骚》

往昔初阳岁，谢家来贵门。——汉《乐府歌·孔雀东南飞》

思君令人老，岁月忽已晚。——汉《古诗十九首·行行重行行》

及时当勉励，岁月不待人。——晋·陶渊明《杂诗》

离别家乡岁月多，近来人事半消磨。——唐·贺知章《回乡偶书》

昨夜斗回北，今朝岁起东。——唐·孟浩然《田家元日》

中岁颇好道，晚家南山陲。——唐·王维《终南别业》

尔来四万八千岁，不与秦塞通人烟。——唐·李白《蜀道难》

乡心新岁切，天畔独潸然。——唐·刘长卿《新年作》

千秋万岁名，寂寞身后事。——唐·杜甫《梦李白》

离离原上草，一岁一枯荣。——唐·白居易《草》

吏禄三百石，岁晏有余粮。——唐·白居易《观刈麦》

浔阳地僻无音乐，终岁不闻丝竹声。——唐·白居易《琵琶行》

那堪正飘泊，明日岁华新。——唐·崔涂《除夜》

岁岁金河复玉关，朝朝马策与刀环。——唐·柳中庸《征人怨》

自有林中趣，谁惊岁去频。——唐·无可《新年》

世事相违每如此，好怀百岁几回开。——宋·陈师道《绝句·书当快意读易尽》

万岁山前珠翠绕，蓬壶殿里笙歌作。——宋·岳飞《满江红·登黄鹤楼有感》

北风吹雪四更初，嘉瑞天教及岁除。——宋·陆游《除夜雪》

早岁那知世事艰，中原北望气如山。——宋·陆游《书愤》

乾坤空落落，岁月去堂堂。——宋·文天祥《除夜》

禁火天、已是试新妆，岁华到、三分佳处。——宋·万俟咏《三台·清明应制》

看人儿女大，为客岁年长。——明·袁凯《客中除夕》

携来百侣曾游，忆往昔峥嵘岁月稠。——现代·毛泽东《沁园春·长沙》

松

岂不罹凝寒，松柏有本性。——三国魏·刘桢《赠从弟》

亭亭山上松，瑟瑟谷中风。——晋·刘桢《赠从弟》

郁郁涧底松，离离山上苗。——晋·左思《咏史》

远戍唯闻鼓，寒山但见松。——南朝·阴铿《晚出新亭》

日落山水静，为君起松声。——唐·王勃《咏风》

松叶堪为酒，春来酿几多。——唐·张九龄《答陆澧》

明月松间照，清泉石上流。——唐·王维《山居秋暝》

月明松下房栊静，日出云中鸡犬喧。——唐·王维《桃源行》

无人知所去，愁倚两三松。——唐·李白《访戴天山道士不遇》

花暖青牛卧，松高白鹤眠。——唐·李白《寻雍尊师隐居》

红颜弃轩冕，白首卧松云。——唐·李白《赠孟浩然》

连峰去天不盈尺，枯松倒挂倚绝壁。——唐·李白《蜀道难》

松际露微月，清光犹为君。——唐·常建《宿王昌龄隐居》

半夜倚乔松，不觉满衣雪。——唐·孟郊《苦寒吟》

碧虚无云风不起，山上长松山下水。——唐·刘禹锡《八月十五夜桃源玩月》

可怜孤松意，不与槐树同。——唐·元稹《松树》

何不种松树，使之摇清风。——唐·元稹《松树》

松下问童子，言师采药去。——唐·贾岛《寻隐者不遇》

高松出众木，伴我向天涯。——唐·李商隐《高松》

山下兰芽短浸溪，松间沙路净无泥，潇潇暮雨子规啼。——宋·苏轼《浣溪沙·游蕲水清泉寺》

昨夜松边醉倒，问松我醉何如。——宋·辛弃疾《西江月·遣兴》

咬定青山不放松，立根原在破岩中。——清·郑燮《题竹石》

春深无客到，一路落松花。——清·施闰章《山行·野寺分晴树》

暮色苍茫看劲松，乱云飞渡仍从容。——现代·毛泽东《七绝·庐山仙人洞》

大雪压青松，青松挺且直。——现代·陈毅《青松》

少

少壮不努力，老大徒伤悲。——汉《乐府歌·长歌行》

少小去乡邑，扬名沙漠垂。——三国魏·曹植《白马篇》

少无适俗韵，性本爱丘山。——晋·陶渊明《归园田居》

少小离家老大回，乡音无改鬓毛衰。——唐·贺知章《回乡偶书》

夜来风雨声，花落知多少。——唐·孟浩然《春晓》

遥知兄弟登高处，遍插茱萸少一人。——唐・王维《九月九日忆山东兄弟》
主人何为言少钱，径须沽取对君酌。——唐・李白《将进酒》
少壮能几时，鬓发各已苍。——唐・杜甫《赠卫八处士》
自经丧乱少睡眠，长夜沾湿何由彻。——唐・杜甫《茅屋为秋风所破歌》
田家少闲月，五月人倍忙。——唐・白居易《观刈麦》

峨嵋山下少人行，旌旗无光日色薄。——唐・白居易《长恨歌》
夜深忽梦少年事，梦啼妆泪红阑干。——唐・白居易《琵琶行》
五陵年少争缠头，一曲红绡不知数。——唐・白居易《琵琶行》
劝君莫惜金缕衣，劝君惜取少年时。——唐・杜秋娘《金缕衣》
南朝四百八十寺，多少楼台烟雨中。——唐・杜牧《江南春》
少年辛苦终身事，莫向光阴惰寸功。——唐・杜荀鹤《题弟侄书堂》
时人不识余心乐，将谓偷闲学少年。——宋・程颢《春日偶成》
谁道人生无再少，门前流水尚能西。——宋・苏轼《浣溪沙・游蕲水清泉寺》
莫等闲、白了少年头，空悲切。——宋・岳飞《满江红・写怀》
古人学问无遗力，少壮工夫老始成。——宋・陆游《冬夜读书示子聿》

少年易学老难成，一寸光阴不可轻。——宋・朱熹《偶成》
郁孤台下清江水，中间多少行人泪。——宋・辛弃疾《菩萨蛮・书江西造口壁》
乡村四月闲人少，才了蚕桑又插田。——宋・翁卷《乡村四月》
古今多少事，都付笑谈中。——明・杨慎《临江仙・滚滚长江东逝水》
恰同学少年，风华正茂；书生意气，挥斥方遒。——现代・毛泽东《沁园春・长沙》

霜

蒹葭苍苍，白露为霜。——先秦《诗经・秦风・蒹葭》
秋风萧瑟天气凉，草木摇落露为霜。——三国魏・曹丕《燕歌行》

边庭节物与华异，冬霰秋霜春不歇。——隋·卢思道《从军行》
霜戟列丹陛，丝竹韵长廊。——唐·李世民《元日》
空里流霜不觉飞，汀上白沙看不见。——唐·张若虚《春江花月夜》
床前明月光，疑是地上霜。——唐·李白《静夜思》
赵客缦胡缨，吴钩霜雪明。——唐·李白《侠客行》
不知明镜里，何处得秋霜。——唐·李白《秋浦歌》
艰难苦恨繁霜鬓，潦倒新停浊酒杯。——唐·杜甫《登高》
月落乌啼霜满天，江枫渔火对愁眠。——唐·张继《枫桥夜泊》

山明水净夜来霜，数树深红出浅黄。——唐·刘禹锡《秋词》
霜草苍苍虫切切，村南村北行人绝。——唐·白居易《村夜》
回乐峰前沙似雪，受降城外月如霜。——唐·李益《夜上受降城闻笛》
半卷红旗临易水，霜重鼓寒声不起。——唐·李贺《雁门太守行》
停车坐爱枫林晚，霜叶红于二月花。——唐·杜牧《山行》
青女素娥俱耐冷，月中霜里斗婵娟。——唐·李商隐《霜月》
鸡声茅店月，人迹板桥霜。——唐·温庭筠《商山早行》
垆边人似月，皓腕凝霜雪。——唐·韦庄《菩萨蛮·人人尽说江南好》
霜禽欲下先偷眼，粉蝶如知合断魂。——宋·林逋《山园小梅》
霜落熊升树，林空鹿饮溪。——宋·梅尧臣《鲁山山行》

荷尽已无擎雨盖，菊残犹有傲霜枝。——宋·苏轼《赠刘景文》
故园三径吐幽丛，一夜玄霜坠碧空。——明·唐寅《菊花》
传来消息满江乡，乌桕红经十度霜。——清·吴伟业《圆圆曲》
鹰击长空，鱼翔浅底，万类霜天竞自由。——现代·毛泽东《沁园春·长沙》

神

神龟虽寿，犹有竟时。——三国魏·曹操《龟虽寿》

登高远眺望，魂神忽飞逝。——汉·蔡琰《悲愤诗》
汉家天子今神武，不肯和亲归去来。——唐·王之涣《凉州词》
泛舟江上别，谁不仰神仙。——唐·孟浩然《送张参明经举兼向泾州觐省》
造化钟神秀，阴阳割昏晓。——唐·杜甫《望岳》
读书破万卷，下笔如有神。——唐·杜甫《奉赠韦左丞丈二十二韵》
笔落惊风雨，诗成泣鬼神。——唐·杜甫《寄李十二白二十韵》
神仙虽然有传说，知者尽知其妄矣。——唐·韩愈《谁氏子》
今日听君歌一曲，暂凭杯酒长精神。——唐·刘禹锡《酬乐天扬州初逢席上见赠》
半死梧桐老病身，重泉一念一伤神。——唐·白居易《为薛台悼亡》

可怜夜半虚前席，不问苍生问鬼神。——唐·李商隐《贾生》
应为洛神波上袜，至今莲蕊有香尘。——唐·温庭筠《莲花》
传闻一战百神愁，两岸强兵过未休。——唐·曹松《己亥岁》
神在山中犹避难，何须责望东诸侯。——唐·韦庄《秦妇吟》
更忆帝乡千万树，澹烟笼日暗神州。——唐·吴融《途中见杏花》
阳羡溪声冷骇人，洞庭山翠晚凝神。——唐·高蟾《秋》
偶因博戏飞神剑，摧却终南第一峰。——唐·吕岩《绝句》
绿桑高下映平川，赛罢田神笑语喧。——宋·欧阳修《田家》
归来报名主，恢复旧神州。——宋·岳飞《送紫岩张先生北伐》
天地神灵扶庙社，京华父老望和銮。——宋·陆游《病起书怀》
有梅无雪不精神，有雪无诗俗了人。——宋·卢梅坡《雪梅》
力微任重久神疲，再竭衰庸定不支。——清·林则徐《赴戍登程口占示家人》
灵台无计逃神矢，风雨如磐暗故园。——现代·鲁迅《自题小像》
春风杨柳万千条，六亿神州尽舜尧。——现代·毛泽东《七律·送瘟神》

三

月明星稀，乌鹊南飞。绕树三匝，何枝可依？——三国魏·曹操《短歌行》
误落尘网中，一去三十年。——晋·陶渊明《归园田居》
解落三秋叶，能开二月花。——唐·李峤《风》
城阙辅三秦，风烟望五津。——唐·王勃《送杜少府之任蜀州》
故人西辞黄鹤楼，烟花三月下扬州。——唐·李白《黄鹤楼送孟浩然之广陵》
飞流直下三千尺，疑是银河落九天。——唐·李白《望庐山瀑布》
夜发清溪向三峡，思君不见下渝州。——唐·李白《峨眉山月歌》
烽火连三月，家书抵万金。——唐·杜甫《春望》
功盖三分国，名成八阵图。——唐·杜甫《八阵图》
三顾频烦天下计，两朝开济老臣心。——唐·杜甫《蜀相》

八月秋高风怒号，卷我屋上三重茅。——唐·杜甫《茅屋为秋风所破歌》
巴山楚水凄凉地，二十三年弃置身。——唐·刘禹锡《酬乐天扬州初逢席上见赠》
可怜九月初三夜，露似真珠月似弓。——唐·白居易《暮江吟》
转轴拨弦三两声，未成曲调先有情。——唐·白居易《琵琶行》
谁言寸草心，报得三春晖。——唐·孟郊《游子吟》
烽火连三月，家书抵万金。——唐·杜甫《春望》
故垒西边，人道是，三国周郎赤壁。——宋·苏轼《念奴娇·赤壁怀古》
白发空垂三千丈，一笑人间万事。——宋·辛弃疾《贺新郎·甚矣吾衰矣》
风休住，蓬舟吹取三山去。——宋·李清照《渔家傲·天接云涛连晓雾》
三杯两盏淡酒，怎敌他、晚来风急。——宋·李清照《声声慢·寻寻觅觅》

三十功名尘与土，八千里路云和月。——宋·岳飞《满江红·写怀》
三万里河东入海，五千仞岳上摩天。——宋·陆游《秋夜将晓出篱门迎凉有感》
七八个星天外，两三点雨山前。——宋·辛弃疾《西江月·夜行黄沙道中》

梅须逊雪三分白，雪却输梅一段香。——宋·卢梅坡《雪梅》
回首三秋如一梦，梦中不觉到新安。——元·耶律楚材《过夏国新安县》
山，快马加鞭未下鞍。惊回首，离天三尺三。——现代·毛泽东《十六字令三首》

生

民生各有所乐兮，余独好修以为常。——战国·屈原《离骚》
啸傲东轩下，聊复得此生。——晋·陶渊明《饮酒》
树木丛生，百草丰茂。——三国魏·曹操《观沧海》
本是同根生，相煎何太急。——三国魏·曹植《七步诗》
阳春布德泽，万物生光辉。——汉·乐府歌《长歌行》
春江潮水连海平，海上明月共潮生。——唐·张若虚《春江花月夜》
人生代代无穷已，江月年年只相似。——唐·张若虚《春江花月夜》
海上生明月，天涯共此时。——唐·张九龄《望月怀远》
月下飞天镜，云生结海楼。——唐·李白《渡荆门送别》
日照香炉生紫烟，遥看瀑布挂前川。——唐·李白《望庐山瀑布》

人生得意须尽欢，莫使金樽空对月。——唐·李白《将进酒》
天生我材必有用，千金散尽还复来。——唐·李白《将进酒》
荡胸生层云，决眦入归鸟。——唐·杜甫《望岳》
存者且偷生，死者长已矣。——唐·杜甫《石壕吏》
野火烧不尽，春风吹又生。——唐·白居易《草》
九重城阙烟尘生，千乘万骑西南行。——唐·白居易《长恨歌》
遂令天下父母心，不重生男重生女。——唐·白居易《长恨歌》
故国神游，多情应笑我，早生华发。——宋·苏轼《念奴娇·赤壁怀古》
谁道人生无再少，门前流水尚能西。——宋·苏轼《浣溪沙·游蕲水清泉寺》
守着窗儿，独自怎生得黑！——宋·李清照《声声慢·寻寻觅觅》

了却君王天下事，赢得生前身后名。——宋·辛弃疾《破阵子·为陈同甫赋壮词以寄之》

人生自古谁无死，留取丹心照汗青。——宋·文天祥《过零丁洋》

我生待明日，万事成蹉跎。——明·钱福《明日歌》

恰同学少年，风华正茂；书生意气，挥斥方遒。——现代·毛泽东《沁园春·长沙》

时

少壮几时兮奈老何！——汉·刘彻《秋风辞》

登车何时顾，飞盖入秦庭。——晋·陶渊明《咏荆轲》

海上生明月，天涯共此时。——唐·张九龄《望月怀远》

月出惊山鸟，时鸣春涧中。——唐·王维《鸟鸣涧》

小时不识月，呼作白玉盘。——唐·李白《古朗月行》

相思相见知何日？此时此夜难为情。——唐·李白《三五七言》

正是江南好风景，落花时节又逢君。——唐·杜甫《江南逢李龟年》

留连戏蝶时时舞，自在娇莺恰恰啼。——唐·杜甫《江畔独步寻花》

感时花溅泪，恨别鸟惊心。——唐·杜甫《春望》

轮台东门送君去，去时雪满天山路。——唐·岑参《白雪歌送武判官归京》

别有幽愁暗恨生，此时无声胜有声。——唐·白居易《琵琶行》

春风桃李花开日，秋雨梧桐叶落时。——唐·白居易《长恨歌》

醉不成欢惨将别，别时茫茫江浸月。——唐·白居易《琵琶行》

清明时节雨纷纷，路上行人欲断魂。——唐·杜牧《清明》

何当共剪西窗烛，却话巴山夜雨时。——唐·李商隐《夜雨寄北》

相见时难别亦难，东风无力百花残。——唐·李商隐《无题·相见时难别亦难》

春花秋月何时了？往事知多少。——五代·李煜《虞美人·春花秋月何时了》

明月几时有？把酒问青天。——宋·苏轼《水调歌头·丙辰中秋》

一年好景君须记，正是橙黄橘绿时。——宋·苏轼《赠刘景文》

此水几时休，此恨何时已。——宋·李之仪《卜算子·我住长江头》

胜日寻芳泗水滨，无边光景一时新。——宋·朱熹《春日》

渴时饮，饥时餐，醉时歌，困来时就向莎茵卧。——元·关汉卿《四块玉·闲适》

惨惨柴门风雪夜，此时有子不如无。——清·黄景仁《别老母》

要知松高洁，待到雪化时。——现代·陈毅《青松》

待到山花烂漫时，她在丛中笑。——现代·毛泽东《卜算子·咏梅》

是

与君离别意，同是宦游人。——唐·王勃《送杜少府之任蜀州》

琵琶起舞换新声，总是关山旧别情。——唐·王昌龄《从军行》

床前明月光，疑是地上霜。——唐·李白《静夜思》

飞流直下三千尺，疑是银河落九天。——唐·李白《望庐山瀑布》

秋风吹不尽，总是玉关情。——唐·李白《子夜吴歌·秋歌》

日暮乡关何处是，烟波江上使人愁。——唐·崔颢《黄鹤楼》

露从今夜白，月是故乡明。——唐·杜甫《月夜忆舍弟》

正是江南好风景，落花时节又逢君。——唐·杜甫《江南逢李龟年》

最是一年春好处，绝胜烟柳满皇都。——唐·韩愈《早春呈水部张十八员外》

东边日出西边雨，道是无晴却有晴。——唐·刘禹锡《竹枝词》

西北望乡何处是，东南见月几回圆。——唐·白居易《八月十五日夜湓亭望月》

同是天涯沦落人，相逢何必曾相识。——唐·白居易《琵琶行》

翩翩两骑来是谁？黄衣使者白衫儿。——唐·白居易《卖炭翁》

不是花中偏爱菊，此花开尽更无花。——唐·元稹《菊花》

曾经沧海难为水，除却巫山不是云。——唐・元稹《离思》

夕阳无限好，只是近黄昏。——唐・李商隐《乐游原》

胜败兵家事不期，包羞忍耻是男儿。——唐・杜牧《题乌江亭》

雕栏玉砌应犹在，只是朱颜改。——五代・李煜《虞美人・春花秋月何时了》

不知天上宫阙，今夕是何年。——宋・苏轼《水调歌头・丙辰中秋》

故垒西边，人道是，三国周郎赤壁。——宋・苏轼《念奴娇・赤壁怀古》

已是黄昏独自愁，更著风和雨。——宋・陆游《卜算子・咏梅》

等闲识得东风面，万紫千红总是春。——宋・朱熹《春日》

故园今夕是元宵，独向蛮村坐寂寥。——明・王守仁《元夕》

萧瑟秋风今又是，换了人间。——现代・毛泽东《浪淘沙・北戴河》

已是悬崖百丈冰，犹有花枝俏。——现代・毛泽东《卜算子・咏梅》

上

路漫漫其修远兮，吾将上下而求索。——战国・屈原《离骚》

海上生明月，天涯共此时。——唐・张九龄《望月怀远》

葡萄美酒夜光杯，欲饮琵琶马上催。——唐・王翰《凉州词》

欲穷千里目，更上一层楼。——唐・王之涣《登鹳雀楼》

黄河远上白云间，一片孤城万仞山。——唐・王之涣《凉州词》

李白乘舟将欲行，忽闻岸上踏歌声。——唐・李白《赠汪伦》

蜀道之难，难于上青天，使人听此凋朱颜。——唐・李白《蜀道难》

马上相逢无纸笔，凭君传语报平安。——唐・岑参《逢入京使》

独怜幽草涧边生，上有黄鹂深树鸣。——唐・韦应物《滁州西涧》

慈母手中线，游子身上衣。——唐・孟郊《游子吟》

离离原上草，一岁一枯荣。——唐・白居易《草》

忽闻水上琵琶声，主人忘归客不发。——唐·白居易《琵琶行》

可怜身上衣正单，心忧炭贱愿天寒。——唐·白居易《卖炭翁》

山寺月中寻桂子，郡亭枕上看潮头。——唐·白居易《忆江南》

角声满天秋色里，塞上燕脂凝夜紫。——唐·李贺《雁门太守行》

远上寒山石径斜，白云生处有人家。——唐·杜牧《山行》

秋色连波，波上寒烟翠。——宋·范仲淹《苏幕遮·怀旧》

月上柳梢头，人约黄昏后。——宋·欧阳修《生查子·元夕》

飞来峰上千寻塔，闻说鸡鸣见日升。——宋·王安石《登飞来峰》

蒌蒿满地芦芽短，正是河豚欲上时。——宋·苏轼《惠崇春江晚景》

此情无计可消除，才下眉头，却上心头。——宋·李清照《一剪梅·红藕香残玉簟秋》

纸上得来终觉浅，绝知此事要躬行。——宋·陆游《冬夜读书示子聿》

三万里河东入海，五千仞岳上摩天。——宋·陆游《秋夜将晓出篱门迎凉有感》

城外萧萧北风起，城上健儿吹落耳。——明·刘基《北风行》

身在千山顶上头，突岩深缝妙香稠。——清·郑燮《题画兰》

望长城内外，惟余莽莽；大河上下，顿失滔滔。——现代·毛泽东《沁园春·雪》

谁

谁谓荼苦？其甘如荠。——先秦·诗经《谷风》

使君遣吏往，问是谁家姝？——汉《乐府歌·陌上桑》

借问谁家子，幽并游侠儿。——三国魏·曹植《白马篇》

不知细叶谁裁出，二月春风似剪刀。——唐·贺知章《咏柳》

白兔捣药成，问言与谁餐？——唐·李白《古朗月行》

谁家玉笛暗飞声，散入春风满洛城。——唐·李白《春夜洛城闻笛》

谁能载酒开金盏，唤取佳人舞绣筵。——唐·杜甫《江畔独步寻花七绝句》

莫愁前路无知己，天下谁人不识君。——唐·高适《别董大》

谁言寸草心，报得三春晖。——唐·孟郊《游子吟》

几处早莺争暖树，谁家新燕啄春泥。——唐·白居易《钱塘湖春行》

翩翩两骑来是谁？黄衣使者白衫儿。——唐·白居易《卖炭翁》

寻声暗问弹者谁？琵琶声停欲语迟。——唐·白居易《琵琶行》

采得百花成蜜后，为谁辛苦为谁甜。——唐·罗隐《蜂》

谁道人生无再少？门前流水尚能西！——宋·苏轼《浣溪沙·游蕲水清泉寺》

谁见幽人独往来？缥缈孤鸿影。——宋·苏轼《卜算子·黄州定慧院寓居作》

满地黄花堆积，憔悴损，如今有谁堪摘？——宋·李清照《声声慢·寻寻觅觅》

云中谁寄锦书来，雁字回时，月满西楼。——宋·李清照《一剪梅·红藕香残玉簟秋》

出师一表真名世，千载谁堪伯仲间！——宋·陆游《书愤》

凭谁问，廉颇老矣，尚能饭否？——宋·辛弃疾《永遇乐·京口北固亭怀古》

人生自古谁无死？留取丹心照汗青。——宋·文天祥《过零丁洋》

南风吹其心，摇摇为谁吐？——元·王冕《墨萱图》

无限河山泪，谁言天地宽！——明·夏完淳《别云间》

似此星辰非昨夜，为谁风露立中宵？——清·黄景仁《绮怀》

谁敢横刀立马？唯我彭大将军！——现代·毛泽东《六言诗·给彭德怀同志》

怅寥廓，问苍茫大地，谁主沉浮？——现代·毛泽东《沁园春·长沙》

师

王于兴师，修我甲兵。——先秦《诗经·秦风·无衣》

征师屯广武，分兵救朔方。——南朝·鲍照《代出自蓟北门行》

海内兴义师，欲共讨不祥。——汉·蔡琰《悲愤诗》

一身转战三千里，一剑曾当百万师。——唐·王维《老将行》
出师未捷身先死，长使英雄泪满襟。——唐·杜甫《蜀相》
京师皆骑汗血马，回纥喂肉葡萄宫。——唐·杜甫《洗兵马》
别裁伪体亲风雅，转益多师是汝师。——唐·杜甫《戏为》
摇落深知宋玉悲，风流儒雅亦吾师。——唐·杜甫《咏怀古迹》
金山西见烟尘飞，汉家大将西出师。——唐·岑参《走马川行奉送出师西征》
料知短兵不敢接，车师西门伫献捷。——唐·岑参《走马川行奉送出师西征》

师旷应律调黄钟，王良运策调时龙。——唐·鲍防《元日早朝行》
始我来京师，止携一束书。——唐·韩愈《示儿》
松下问童子，言师采药去。——唐·贾岛《寻隐者不遇》
谁将出师表，一为问昭融。——唐·李商隐《武侯庙古柏》
自从洛下屯师旅，日夜巡兵入村坞。——唐·韦庄《秦妇吟》
出师一表通今古，夜半挑灯更细看。——宋·陆游《病起书怀》
王师北定中原日，家祭无忘告乃翁。——宋·陆游《示儿》
遗民泪尽胡尘里，南望王师又一年。——宋·陆游《秋夜将晓出篱门迎凉有感》
出师一表真名世，千载谁堪伯仲间。——宋·陆游《书愤》
不见南师久，谩说北群空。——宋·陈亮《水调歌头·送章德茂大卿使虏》

或为出师表，鬼神泣壮烈。——宋·文天祥《正气歌》
朔风戒良节，赫赫张皇师。——明·钱嶫《悯黎咏》
班师诏已来三殿，射虏书犹说两宫。——明·高启《吊岳王墓》
若非将士全师胜，争得蛾眉匹马还。——清·吴伟业《圆圆曲》
钟山风雨起苍黄，百万雄师过大江。——现代·毛泽东《七律·人民解放军占领南京》

事

此事真复乐，聊用忘华簪。——晋·陶渊明《和郭主簿》

野外罕人事，穷巷寡轮鞅。——晋·陶渊明《归园田居》

晨夕看山川，事事悉如昔。——晋·陶渊明《乙巳岁三月为建威参军使都经钱溪》

以色事他人，能得几时好？——唐·李白《妾薄命》

春风不相识，何事入罗帏？——唐·李白《春思》

今我何功德，曾不事农桑。——唐·白居易《观刈麦》

夜深忽梦少年事，梦啼妆泪红阑干。——唐·白居易《琵琶行》

低眉信手续续弹，说尽心中无限事。——唐·白居易《琵琶行》

旅馆寒灯独不眠，客心何事转凄然。——唐·高适《除夜作》

尽道丰年瑞，丰年事若何。—— 唐·罗隐《雪》

至今不会天中事，应是嫦娥掷与人。——唐·皮日休《天竺寺八月十五日夜桂子》

春花秋月何时了？往事知多少。——五代·李煜《虞美人·春花秋月何时了》

物是人非事事休，欲语泪先流。 ——宋·李清照《武陵春·春晚》

不应有恨，何事长向别时圆？——宋·苏轼《水调歌头·丙辰中秋》

人有悲欢离合，月有阴晴圆缺，此事古难全。——宋·苏轼《水调歌头·丙辰中秋》

死去元知万事空，但悲不见九州同。——宋·陆游《示儿》

纸上得来终觉浅，绝知此事要躬行。——宋·陆游《冬夜读书示子聿》

了却君王天下事，赢得生前身后名。——宋·辛弃疾《破阵子·为陈同甫赋壮词以寄之》

推手含情还却手，一抹《梁州》哀彻。千古事、云飞烟灭。——宋·辛弃疾《贺新郎·听琵琶》

我生待明日，万事成蹉跎。——明·钱福《明日歌》

古今多少事，都付笑谈中。——明·杨慎《临江仙·滚滚长江东逝水》

沉思往事立残阳。——清·纳兰性德《浣溪沙·谁念西风独自凉》

多少事，从来急；天地转，光阴迫。一万年太久，只争朝夕。——现代·毛泽东《满

江红·和郭沫若同志》

世上无难事，只要肯登攀。——现代·毛泽东《水调歌头·重上井冈山》

似

天似穹庐，笼盖四野。——北朝《乐府民歌·敕勒歌》

江流宛转绕芳甸，月照花林皆似霰。——唐·张若虚《春江花月夜》

人生代代无穷已，江月年年只相似。——唐·张若虚《春江花月夜》

旁人借问笑何事，笑杀山翁醉似泥。——唐·李白《襄阳歌》

日出东方隈，似从地底来。——唐·李白《日出入行》

不知细叶谁裁出，二月春风似剪刀。——唐·贺知章《咏柳》

已似长沙傅，从今又几年。——唐·刘长卿《新年作》

布衾多年冷似铁，娇儿恶卧踏里裂。——唐·杜甫《茅屋为秋风所破歌》

怀旧空吟闻笛赋，到乡翻似烂柯人。——唐·刘禹锡《酬乐天扬州初逢席上见赠》

风吹仙袂飘飖举，犹似霓裳羽衣舞。——唐·白居易《长恨歌》

可怜九月初三夜，露似真珠月似弓。——唐·白居易《暮江吟》

弦弦掩抑声声思，似诉平生不得志。——唐·白居易《琵琶行》

凄凄不似向前声，满座重闻皆掩泣。——唐·白居易《琵琶行》

秋丛绕舍似陶家，遍绕篱边日渐斜。——唐·元稹《菊花》

问君能有几多愁？恰似一江春水向东流。——五代·李煜《虞美人·春花秋月何时了》

无花无酒过清明，兴味萧然似野僧。——宋·王禹偁《清明》

自在飞花轻似梦，无边丝雨细如愁。——宋·秦观《浣溪沙·漠漠轻寒上小楼》

起舞弄清影，何似在人间。——宋·苏轼《水调歌头·丙辰中秋》

人生到处知何似，应似飞鸿踏雪泥。——宋·苏轼《和子由渑池怀旧》

只愿君心似我心，定不负相思意。——宋·李之仪《卜算子·我住长江头》

柔情似水，佳期如梦，忍顾鹊桥归路。——宋·秦观《鹊桥仙·纤云弄巧》

土房桑树根，仿佛似酒垆。——元·王冕《冀州道中》

未春天似梦，彻夜月无言。—— 清·钱澄之《梅花》

一年一度秋风劲，不似春光。胜似春光，寥廓江天万里霜。——现代·毛泽东《采桑子·重阳》

文徵明《山水图》

T

天

周公吐哺，天下归心。——三国魏·曹操《短歌行》

天似穹庐，笼盖四野。——北朝《乐府民歌·敕勒歌》

天苍苍，野茫茫，风吹草低见牛羊。——北朝·佚名《乐府民歌·敕勒歌》

江天一色无纤尘，皎皎空中孤月轮。——唐·张若虚《春江花月夜》

海内存知己，天涯若比邻。——唐·王勃《送杜少府之任蜀州》

海上生明月，天涯共此时。——唐·张九龄《望月怀远》

空山新雨后，天气晚来秋。——唐·王维《山居秋暝》

征蓬出汉塞，归雁入胡天。——唐·王维《使至塞上》

天门中断楚江开，碧水东流至此回。——唐·李白《望天门山》

孤帆远影碧空尽，唯见长江天际流。——唐·李白《黄鹤楼送孟浩然之广陵》

君不见黄河之水天上来，奔流到海不复回。——唐·李白《将进酒》

日暮苍山远，天寒白屋贫。——唐·刘长卿《逢雪宿芙蓉山主人》

两个黄鹂鸣翠柳，一行白鹭上青天。——唐·杜甫《绝句》

此曲只应天上有，人间能得几回闻。——唐·杜甫《赠花卿》

安得广厦千万间，大庇天下寒士俱欢颜。——唐·杜甫《茅屋为秋风所破歌》

北风卷地白草折，胡天八月即飞雪。——唐·岑参《白雪歌送武判官归京》

可怜身上衣正单，心忧炭贱愿天寒。——唐·白居易《卖炭翁》

同是天涯沦落人，相逢何必曾相识。——唐·白居易《琵琶行》

嫦娥应悔偷灵药，碧海青天夜夜心。——唐·李商隐《嫦娥》

明月几时有，把酒问青天。——宋·苏轼《水调歌头·丙辰中秋》

接天莲叶无穷碧，映日荷花别样红。——宋·杨万里《晓出净慈寺送林子方》

了却君王天下事，赢得生前身后名。——宋·辛弃疾《破阵子·为陈同甫赋壮词以寄之》

我劝天公重抖擞，不拘一格降人才。——清·龚自珍《己亥杂诗》

鹰击长空，鱼翔浅底，万类霜天竞自由。——现代·毛泽东《沁园春·长沙》

一代天骄，成吉思汗，只识弯弓射大雕。——现代·毛泽东《沁园春·雪》

头

头上蓝田玉，耳后大秦珠。——汉·辛延年《羽林郎》

头上金爵钗，腰佩翠琅玕。——三国魏·曹植《美女篇》

陇头明月迥临关，陇上行人夜吹笛。——唐·王维《陇头吟》

举头望明月，低头思故乡。——唐·李白《静夜思》

江头宫殿锁千门，细柳新蒲为谁绿。——唐·杜甫《哀江头》

头上何所有？翠为㔩叶垂鬓唇。——唐·杜甫《丽人行》

头白始得志，色衰方事人。——唐·白居易《秋槿》

白发生头速，青云入手迟。——唐·白居易《闻新蝉赠刘二十八》

头垂白发我思退，脚蹋青云君欲忙。——唐·白居易《雪夜小饮赠梦得》

头巾多酒气，竹杖有苔文。——唐·贯休《送胡处士》

头上花枝照酒卮，酒卮中有好花枝。——宋·邵雍《插花吟》

头梳三角髻，余发散垂腰。——宋·文同《仙人》

头白惜春情更兴，花间独醉竟分阴。——宋·司马光《次前韵》

此情无计可消除，才下眉头，却上心头。——宋·李清照《一剪梅》

小荷才露尖尖角，早有蜻蜓立上头。——宋·杨万里《小池》

头角峥嵘冠八龙，相逢宛马昔从东。——宋·卫博《次韵王大光见赠》

头上一方巾，西湖住宅新。——宋·徐照《寄赠葛朴翁》

头白垂垂过七旬，一生筋力尽田园。——宋·苏泂《代野父言》

头颅百皱发又白，两手扶犁更出来。——宋·释洵《偈》

头角峥嵘未兆前，乱支深处任安眠。——宋·释子淳《和无尽居士牧牛颂》

头纲别样建溪春，小壁苍龙浪得名。——宋·陈仲谔《送新茶李圣喻郎中》

繁霜尽是心头血，洒向千峰秋叶丹。——明·戚继光《望阙台》

湘山晴色远微微，尽日江头独醉归。——明·袁宏道《感事》

可怜思妇楼头柳，认作天边粉絮看。——清·吴伟业《圆圆曲》

潮去潮来人不老，昂头阔步作诗家。——现代·老舍《北戴河赠四友诗·赠曹禺》

山下旌旗在望，山头鼓角相闻。——现代·毛泽东《西江月·井冈山》

W

我

硕鼠硕鼠，无食我黍！——先秦《诗经·魏风·硕鼠》

青青子衿，悠悠我心。——三国魏·曹操《短歌行》

明月皎皎照我床，星汉西流夜未央。——三国魏·曹丕《燕歌行》

道狭草木长，夕露沾我衣。——晋·陶渊明《归园田居》

故人具鸡黍，邀我至田家。——唐·孟浩然《过故人庄》

桃花潭水深千尺，不及汪伦送我情。——唐·李白《赠汪伦》

我寄愁心与明月，随风直到夜郎西。——唐·李白《闻王昌龄左迁龙标遥有此寄》

天生我材必有用，千金散尽还复来。——唐·李白《将进酒》

弃我去者，昨日之日不可留；乱我心者，今日之日多烦忧。——唐·李白《宣州谢朓楼饯别校书叔云》

八月秋高风怒号，卷我屋上三重茅。——唐·杜甫《茅屋为秋风所破歌》

南村群童欺我老无力，忍能对面为盗贼，公然抱茅入竹去，唇焦口燥呼不得！——唐·杜甫《茅屋为秋风所破歌》

我闻琵琶已叹息，又闻此语重唧唧。——唐·白居易《琵琶行》

待到秋来九月八，我花开后百花杀。——唐·黄巢《不第后赋菊》

春风又绿江南岸，明月何时照我还。——宋·王安石《泊船瓜洲》

我欲乘风归去，又恐琼楼玉宇，高处不胜寒。——宋·苏轼《水调歌头·丙辰中秋》

故国神游，多情应笑我，早生华发。——宋·苏轼《念奴娇·赤壁怀古》

我住长江头，君住长江尾。——宋·李之仪《卜算子·我住长江头》

闻天语，殷勤问我归何处。——宋·李清照《渔家傲·天接云涛连晓雾》

哀哉沮洳场，为我安乐国。——宋·文天祥《正气歌》

古木阴中系短篷，杖藜扶我过桥东。——宋·志南《绝句·古木阴中系短篷》

野水添杯谁似我，醉卧白云深处。——元·长筌子《二郎神·离尘俗》

人生何如不相识，君老江南我燕北。——清·纳兰性德《送荪友》
我劝天公重抖擞，不拘一格降人才。——清·龚自珍《己亥杂诗》
长歌正气重来读，我比前贤路已宽。——现代·郁达夫《乱离杂诗》
我欲因之梦寥廓，芙蓉国里尽朝晖。——现代·毛泽东《七律·答友人》

望

乘彼垝垣，以望复关。——先秦《诗经·卫风·氓》
望瑶台之偃蹇兮，见有娀之佚女。——战国·屈原《离骚》
牵牛织女遥相望，尔独何辜限河梁。——三国魏·曹丕《燕歌行》
此时相望不相闻，愿逐月华流照君。——唐·张若虚《春江花月夜》
城阙辅三秦，风烟望五津。——唐·王勃《送杜少府之任蜀州》
蜀道之难，难于上青天，侧身西望长咨嗟。——唐·李白《蜀道难》
孤灯不明思欲绝，卷帷望月空长叹。——唐·李白《长相思》
戍客望边色，思归多苦颜。——唐·李白《关山月》
东望少城花满烟，百花高楼更可怜。——唐·杜甫《江畔独步寻花》
故园东望路漫漫，双袖龙钟泪不干。——唐·岑参《逢入京使》

今夜月明人尽望，不知秋思落谁家。——唐·王建《十五夜望月寄杜郎中》
回头下望人寰处，不见长安见尘雾。——唐·白居易《长恨歌》
西北望乡何处是？东南见月几回圆。——唐·白居易《八月十五日夜湓亭望月》
遥望洞庭山水翠，白银盘里一青螺。——唐·刘禹锡《望洞庭》
庄生晓梦迷蝴蝶，望帝春心托杜鹃。——唐·李商隐《锦瑟》
家家乞巧望秋月，穿尽红丝几万条。——唐·林杰《乞巧》
不畏浮云遮望眼，自缘身在最高层。——宋·王安石《登飞来峰》
会挽雕弓如满月，西北望，射天狼。——宋·苏轼《江城子·密州出猎》
卷地风来忽吹散，望湖楼下水如天。——宋·苏轼《六月二十七日望湖楼醉书》

万里来游还望远，三年多难更凭危。——宋·陈与义《登岳阳楼》

遗民泪尽胡尘里，南望王师又一年。——宋·陆游《秋夜将晓出篱门迎凉有感》

西北望长安，可怜无数山。——宋·辛弃疾《菩萨蛮·书江西造口壁》

四十三年，望中犹记，烽火扬州路。——宋·辛弃疾《永遇乐·京口北固亭怀古》

几回花下坐吹箫，银汉红墙入望遥。——清·黄景仁《绮怀》

望长城内外，惟余莽莽；大河上下，顿失滔滔。——现代·毛泽东《沁园春·雪》

晚

朝成绣夹裙，晚成单罗衫。——汉《乐府歌·孔雀东南飞》

思君令人老，岁月忽已晚。——汉·佚名《古诗十九首·行行重行行》

春晚绿野秀，岩高白云屯。——南朝·谢灵运《入彭蠡湖口》

空山新雨后，天气晚来秋。——唐·王维《山居秋暝》

中岁颇好道，晚家南山陲。——唐·王维《终南别业》

苍苍竹林寺，杳杳钟声晚。——唐·刘长卿《送灵澈上人》

佳人拾翠春相问，仙侣同舟晚更移。——唐·杜甫《秋兴》

春潮带雨晚来急，野渡无人舟自横。——唐·韦应物《滁州西涧》

白雪却嫌春色晚，故穿庭树作飞花。——唐·韩愈《春雪》

寂寞空庭春欲晚，梨花满地不开门。——唐·刘方平《春怨》

停车坐爱枫林晚，霜叶红于二月花。——唐·杜牧《山行》

向晚意不适，驱车登古原。——唐·李商隐《登乐游原》

天意怜幽草，人间重晚晴。——唐·李商隐《晚晴》

数声风笛离亭晚，君向潇湘我向秦。——唐·郑谷《淮上与友人别》

草铺横野六七里，笛弄晚风三四声。——唐·吕岩《牧童》

万壑有声含晚籁，数峰无语立斜阳。——宋·王禹偁《村行》

寒蝉凄切，对长亭晚，骤雨初歇。——宋·柳永《雨霖铃·寒蝉凄切》
为君持酒劝斜阳，且向花间留晚照。——宋·宋祁《玉楼春·春景》
登临送目，正故国晚秋，天气初肃。——宋·王安石《桂枝香·金陵怀古》
兴尽晚回舟，误入藕花深处。——宋·李清照《如梦令·常记溪亭日暮》

江晚正愁余，山深闻鹧鸪。——宋·辛弃疾《菩萨蛮·书江西造口壁》
半生落魄已成翁，独立书斋啸晚风。——明·徐渭《题葡萄图》
晚趁寒潮渡江去，满林黄叶雁声多。——清·王士祯《江上》
平生不惜春光力，几度开来斗晚风。——清·秋瑾《秋海棠》
热来寻扇子，冷去对佳人。一片飘飖下，欢迎有晚鹰。——现代·毛泽东《五律·看山》

文

头上金钗十二行，足下丝履五文章。——南朝·萧衍《莫愁歌》
奇文共欣赏，疑义相与析。——晋·陶渊明《移居》
鸿雁长飞光不度，鱼龙潜跃水成文。——唐·张若虚《春江花月夜》
文翁翻教授，不敢倚先贤。——唐·王维《送梓州李使君》
文章献纳麒麟殿，歌舞淹留玳瑁筵。——唐·李白《流夜郎赠辛判官》
天文列宿在，霸业大江流。——唐·李白《月夜金陵怀古》
别时提剑救边去，遗此虎文金鞞靫。——唐·李白《北风行》
文章憎命达，魑魅喜人过。——唐·杜甫《天末怀李白》
王侯第宅皆新主，文武衣冠异昔时。——唐·杜甫《秋兴》
庾信文章老更成，凌云健笔意纵横。——唐·杜甫《戏为》

江山故宅空文藻，云雨荒台岂梦思。——唐·杜甫《咏怀古迹》
手把文书口称敕，回车叱牛牵向北。——唐·白居易《卖炭翁》

江上朱楼新雨晴，瀼西春水縠文生。——唐·刘禹锡《竹枝词》

共来百越文身地，犹自音书滞一乡。——唐·柳宗元《登柳州城楼寄漳汀封连四州》

不见年年辽海上，文章何处哭秋风？——唐·李贺《南园》

文章已满行人耳，一度思卿一怆然。——唐·李忱《吊白居易》

细响鸣林叶，圆文破沼萍。——唐·温庭筠《秋雨》

凤尾香罗薄几重，碧文圆顶夜深缝。——唐·李商隐《无题》

数枝艳拂文君酒，半里红欹宋玉墙。——唐·罗隐《桃花》

杖履逍遥五柳旁，一辞独擅晋文章。——明·于谦《过菊江亭》

名不显时心不朽，再挑灯火看文章。——明·唐寅《夜读》

身阅兴亡浩劫空，两朝文献一衰翁。——清·赵翼《题遗山诗》

避席畏闻文字狱，著书都为稻粱谋。——清·龚自珍《咏史》

惜秦皇汉武，略输文采；唐宗宋祖，稍逊风骚。——现代·毛泽东《沁园春·雪》

物

感物伤我怀，抚心长太息。——三国魏·曹植《赠白马王彪》

泛此忘忧物，远我遗世情。——晋·陶渊明《饮酒》

边庭节物与华异，冬霰秋霜春不歇。——隋·卢思道《从军行》

独有宦游人，偏惊物候新。——唐·杜审言《和晋陵陆丞早春游望》

节物风光不相待，桑田碧海须臾改。——唐·卢照邻《长安古意》

外物寂无扰，中流澹自清。——唐·张九龄《西江夜行》

山光物态弄春晖，莫为轻阴便拟归。——唐·张旭《山中留客》

愿君多采撷，此物最相思。——唐·王维《相思》

不忍见此物，焚之已成灰。——唐·李白《北风行》

随风潜入夜，润物细无声。——唐·杜甫《春夜喜雨》

定定住天涯，依依向物华。——唐·李商隐《忆梅》
萋萋总是无情物，吹绿东风又一年。——唐·唐彦谦《春草》
家资是何物，积帙列梁梠。——唐·皮日休《读书》
眼前有物俱是梦，莫将身作黄金仇。——唐·李咸用《长歌行》
篱物早荣还早谢，涧松同德复同心。——唐·徐夤《菊花》
千家事胜游，景物可忘忧。——唐·李中《江南春·千家事胜游》
功成归物外，自在乐烟霞。——唐·吕岩《五言》
夜闻归雁生乡思，病入新年感物华。——宋·欧阳修《戏答元珍》
元知造物心肠别，老却英雄似等闲！——宋·陆游《鹧鸪天·家住苍烟落照间》
万物静观皆自得，四时佳兴与人同。——宋·程颢《秋日》

石头城上，望天低吴楚，眼空无物。——元·萨都剌《念奴娇·登石头城次东坡韵》
也知造物曾何意，底事人心苦未平。——明·王守仁《次韵陆佥宪元日春晴》
落红不是无情物，化作春泥更护花。——清·龚自珍《己亥杂诗》
俱往矣，数风流人物，还看今朝。——现代·毛泽东《沁园春·雪》

吾

路漫漫其修远兮，吾将上下而求索。——战国·屈原《离骚》
众鸟欣有托，吾亦爱吾庐。——晋·陶渊明《读山海经》
山涧清且浅，可以濯吾足。——晋·陶渊明《归园田居》
汉代金吾千骑来，翡翠屠苏鹦鹉杯。——唐·卢照邻《长安古意》
金吾不禁夜，玉漏莫相催。——唐·苏味道《正月十五夜》
持谢金吾子，烦君提玉壶。——唐·王维《杂诗》
愿得燕弓射大将，耻令越甲鸣吾军。——唐·王维《老将行》
不知有吾身，此乐最为甚。——唐·李白《月下独酌》

吾爱孟夫子，风流天下闻。——唐·李白《赠孟浩然》

吾观自古贤达人，功成不退皆殒身。——唐·李白《行路难》

吾欲揽六龙，回车挂扶桑。——唐·李白《短歌行》

摇落深知宋玉悲，风流儒雅亦吾师。——唐·杜甫《咏怀古迹》

何时眼前突兀见此屋，吾庐独破受冻死亦足。——唐·杜甫《茅屋为秋风所破歌》

逢迎少壮非吾道，况乃今朝更祓除。——唐·杜甫《清明》

黄河西岸是吾蜀，欲须供给家无粟。——唐·杜甫《黄河》

江上形容吾独老，天边风俗自相亲。——唐·杜甫《冬至》

知汝远来应有意，好收吾骨瘴江边。——唐·韩愈《左迁至蓝关示侄孙湘》

世界微尘里，吾宁爱与憎。——唐·李商隐《北青萝》

万里归船弄长笛，此心吾与白鸥盟。——宋·黄庭坚《登快阁》

何事吟余忽惆怅，村桥原树似吾乡。——宋·王禹偁《村行》

归来三径重扫，松竹本吾家。——宋·叶梦得《水调歌头·秋色渐将晚》

吾家洗砚池头树，朵朵花开淡墨痕。——元·王冕《墨梅》

霜雪不知年，真吾岁寒友。——明·憨山德清《咏竹》

豆剖瓜分，都为吾故土。——清·秋瑾《如此江山》

君行吾为发浩歌，鲲鹏击浪从兹始。——现代·毛泽东《七古·送纵宇一郎东行》

问

借问采薪者，此人皆焉如？——晋·陶渊明《归园田居》

近乡情更怯，不敢问来人。——唐·宋之问《渡汉江》

儿童相见不相识，笑问客从何处来？——唐·贺知章《回乡偶书》

洛阳亲友如相问，一片冰心在玉壶。——唐·王昌龄《芙蓉楼送辛渐》

下马饮君酒，问君何所之？——唐·王维《送别》

欲投人处宿，隔水问樵夫。——唐 · 王维《终南山》
世事浮云何足问，不如高卧且加餐。——唐 · 王维《酌酒与裴迪》
青天有月来几时？我今停杯一问之。——唐·李白《把酒问月·故人贾淳令予问之》
请君试问东流水，别意与之谁短长？——唐 · 李白《金陵酒肆留别》
问余何意栖碧山，笑而不答心自闲。——唐 · 李白《山中问答》

隐隐飞桥隔野烟，石矶西畔问渔船。——唐 · 张旭《桃花溪》
借问潼关吏，修关还备胡？——唐 · 杜甫《潼关吏》
稍待西风凉冷后，高寻白帝问真源。——唐 · 杜甫《望岳》
问姓惊初见，称名忆旧容。——唐 · 李益《喜见外弟又言别》
松下问童子，言师采药去。——唐 · 贾岛《寻隐者不遇》
路人借问遥招手，怕得鱼惊不应人。——唐 · 胡令能《小儿垂钓》
问君何所思，迢递艳阳时。——唐 · 温庭筠《春日》
百舌问花花不语，低回似恨横塘雨。——唐 · 温庭筠《惜春词》
君问归期未有期，巴山夜雨涨秋池。——唐 · 李商隐《夜雨寄北》
可怜夜半虚前席，不问苍生问鬼神。——唐 · 李商隐《贾生》

问君能有几多愁？恰似一江春水向东流。——五代 · 李煜《虞美人》
渐行渐远渐无书，水阔鱼沉何处问。——宋 · 欧阳修《玉楼春 · 别后不知君远近》
问渠哪得清如许？为有源头活水来。——宋 · 朱熹《观书有感》
昨夜松边醉倒，问松我醉何如？——宋 · 辛弃疾《西江月 · 遣兴》
却问主人何处去，且容老子个中来。——宋 · 刘辰翁《忆江南 · 已盛甚花几许》
问讯吴刚何所有？吴刚捧出桂花酒。——现代 · 毛泽东《蝶恋花 · 答李淑一》

万

阳春布德泽，万物生光辉。——汉《乐府歌 · 长歌行》

万里赴戎机，关山度若飞。——北朝·民歌《木兰诗》
关山万里不可越，谁能坐对芳菲月。——隋·卢思道《从军行》
滟滟随波千万里，何处春江无月明。——唐·张若虚《春江花月夜》
碧玉妆成一树高，万条垂下绿丝绦。——唐·贺知章《咏柳》
黄河远上白云间，一片孤城万仞山。——唐·王之涣《凉州词》
此地一为别，孤蓬万里征。——唐·李白《送友人》
仍怜故乡水，万里送行舟。——唐·李白《渡荆门送别》
烽火连三月，家书抵万金。——唐·杜甫《春望》
万里悲秋常作客，百年多病独登台。——唐·杜甫《登高》

忽如一夜春风来，千树万树梨花开。——唐·岑参《白雪歌送武判官归京》
瀚海阑干百丈冰，愁云惨淡万里凝。——唐·岑参《白雪歌送武判官归京》
洛阳城里见秋风，欲作家书意万重。——唐·张籍《秋思》
九重城阙烟尘生，千乘万骑西南行。——唐·白居易《长恨歌》
千山鸟飞绝，万径人踪灭。——唐·柳宗元《江雪》
沉舟侧畔千帆过，病树前头万木春。——唐·刘禹锡《酬乐天扬州初逢席上见赠》
千门万户曈曈日，总把新桃换旧符。——宋·王安石《元日》
九万里风鹏正举，风休住，蓬舟吹取三山去！——宋·李清照《渔家傲·天接云涛连晓雾》
死去元知万事空，但悲不见九州同。——宋·陆游《示儿》
等闲识得东风面，万紫千红总是春。——宋·朱熹《春日》

想当年，金戈铁马，气吞万里如虎。——宋·辛弃疾《永遇乐·京口北固亭怀古》
千锤万凿出深山，烈火焚烧若等闲。——明·于谦《石灰吟》
千磨万击还坚劲，任尔东西南北风。——清·郑燮《竹石》
看万山红遍，层林尽染；漫江碧透，百舸争流。——现代·毛泽东《沁园春·长沙》
指点江山，激扬文字，粪土当年万户侯。——现代·毛泽东《沁园春·长沙》

为

腾蛇乘雾，终为土灰。——三国魏·曹操《龟虽寿》

秋风萧瑟天气凉，草木摇落露为霜。——三国魏·曹丕《燕歌行》

煮豆持作羹，漉豉以为汁。——三国魏·曹植《七步诗》

阿爷无大儿，木兰无长兄，愿为市鞍马，从此替爷征。——北朝·佚名《乐府民歌·木兰诗》

无为在歧路，儿女共沾巾。——唐·王勃《送杜少府之任蜀州》

宁为百夫长，胜作一书生。——唐·杨炯《从军行》

独在异乡为异客，每逢佳节倍思亲。——唐·王维《九月九日忆山东兄弟》

与君歌一曲，请君为我倾耳听。——唐·李白《将进酒》

此地一为别，孤蓬万里征。——唐·李白《送友人》

所守或匪亲，化为狼与豺。——唐·李白《蜀道难》

总为浮云能蔽日，长安不见使人愁。——唐·李白《登金陵凤凰台》

南村群童欺我老无力，忍能对面为盗贼，公然抱茅入竹去。——唐·杜甫《茅屋为秋风所破歌》

听其相顾言，闻者为悲伤。——唐·白居易《观刈麦》

在天愿作比翼鸟，在地愿为连理枝。——唐·白居易《长恨歌》

蓬山此去无多路，青鸟殷勤为探看。——唐·李商隐《无题》

采得百花成蜜后，为谁辛苦为谁甜？——唐·罗隐《蜂》

衣带渐宽终不悔，为伊消得人憔悴。——宋·柳永《蝶恋花·伫倚危楼风细细》

为报倾城随太守，亲射虎，看孙郎。——宋·苏轼《江城子·密州出猎》

生当作人杰，死亦为鬼雄。——宋·李清照《夏日绝句》

僵卧孤村不自哀，尚思为国戍轮台。——宋·陆游《十一月四日风雨大作》

问渠哪得清如许？为有源头活水来。——宋·朱熹《观书有感》

一寸丹心图报国，两行清泪为思亲。——明·于谦《立春日感怀》
新竹高于旧竹枝，全凭老干为扶持。——清·郑燮《新竹》
为有牺牲多壮志，敢教日月换新天。——现代·毛泽东《七律·到韶山》

无

结庐在人境，而无车马喧。——晋·陶渊明《饮酒》
江天一色无纤尘，皎皎空中孤月轮。——唐·张若虚《春江花月夜》
同居长干里，两小无嫌猜。——唐·李白《长干行》
世无洗耳翁，谁知尧与跖！——唐·李白《古风》
床头屋漏无干处，雨脚如麻未断绝。——唐·杜甫《茅屋为秋风所破歌》
无边落木萧萧下，不尽长江滚滚来。——唐·杜甫《登高》
随风潜入夜，润物细无声。——唐·杜甫《春夜喜雨》
春城无处不飞花，寒食东风御柳斜。——唐·韩翃《寒食》
春潮带雨晚来急，野渡无人舟自横。——唐·韦应物《滁州西涧》
天街小雨润如酥，草色遥看近却无。——唐·韩愈《早春呈水部张十八员外》

湖光秋月两相和，潭面无风镜未磨。——唐·刘禹锡《望洞庭》
相见时难别亦难，东风无力百花残。——唐·李商隐《无题》
蓬山此去无多路，青鸟殷勤为探看。——唐·李商隐《无题》
锦瑟无端五十弦，一弦一柱思华年。——唐·李商隐《锦瑟》
塞下秋来风景异，衡阳雁去无留意。——宋·范仲淹《渔家傲·秋思》
浊酒一杯家万里，燕然未勒归无计。——宋·范仲淹《渔家傲·秋思》
谁道人生无再少？门前流水尚能西！——宋·苏轼《浣溪沙·游蕲水清泉寺》
转朱阁，低绮户，照无眠。——宋·苏轼《水调歌头·明月几时有》
驿外断桥边，寂寞开无主。——宋·陆游《卜算子·咏梅》
山重水复疑无路，柳暗花明又一村。——宋·陆游《游山西村》

从今若许闲乘月，拄杖无时夜叩门。——宋·陆游《游山西村》

王师北定中原日，家祭无忘告乃翁。——宋·陆游《示儿》

胜日寻芳泗水滨，无边光景一时新。——宋·朱熹《春日》

无限河山泪，谁言天地宽！——明·夏完淳《别云间》

江山如此多娇，引无数英雄竞折腰。——现代·毛泽东《沁园春·雪》

未

明月皎皎照我床，星汉西流夜未央。——三国魏·曹丕《燕歌行》

高楼当此夜，叹息未应闲。——唐·李白《关山月》

笛中闻折柳，春色未曾看。——唐·李白《塞下曲》

床头屋漏无干处，雨脚如麻未断绝。——唐·杜甫《茅屋为秋风所破歌》

有孙母未去，出入无完裙。——唐·杜甫《石壕吏》

岱宗夫如何？齐鲁青未了。——唐·杜甫《望岳》

寄书长不达，况乃未休兵。——唐·杜甫《月夜忆舍弟》

今夜不知何处宿，平沙万里绝人烟。——唐·岑参《碛中作》

新年都未有芳华，二月初惊见草芽。——唐·韩愈《春雪》

夕殿萤飞思悄然，孤灯挑尽未成眠。——唐·白居易《长恨歌》

湖光秋月两相和，潭面无风镜未磨。——唐·刘禹锡《望洞庭》

君问归期未有期，巴山夜雨涨秋池。——唐·李商隐《夜雨寄北》

浊酒一杯家万里，燕然未勒归无计。——宋·范仲淹《渔家傲·秋思》

未必素娥无怅恨，玉蟾清冷桂花孤。——宋·晏殊《中秋月》

黑云翻墨未遮山，白雨跳珠乱入船。——宋·苏轼《六月二十七日望湖楼醉书》

靖康耻，犹未雪。臣子恨，何时灭！——宋·岳飞《满江红·写怀》

篱落疏疏一径深，树头花落未成阴。——宋·杨万里《宿新市徐公店》

年少万兜鍪，坐断东南战未休。——宋·辛弃疾《南乡子·登京口北固亭有怀》

梅雪争春未肯降，骚人搁笔费评章。——宋 · 卢梅坡《雪梅》
花开不并百花丛，独立疏篱趣未穷。——宋 · 郑思肖《寒菊》

金鞍玉勒寻芳客，未信我庐别有春。——明 · 于谦《观书》
多少天涯未归客，尽借篱落看秋风。——明 · 唐寅《菊花》
春还草阁梅先动，月满虚庭雪未消。——明 · 王守仁《元夕》
运交华盖欲何求，未敢翻身已碰头。——现代 · 鲁迅《自嘲》
饮茶粤海未能忘，索句渝州叶正黄。——现代 · 毛泽东《七律 · 和柳亚子先生》
踏遍青山人未老，风景这边独好。——现代 · 毛泽东《清平乐 · 会昌》

X

心

愿得一心人，白头不相离。——汉·卓文君《白头吟》

周公吐哺，天下归心。——三国魏·曹操《短歌行》

烈士暮年，壮心不已。——三国魏·曹操《龟虽寿》

问君何能尔？心远地自偏。——晋·陶渊明《饮酒》

帝里重清明，人心自愁思。——唐·孟浩然《清明即事》

我寄愁心与明月，随风直到夜郎西。——唐·李白《闻王昌龄左迁龙标遥有此寄》

忧来其如何？凄怆摧心肝。——唐·李白《古朗月行》

旅馆寒灯独不眠，客心何事转凄然。——唐·高适《除夜作》

感时花溅泪，恨别鸟惊心。——唐·杜甫《春望》

谁言寸草心，报得三春晖。——唐·孟郊《游子吟》

遂令天下父母心，不重生男重生女。——唐·白居易《长恨歌》

可怜身上衣正单，心忧炭贱愿天寒。——唐·白居易《卖炭翁》

庄生晓梦迷蝴蝶，望帝春心托杜鹃。——唐·李商隐《锦瑟》

嫦娥应悔偷灵药，碧海青天夜夜心。——唐·李商隐《嫦娥》

剪不断，理还乱，是离愁。别是一般滋味在心头。——五代·李煜《相见欢》

一去心知更不归，可怜着尽汉宫衣。——宋·王安石《明妃曲二首（其一）》

只愿君心似我心，定不负相思意。——宋·李之仪《卜算子·我住长江头》

此情无计可消除，才下眉头，却上心头。——宋·李清照《一剪梅·红藕香残玉簟秋》

雁过也，正伤心，却是旧时相识。——宋·李清照《声声慢·寻寻觅觅》

欲笺心事，独语斜阑。——宋·唐婉《钗头凤·世情薄》

人生自古谁无死，留取丹心照汗青。——宋·文天祥《过零丁洋》

也知造物曾何意，底事人心苦未平。——明·王守仁《次韵陆佥宪元日春晴》

心事浩茫连广宇，于无声处听惊雷。——现代·鲁迅《无题》

行

行行重行行，与君生别离。——汉·佚名《古诗十九首·行行重行行》

日月之行，若出其中；星汉灿烂，若出其里。——三国魏·曹操《观沧海》

柳条折尽花飞尽，借问行人归不归？——隋·佚名《送别诗》

行到水穷处，坐看云起时。——唐·王维《终南别业》

李白乘舟将欲行，忽闻岸上踏歌声。——唐·李白《赠汪伦》

仍怜故乡水，万里送行舟。——唐·李白《渡荆门送别》

道旁过者问行人，行人但云点行频。——唐·杜甫《兵车行》

行旅相攀援，川广不可越。——唐·杜甫《自京赴奉先县咏怀五百字》

山回路转不见君，雪上空留马行处。——唐·岑参《白雪歌送武判官归京》

复恐匆匆说不尽，行人临发又开封。——唐·张籍《秋思》

临行密密缝，意恐迟迟归。——唐·孟郊《游子吟》

九重城阙烟尘生，千乘万骑西南行。——唐·白居易《长恨歌》

最爱湖东行不足，绿杨阴里白沙堤。——唐·白居易《钱塘湖春行》

清明时节雨纷纷，路上行人欲断魂。——唐·杜牧《清明》

离恨恰如春草，更行更远还生。——五代·李煜《清平乐·别来春半》

墙里秋千墙外道，墙外行人，墙里佳人笑。——宋·苏轼《蝶恋花·春景》

莫听穿林打叶声，何妨吟啸且徐行。——宋·苏轼《定风波·三月七日》

梅子黄时日日晴，小溪泛尽却山行。——宋·曾几《三衢道中》

纸上得来终觉浅，绝知此事要躬行。——宋·陆游《冬夜读书示子聿》

郁孤台下清江水，中间多少行人泪。——宋·辛弃疾《菩萨蛮·书江西造口壁》

一年三百六十日，多是横戈马上行。——明·戚继光《马上作》

一寸丹心图报国，两行清泪为思亲。——明·于谦《立春日感怀》

绝顶江湖放眼明，飘然如欲御风行。——清·吴伟业《登缥缈峰》

不到长城非好汉，屈指行程二万。——现代·毛泽东《清平乐·六盘山》

西

百川东到海，何时复西归？——汉·佚名《乐府歌·长歌行》

白马饰金羁，连翩西北驰。——三国魏·曹植《白马篇》

劝君更尽一杯酒，西出阳关无故人。——唐·王维《送元二使安西》

故人西辞黄鹤楼，烟花三月下扬州。——唐·李白《黄鹤楼送孟浩然之广陵》

我寄愁心与明月，随风直到夜郎西。——唐·李白《闻王昌龄左迁龙标遥有此寄》

窗含西岭千秋雪，门泊东吴万里船。——唐·杜甫《绝句》

且如今年冬，未休关西卒。——唐·杜甫《兵车行》

西日横山含碧空，东方吐月满禅宫。——唐·钱起《夜宿灵台寺寄郎士元》

扣门无犬吠，欲去问西家。——唐·皎然《寻陆鸿渐不遇》

孤山寺北贾亭西，水面初平云脚低。——唐·白居易《钱塘湖春行》

东边日出西边雨，道是无晴却有晴。——唐·刘禹锡《竹枝词》

日暮酒醒人已远，满天风雨下西楼。——唐·许浑《谢亭送别》

何当共剪西窗烛，却话巴山夜雨时。——唐·李商隐《夜雨寄北》

西塞山前白鹭飞，桃花流水鳜鱼肥。——唐·张志和《渔歌子》

一曲新词酒一杯，去年天气旧亭台。夕阳西下几时回？——宋·晏殊《浣溪沙》

欲把西湖比西子，淡妆浓抹总相宜。——宋·苏轼《饮湖上初晴后雨》

云中谁寄锦书来，雁字回时，月满西楼。——宋·李清照《一剪梅·红藕香残玉簟秋》

山外青山楼外楼，西湖歌舞几时休？——宋·林升《题临安邸》

山茶花下醉初醒，却过西村看夕阳。——宋·陆游《过杜浦桥》

西北望长安，可怜无数山。——宋·辛弃疾《菩萨蛮·书江西造口壁》

枯藤老树昏鸦，小桥流水人家，古道西风瘦马。——元·马致远《天净沙·秋思》

千磨万击还坚劲，任尔东西南北风。——清·郑燮《竹石》

西山红叶好，霜重色愈浓。——现代·陈毅《题西山红叶》

西风烈，长空雁叫霜晨月。——现代·毛泽东《忆秦娥·娄山关》

雪

今我来思，雨雪载途。——先秦《诗经·小雅·出车》

皑如山上雪，皎若云间月。——汉·卓文君《白头吟》

昔去雪如花，今来花似雪。——南朝·范云《别诗》

终南阴岭秀，积雪浮云端。——唐·祖咏《终南望余雪》

草枯鹰眼疾，雪尽马蹄轻。——唐·王维《观猎》

欲渡黄河冰塞川，将登太行雪满山。——唐·李白《行路难》

千里黄云白日曛，北风吹雁雪纷纷。——唐·高适《别董大》

不知近水花先发，疑是经冬雪未销。——唐·张谓《早梅》

柴门闻犬吠，风雪夜归人。——唐·刘长卿《逢雪宿芙蓉山主人》

窗含西岭千秋雪，门泊东吴万里船。——唐·杜甫《绝句》

北风卷地白草折，胡天八月即飞雪。——唐·岑参《白雪歌送武判官归京》

欲将轻骑逐，大雪满弓刀。——唐·卢纶《塞下曲》

云横秦岭家何在？雪拥蓝关马不前。——唐·韩愈《左迁至蓝关示侄孙湘》

白雪却嫌春色晚，故穿庭树作飞花。——唐·韩愈《春雪》

孤舟蓑笠翁，独钓寒江雪。——唐·柳宗元《江雪》

春雪满空来，触处似花开。——唐·赵嘏《喜张沨及第》

雪消门外千山绿，花发江边二月晴。——宋·欧阳修《春日西湖寄谢法曹歌》

梅须逊雪三分白，雪却输梅一段香。——宋·卢梅坡《雪梅》

尔来从军天汉滨，南山晓雪玉嶙峋。——宋·陆游《金错刀行》

烟霏霏。雪霏霏。雪向梅花枝上堆。——宋·吴淑姬《长相思令·烟霏霏》

城里夕阳城外雪，相将十里异阴晴。——明·王守仁《次韵陆佥宪元日春晴》

遥知独听灯前雨，转忆同看雪后山。——清·纳兰性德《于中好·送梁汾南还为题小影》

晨起开门雪满山，雪晴云淡日光寒。——清·郑燮《山中雪后》

北国风光，千里冰封，万里雪飘。——现代·毛泽东《沁园春·雪》

香

馨香盈怀袖，路远莫致之。——汉·佚名《古诗十九首·庭中有奇树》

南窗北牖挂明光，罗帷绮箔脂粉香。——南朝·萧衍《东飞伯劳歌》

文杏裁为梁，香茅结为宇。——唐·王维《文杏馆》

日照香炉生紫烟，遥看瀑布挂前川。——唐·李白《望庐山瀑布》

朝罢香烟携满袖，诗成珠玉在挥毫。——唐·杜甫《奉和贾至舍人早朝大明宫》

剑佩声随玉墀步，衣冠身惹御炉香。——唐·贾至《早朝大明宫呈两省僚友》

朔吹飘夜香，繁霜滋晓白。——唐·柳宗元《早梅》

水晶帘动微风起，满架蔷薇一院香。——唐·高骈《山亭夏日》

冲天香阵透长安，满城尽带黄金甲。——唐·黄巢《不第后赋菊》

风递幽香出，禽窥素艳来。——唐·齐己《早梅》

疏影横斜水清浅，暗香浮动月黄昏。——宋·林逋《山园小梅》

油壁香车不再逢，峡云无迹任西东。——宋·晏殊《无题·油壁香车不再逢》

金炉香烬漏声残，剪剪轻风阵阵寒。——宋·王安石《春夜》

遥知不是雪，为有暗香来。——宋·王安石《梅花》

淡月疏星绕建章，仙风吹下御炉香。——宋·苏轼《上元侍宴》

春宵一刻值千金，花有清香月有阴。——宋·苏轼《春宵》

四顾山光接水光，凭栏十里芰荷香。——宋·黄庭坚《鄂州南楼书事》

沈香断续玉炉寒，伴我情怀如水。——宋·李清照《孤雁儿·藤床纸帐朝眠起》

东篱把酒黄昏后，有暗香盈袖。——宋·李清照《醉花阴·薄雾浓云愁永昼》

花早春何力，香寒晓尽吹。—— 宋·杨万里《梅花》

南枝才放两三花，雪里吟香弄粉些。——宋·白玉蟾《早春》

稻花香里说丰年，听取蛙声一片。——宋·辛弃疾《西江月·夜行黄沙道中》

云阶月地依然在，细逐空香百遍行。——清·黄景仁《感旧》

人生易老天难老，岁岁重阳。今又重阳，战地黄花分外香。——现代·毛泽东《采桑子·重阳》

闲

户庭无尘杂，虚室有余闲。——晋·陶渊明《归园田居》

昨夜闲潭梦落花，可怜春半不还家。——唐·张若虚《春江花月夜》

我心素已闲，清川澹如此。——唐·王维《青溪》

人闲桂花落，夜静春山空。——唐·王维《鸟鸣涧》

农月无闲人，倾家事南亩。——唐·王维《新晴野望》

闲来垂钓碧溪上，忽复乘舟梦日边。——唐·李白《行路难》

众鸟高飞尽，孤云独去闲。——唐·李白《独坐敬亭山》

妇姑相唤浴蚕去，闲看中庭栀子花。——唐·王建《雨过山村》

闲听竹枝曲，浅酌茱萸杯。——唐·白居易《九日登巴台》

因过竹院逢僧话，偷得浮生半日闲。——唐·李涉《题鹤林寺僧舍》

白头宫女在，闲坐说玄宗。——唐·元稹《故行宫》

读书心绪少，闲卧日长时。——唐·元稹《晴日》

日晚无来客，闲船系绿阴。——唐·皮日休《芳草渡》

忽遇狂风起，闲心不自由。——唐·皮日休《史处士》

闲吟秋景外，万事觉悠悠。——唐·司空图《中秋》

有约不来过夜半，闲敲棋子落灯花。——唐·赵师秀《约客》

身外闲愁空满，眼中欢事常稀。——宋·晏几道《临江仙·身外闲愁空满》

且趁闲身未老，尽放我、些子疏狂。——宋·苏轼《满庭芳·蜗角虚名》

试问闲愁都几许？一川烟草，满城风絮，梅子黄时雨。——宋·贺铸《青玉案》

花自飘零水自流，一种相思，两处闲愁。——宋·李清照《一剪梅·红藕香残玉簟秋》

桃花落，闲池阁。——宋·陆游《钗头凤·红酥手》

一笑不妨闲过日，叹衰忧死却成痴。——宋·陆游《戏遣老怀》

千锤万凿出深山，烈火焚烧若等闲。——明·于谦《石灰吟》

红军不怕远征难，万水千山只等闲。——现代·毛泽东《七律·长征》

乡

凤兮凤兮归故乡，遨游四海求其凰。——汉·司马相如《凤求凰》

道逢乡里人，家中有阿谁？——汉《古诗·十五从军征》

少小去乡邑，扬声沙漠垂。——三国魏·曹植《白马篇》

春色边城动，客思故乡来。——南朝·何逊《边城思》

近乡情更怯，不敢问来人。——唐·宋之问《渡汉江》

少小离家老大回，乡音无改鬓毛衰。——唐·贺知章《回乡偶书》

离别家乡岁月多，近来人事半消磨。——唐·贺知章《回乡偶书》

独在异乡为异客，每逢佳节倍思亲。——唐·王维《九月九日忆山东兄弟》

君自故乡来，应知故乡事。——唐·王维《杂诗》

举头望明月，低头思故乡。——唐·李白《静夜思》

但使主人能醉客，不知何处是他乡。——唐·李白《客中作》
仍怜故乡水，万里送行舟。——唐·李白《渡荆门送别》
故乡今夜思千里，霜鬓明朝又一年。——唐·高适《除夜作》
白日放歌须纵酒，青春作伴好还乡。——唐·杜甫《闻官军收河南河北》
露从今夜白，月是故乡明。——唐·杜甫《月夜忆舍弟》
二月江南花满枝，他乡寒食远堪悲。——唐·孟云卿《寒食》
怀旧空吟闻笛赋，到乡翻似烂柯人。——唐·刘禹锡《酬乐天扬州初逢席上见赠》
落叶他乡树，寒灯独夜人。——唐·马戴《灞上秋居》
故乡归去千里，佳处辄迟留。——宋·苏轼《水调歌头·安石在东海》
乡村四月闲人少，才了蚕桑又插田。——宋·翁卷《乡村四月》

念楚乡旅宿，柔情别绪，谁与温存。——宋·黄孝迈《湘春夜月·近清明》
今夕为何夕，他乡说故乡。——明·袁凯《客中除夕》
莫道春来便归去，江南虽好是他乡。——明·王恭《春雁》
三年此夕月无光，明月多应在故乡。——清·丘逢甲《元夕无月》
孩儿立志出乡关，学不成名誓不还。——现代·毛泽东《七绝·呈父亲》

须

行者见罗敷，下担捋髭须。——汉《乐府歌·陌上桑》
利剑不在掌，结友何须多。——三国魏·曹植《野田黄雀行》
羌笛何须怨杨柳，春风不度玉门关。——唐·王之涣《凉州词》
人依远戍须看火，马踏深山不见踪。——唐·王昌龄《从军行》
人生得意须尽欢，莫使金樽空对月。——唐·李白《将进酒》
白日放歌须纵酒，青春作伴好还乡。——唐·杜甫《闻官军收河南河北》

报答春光知有处，应须美酒送生涯。——唐·杜甫《江畔独步寻花》
青箬笠，绿蓑衣，斜风细雨不须归。——唐·张志和《渔歌子》
青春须早为，岂能长少年。——唐·孟郊《劝学》
有歌有舞须早为，昨日健于今日时。——唐·王建《短歌行》

试玉要烧三日满，辨材须待七年期。——唐·白居易《放言》
花开堪折直须折，莫待无花空折枝。——唐·杜秋娘《金缕衣》
尘世难逢开口笑，菊花须插满头归。——唐·杜牧《九日齐山登高》
未老莫还乡，还乡须断肠。——唐·韦庄《菩萨蛮·人人尽说江南好》
幸有微吟可相狎，不须檀板共金樽。——宋·林逋《山园小梅》
直须看尽洛城花，始共春风容易别。——宋·欧阳修《玉楼春·尊前拟把归期说》
一年好景君须记，正是橙黄橘绿时。——宋·苏轼《赠刘景文》
何须浅碧深红色，自是花中第一流。——宋·李清照《鹧鸪天·桂花》
位卑未敢忘忧国，事定犹须待阖棺。——宋·陆游《病起书怀》
瘦影自临春水照，卿须怜我我怜卿。——明·冯小青《怨》

风泛须眉并骨寒，人在水晶宫里。——明·文征明《念奴娇·中秋对月》
不须横管吹江郭，最惜空枝冷夕曛。——清·律然《落梅》
只解沙场为国死，何须马革裹尸还。——清·徐锡麟《出塞》
须晴日，看红装素裹，分外妖娆。——现代·毛泽东《沁园春·雪》

仙

服食求神仙，多为药所误。——汉·佚名《古诗十九首·驱车上东门》
得成比目何辞死，愿作鸳鸯不羡仙。——唐·卢照邻《长安古意》
光禄池台文锦绣，将军楼阁画神仙。——唐·刘希夷《代悲白头翁》
泛舟江上别，谁不仰神仙。——唐·孟浩然《送张参明经举兼向泾州觐省》

春来遍是桃花水，不辨仙源何处寻。——唐·王维《桃源行》

遥见仙人彩云里，手把芙蓉朝玉京。——唐·李白《庐山谣寄卢侍御虚舟》

五岳寻仙不辞远，一生好入名山游。——唐·李白《庐山谣寄卢侍御虚舟》

中堂舞神仙，烟雾散玉质。——唐·杜甫《自京赴奉先县咏怀五百字》

佳人拾翠春相问，仙侣同舟晚更移。——唐·杜甫《秋兴》

安得仙人九节杖，拄到玉女洗头盆。——唐·杜甫《望岳》

神仙虽然有传说，知者尽知其妄矣。——唐·韩愈《谁氏子》

风吹仙袂飘飖举，犹似霓裳羽衣舞。——唐·白居易《长恨歌》

今夜闻君琵琶语，如听仙乐耳暂明。——唐·白居易《琵琶行》

风暖仙源里，春和水国中。——唐·齐己《桃花》

神仙不肯分明说，迷了千千万万人。——唐·吕岩《绝句》

玉骨那愁瘴雾，冰姿自有仙风。——宋·苏轼《西江月·梅花》

谪仙何处，无人伴我白螺杯。——宋·黄庭坚《水调歌头·游览》

双星良夜，耕慵织懒，应被群仙相妒。——宋·范成大《鹊桥仙·七夕》

回首三山何处，闻道群仙笑我，要我欲俱还。——宋·张孝祥《水调歌头·金山观月》

神仙体态，薄幸如何消得。——元·施耐庵《念奴娇·天南地北》

李白如今已仙去，月在青天几圆缺？——明·唐寅《把酒对月歌》

看到六鳌仙有泪，神山沦没已三年！——清·丘逢甲《元夕无月》

仙佛茫茫两未成，只知独夜不平鸣。——清·黄景仁《杂感》

天生一个仙人洞，无限风光在险峰。——现代·毛泽东《七绝·庐山仙人洞》

笑

总角之宴，言笑晏晏。信誓旦旦，不思其反。——先秦《诗经·卫风·氓》

愿得常巧笑，携手同车归。——汉·古诗十九首《凛凛岁云暮》
依倚将军势，调笑酒家胡。——汉·辛延年《羽林郎》
别有千金笑，来映九枝前。——唐·卢照邻《十五夜观灯》
儿童相见不相识，笑问客从何处来。——唐·贺知章《回乡偶书》
偶然值林叟，谈笑无还期。——唐·王维《终南别业》
醉卧沙场君莫笑，古来征战几人回？——唐·王翰《凉州词》
仰天大笑出门去，我辈岂是蓬蒿人。——唐·李白《南陵别儿童入京》
呼童烹鸡酌白酒，儿女嬉笑牵人衣。——唐·李白《南陵别儿童入京》
欲填沟壑唯疏放，自笑狂夫老更狂。——唐·杜甫《狂夫》

今年欢笑复明年，秋月春风等闲度。——唐·白居易《琵琶行》
回眸一笑百媚生，六宫粉黛无颜色。——唐·白居易《长恨歌》
逢郎欲语低头笑，碧玉搔头落水中。——唐·白居易《采莲曲》
人面不知何处去，桃花依旧笑春风。——唐·崔护《题都城南庄》
昆山玉碎凤凰叫，芙蓉泣露香兰笑。——唐·李贺《李凭箜篌引》
尘世难逢开口笑，菊花须插满头归。——唐·杜牧《九日齐山登高》
一骑红尘妃子笑，无人知是荔枝来。——唐·杜牧《过华清宫》
羽扇纶巾，谈笑间，樯橹灰飞烟灭。——宋·苏轼《念奴娇·赤壁怀古》
墙里秋千墙外道。墙外行人，墙里佳人笑。——宋·苏轼《蝶恋花·春景》
壮志饥餐胡虏肉，笑谈渴饮匈奴血。——宋·岳飞《满江红·写怀》

莫笑农家腊酒浑，丰年留客足鸡豚。——宋·陆游《游山西村》
古今多少事，都付笑谈中。——明·杨慎《临江仙·滚滚长江东逝水》
南北驱驰报主情，江花边月笑平生。——明·戚继光《马上作》
我自横刀向天笑，去留肝胆两昆仑。——清·谭嗣同《狱中题壁》
待到山花烂漫时，她在丛中笑。——现代·毛泽东《卜算子·咏梅》

溪

溪谷少人民，雪落何霏霏！——三国魏·曹操《苦寒行》

溪长石磊磊，涧阔草濛濛。——唐·寒山《登陟寒山道》

荆溪白石出，天寒红叶稀。——唐·王维《山中》

杨花落尽子规啼，闻道龙标过五溪。——唐·李白《闻王昌龄左迁龙标遥有此寄》

夜发清溪向三峡，思君不见下渝州。——唐·李白《峨眉山月歌》

闲来垂钓碧溪上，忽复乘舟梦日边。——唐·李白《行路难》

桃花尽日随流水，洞在清溪何处边？——唐·张旭《桃花溪》

青溪先有蛟龙窟，竹石如山不敢安。——唐·杜甫《绝句》

兰溪三日桃花雨，半夜鲤鱼来上滩。——唐·戴叔伦《兰溪棹歌》

雨里鸡鸣一两家，竹溪村路板桥斜。——唐·王建《雨过山村》

溪水无情似有情，入山三日得同行。——唐·温庭筠《过分水岭》

多谢浣溪人不折，雨中留得盖鸳鸯。——唐·郑谷《莲叶》

霜落熊升树，林空鹿饮溪。——宋·梅尧臣《鲁山山行》

瑶草一何碧，春入武陵溪。——宋·黄庭坚《水调歌头·游览》

溪上桃花无数，花上有黄鹂。——宋·黄庭坚《水调歌头·游览》

阴阴溪曲绿交加，小雨翻萍上浅沙。——宋·晁冲之《春日》

常记溪亭日暮，沉醉不知归路。——宋·李清照《如梦令·常记溪亭日暮》

梅子黄时日日晴，小溪泛尽却山行。——宋·曾几《三衢道中》

晴明风日雨干时，草满花堤水满溪。——宋·杨万里《桑茶坑道中》

溪边照影行，天在清溪底。天上有行云，人在行云里。——宋·辛弃疾《生查子·游雨岩》

常时相对两三峰，走遍溪头无觅处。——宋·辛弃疾《玉楼春·戏赋云山》

大儿锄豆溪东，中儿正织鸡笼；最喜小儿亡赖，溪头卧剥莲蓬。——宋·辛弃疾

《清平乐·村居》
溪上有鸳鸯，艇子频惊起。——宋·吴潜《卜算子·苕霅水能清》
从来不食溪边草，自古难耕陇上田。——明·唐寅《唐伯虎与祝枝山联句咏奇石》
清溪却向青滩泄，鸡声歇，马嘶人语长亭白。——现代·毛泽东《归自谣》

寻

纵棹怜回曲，寻山静见闻。——隋·江总《庚寅年二月十二日游虎丘山精舍》
拨云寻古道，倚石听流泉。——唐·李白《寻雍尊师隐居》
五岳寻仙不辞远，一生好入名山游。——唐·李白《庐山谣寄卢侍御虚舟》
丞相祠堂何处寻，锦官城外柏森森。——唐·杜甫《蜀相》
岐王宅里寻常见，崔九堂前几度闻。——唐·杜甫《江南逢李龟年》
酒债寻常行处有，人生七十古来稀。——唐·杜甫《曲江》
平明寻白羽，没在石棱中。——唐·卢纶《和张仆射塞下曲》
山寺月中寻桂子，郡亭枕上看潮头。——唐·白居易《忆江南·江南忆》
弄石临溪坐，寻花绕寺行。——唐·白居易《遗爱寺》
千寻铁锁沉江底，一片降幡出石头。——唐·刘禹锡《西塞山怀古》

寻常百种花齐发，偏摘梨花与白人。——唐·元稹《离思》
东君欲待寻佳约，剩寄衣香与粉绵。——唐·王初《梅花》
飞来峰上千寻塔，闻说鸡鸣见日升。——宋·王安石《登飞来峰》
跻攀寸步千险，一落百寻轻。——宋·苏轼《水调歌头·昵昵儿女语》
经年尘土满征衣，特特寻芳上翠微。—— 宋·岳飞《池州翠微亭》
儿童急走追黄蝶，飞入菜花无处寻。——宋·杨万里《宿新市徐公店》
怕人寻问，咽泪装欢。——宋·唐婉《钗头凤·世情薄》
胜日寻芳泗水滨，无边光景一时新。——宋·朱熹《春日》
啼到春归无寻处，苦恨芳菲都歇。——宋·辛弃疾《贺新郎·别茂嘉十二弟》

梨花风起正清明，游子寻春半出城。——宋·吴惟信《苏堤清明即事》

寻常一样窗前月，才有梅花便不同。——宋·杜耒《寒夜》

月浅灯深，梦里云归何处寻。——清·纳兰性德《采桑子·明月多情应笑我》

欲向海天寻月去，五更飞梦渡鲲洋。——清·丘逢甲《元夕无月》

梁王堕马寻常事，何用哀伤付一生。——现代·毛泽东《七绝·贾谊》

下

萁在釜下燃，豆在釜中泣。——三国魏·曹植《七步诗》

周公吐哺，天下归心。——三国魏·曹操《短歌行》

种豆南山下，草盛豆苗稀。——晋·陶渊明《归园田居》

碧玉妆成一树高，万条垂下绿丝绦。——唐·贺知章《咏柳》

竹喧归浣女，莲动下渔舟。——唐·王维《山居秋暝》

月下飞天镜，云生结海楼。——唐·李白《渡荆门送别》

故人西辞黄鹤楼，烟花三月下扬州。——唐·李白《黄鹤楼送孟浩然之广陵》

飞流直下三千尺，疑是银河落九天。——唐·李白《望庐山瀑布》

茅飞渡江洒江郊，高者挂罥长林梢，下者飘转沉塘坳。——唐·杜甫《茅屋为秋风所破歌》

即从巴峡穿巫峡，便下襄阳向洛阳。——唐·杜甫《闻官军收河南河北》

室中更无人，惟有乳下孙。——唐·杜甫《石壕吏》

无边落木萧萧下，不尽长江滚滚来。——唐·杜甫《登高》

纷纷暮雪下辕门，风掣红旗冻不翻。——唐·岑参《白雪歌送武判官归京》

上穷碧落下黄泉，两处茫茫皆不见。——唐·白居易《长恨歌》

鸟宿池边树，僧敲月下门。——唐·贾岛《题李凝幽居》

塞下秋来风景异，衡阳雁去无留意。——宋·范仲淹《渔家傲·秋思》

一曲新词酒一杯，去年天气旧亭台。夕阳西下几时回？——宋·晏殊《浣溪沙·一曲新词酒一杯》

山下兰芽短浸溪，松间沙路净无泥。——宋·苏轼《浣溪沙·游蕲水清泉寺》

此情无计可消除，才下眉头，却上心头。——宋·李清照《一剪梅·红藕香残玉簟秋》

天下英雄谁敌手？曹刘。生子当如孙仲谋。——宋·辛弃疾《南乡子·登京口北固亭有怀》

可堪回首，佛狸祠下，一片神鸦社鼓。——宋·辛弃疾《永遇乐·京口北固亭怀古》

八百里分麾下炙，五十弦翻塞外声，沙场秋点兵。——宋·辛弃疾《破阵子·为陈同甫赋壮词以寄之》

三声四声天下白，褪尽残星与晓月。——明·朱元璋《无题》

五丈收上尚是水，十丈以下全以烟。——清·袁枚《大龙湫之瀑》

望长城内外，惟余莽莽；大河上下，顿失滔滔。——现代·毛泽东《沁园春·雪》

新

春秋多佳日，登高赋新诗。——晋·陶渊明《移居》

移舟泊烟渚，日暮客愁新。——唐·孟浩然《宿建德江》

骝马新跨白玉鞍，战罢沙场月色寒。——唐·王昌龄《出塞》

琵琶起舞换新声，总是关山旧别情。——唐·王昌龄《从军行》

渭城朝雨浥轻尘，客舍青青柳色新。——唐·王维《渭城曲》

空山新雨后，天气晚来秋。——唐·王维《山居秋暝》

忽过新丰市，还归细柳营。——唐·王维《观猎》

白酒新熟山中归，黄鸡啄黍秋正肥。——唐·李白《南陵别儿童入京》

借问汉宫谁得似？可怜飞燕倚新妆。——唐·李白《清平调词》

朝来新火起新烟，湖色春光净客船。——唐·杜甫《清明》

新松恨不高千尺，恶竹应须斩万竿。——唐·杜甫《将赴成都草堂途中有作先寄严郑公五首（其四）》

新鬼烦冤旧鬼哭，天阴雨湿声啾啾！——唐·杜甫《兵车行》

今夜偏知春气暖，虫声新透绿窗纱。——唐·刘方平《月夜》

乱点碎红山杏发，平铺新绿水蘋生。——唐·白居易《南湖早春》

几处早莺争暖树，谁家新燕啄春泥。——唐·白居易《钱塘湖春行》

新年都未有芳华，二月初惊见草芽。——唐·韩愈《春雪》

绿蚁新醅酒，红泥小火炉。——唐·白居易《问刘十九》

玉颗珊珊下月轮，殿前拾得露华新。——唐·皮日休《天竺寺八月十五日夜桂子》

诗家清景在新春，绿柳才黄半未匀。——唐·杨巨源《城东早春》

凭阑半日独无言，依旧竹声新月似当年。——五代·李煜《虞美人·风回小院庭芜绿》

一曲新词酒一杯，去年天气旧亭台。——宋·晏殊《浣溪沙·一曲新词酒一杯》

飞云冉冉蘅皋暮。彩笔新题断肠句。——宋·贺铸《青玉案·凌波不过横塘路》

胜日寻芳泗水滨，无边光景一时新。——宋·朱熹《春日》

千门万户曈曈日，总把新桃换旧符。——宋·王安石《元日》

黄泥墙北打门频，白发来辞喜气新。——清·洪亮吉《伊犁记事诗》

千里来寻故地，旧貌变新颜。——现代·毛泽东《水调歌头·重上井冈山》

相

本是同根生，相煎何太急。——三国魏·曹植《七步诗》

日入相与归，壶浆劳近邻。——晋·陶渊明《癸卯岁始春怀古田舍》

谁家今夜扁舟子？何处相思明月楼？——唐·张若虚《春江花月夜》

儿童相见不相识，笑问客从何处来。——唐·贺知章《回乡偶书》

洛阳亲友如相问，一片冰心在玉壶。——唐·王昌龄《芙蓉楼送辛渐》

相逢意气为君饮，系马高楼垂柳边。——唐·王维《少年行》

深林人不知，明月来相照。——唐·王维《竹里馆》

相看两不厌，只有敬亭山。——唐·李白《独坐敬亭山》

相思相见知何日？此时此夜难为情！——唐·李白《三五七言》

两岸青山相对出，孤帆一片日边来。——唐·李白《望天门山》

花间一壶酒，独酌无相亲。——唐·李白《月下独酌》

耶娘妻子走相送，尘埃不见咸阳桥。——唐·杜甫《兵车行》

人生不相见，动如参与商。——唐·杜甫《赠卫八处士》

肯与邻翁相对饮，隔篱呼取尽余杯。——唐·杜甫《客至》

丞相祠堂何处寻，锦官城外柏森森。——唐·杜甫《蜀相》

马上相逢无纸笔，凭君传语报平安。——唐·岑参《逢入京使》

吴酒一杯春竹叶，吴娃双舞醉芙蓉。早晚复相逢！——唐·白居易《忆江南》

同是天涯沦落人，相逢何必曾相识。—— 唐·白居易《琵琶行》

回看天际下中流，岩上无心云相逐。——唐·柳宗元《渔翁》

湖光秋月两相和，潭面无风镜未磨。——唐·刘禹锡《望洞庭》

相见时难别亦难，东风无力百花残。——唐·李商隐《无题》

欲把西湖比西子，淡妆浓抹总相宜。——宋·苏轼《饮湖上初晴后雨》

雁过也，正伤心，却是旧时相识。——宋·李清照《声声慢》

一壶浊酒喜相逢。古今多少事，都付笑谈中。——明·杨慎《临江仙》

山下旌旗在望， 山头鼓角相闻。——现代·毛泽东《西江月·井冈山》

夕

今夕何夕兮，搴洲中流。——先秦·佚名《古歌·越人歌》

朝饮木兰之坠露兮，夕餐秋菊之落英。——战国·屈原《离骚》

磐石方且厚，可以卒千年；蒲苇一时纫，便作旦夕间。——汉·佚名《乐府歌·孔

雀东南飞》

朝见马岭黄沙合，夕望龙城阵云起。——隋·卢思道《从军行》

夕阳连雨足，空翠落庭阴。——唐·孟浩然《题大禹寺义公禅房》

迷津欲有问，平海夕漫漫。——唐·孟浩然《早寒江上有怀》

情人怨遥夜，竟夕起相思。——唐·张九龄《望月怀远》

朝避猛虎，夕避长蛇；磨牙吮血，杀人如麻。——唐·李白《蜀道难》

城边有古树，日夕连秋声。——唐·李白《沙丘城下寄杜甫》

今夕复何夕，共此灯烛光。——唐·杜甫《赠卫八处士》

一封朝奏九重天，夕贬潮州路八千。——唐·韩愈《左迁至蓝关示侄孙湘》

朱雀桥边野草花，乌衣巷口夕阳斜。——唐·刘禹锡《乌衣巷》

夕阳无限好，只是近黄昏。——唐·李商隐《登乐游原》

夕殿萤飞思悄然，孤灯挑尽未成眠。——唐·白居易《长恨歌》

七夕今宵看碧霄，牵牛织女渡河桥。——唐·林杰《乞巧》

十轮霜影转庭梧，此夕羁人独向隅。——宋·晏殊《中秋月》

不知天上宫阙，今夕是何年。——宋·苏轼《水调歌头·丙辰中秋》

去年东武今夕，明月不胜愁。——宋·苏辙《水调歌头·徐州中秋》

一夕轻雷落万丝，霁光浮瓦碧参差。——宋·秦观《春日》

洞庭之东江水西，帘旌不动夕阳迟。——宋·陈与义《登岳阳楼》

扣舷独啸，不知今夕何夕。——宋·张孝祥《念奴娇·过洞庭》

夕阳西下，断肠人在天涯。——元·马致远《天净沙·秋思》

青山依旧在，几度夕阳红。——明·杨慎《临江仙》

一往情深深几许？深山夕照深秋雨。——清·纳兰性德《蝶恋花·出塞》

一万年太久，只争朝夕。——现代·毛泽东《满江红·和郭沫若同志》

戏

初七及下九，嬉戏莫相忘。——汉《乐府歌·孔雀东南飞》

驱车策驽马，游戏宛与洛。——汉·佚名《古诗十九首·青青陵上柏》

鱼戏莲叶东，鱼戏莲叶西，鱼戏莲叶南，鱼戏莲叶北。——汉《乐府歌·江南》

鱼戏新荷动，鸟散余花落。——南朝·谢朓《游东田》

金桨木兰船，戏采江南莲。——南朝·刘孝威《采莲曲·金桨木兰船》

樯乌转轻翼，戏鸟落风毛。——唐·李百药《渡汉江》

游蜂戏蝶千门侧，碧树银台万种色。——唐·卢照邻《长安古意》

花落草齐生，莺飞蝶双戏。——唐·孟浩然《清明即事》

戏罢曾无理曲时，妆成祇是熏香坐。——唐·王维《洛阳女儿行》

屈盘戏白马，大笑上青山。——唐·李白《登敬亭北二小山余时送客逢崔侍御并登此地》

留连戏蝶时时舞，自在娇莺恰恰啼。——唐·杜甫《江畔独步寻花》

娟娟戏蝶过闲幔，片片轻鸥下急湍。——唐·杜甫《小寒食舟中作》

风恬日暖荡春光，戏蝶游蜂乱入房。——唐·岑参《山房春事》

暖戏烟芜锦翼齐，品流应得近山鸡。——唐·郑谷《鹧鸪》

妓乐州人戏，使君心寂寥。——唐·姚合《寒食》

偶因博戏飞神剑，摧却终南第一峰。——唐·吕岩《绝句》

天寒水鸟自相依，十百为群戏落晖。——宋·秦观《还自广陵》

矮纸斜行闲作草，晴窗细乳戏分茶。——宋·陆游《临安春雨初霁》

宜有词仙，拥素云黄鹤，与君游戏。——宋·姜夔《翠楼吟·淳熙丙午冬》

笛里番腔，街头戏鼓，不是歌声。——宋·刘辰翁《柳梢青·春感》

扶头酒醒宝香焚，戏写蒲东一片云。——明·唐寅《莺莺图》

帘垂菡萏花开上，鱼戏栏杆倒影中。——明·唐寅《题碧藻轩》

矮人看戏何曾见，都是随人说短长。——清·赵翼《论诗》

戏与山妻谈故事，试吟断送老头皮。——清·林则徐《赴戍登程口占示家人》

小

昔作女儿时，生小出野里。——汉《乐府歌·孔雀东南飞》

少小去乡邑，扬声沙漠垂。——三国魏·曹植《白马篇》

小弟闻姊来，磨刀霍霍向猪羊。——北朝《乐府民歌·木兰诗》

少小离家老大回，乡音无改鬓毛衰。——唐·贺知章《回乡偶书》

小时不识月，呼作白玉盘。——唐·李白《古朗月行》

蓬莱文章建安骨，中间小谢又清发。——唐·李白《宣州谢朓楼饯别校书叔云》

会当凌绝顶，一览众山小。——唐·杜甫《望岳》

天街小雨润如酥，草色遥看近却无。——唐·韩愈《早春呈水部张十八员外》

夜来南风起，小麦覆陇黄。——唐·白居易《观刈麦》

金阙西厢叩玉扃，转教小玉报双成。——唐·白居易《长恨歌》

嘈嘈切切错杂弹，大珠小珠落玉盘。——唐·白居易《琵琶行》

小楼昨夜又东风，故国不堪回首月明中。——五代·李煜《虞美人·春花秋月何时了》

无可奈何花落去，似曾相识燕归来。小园香径独徘徊。——宋·晏殊《浣溪沙·一曲新词酒一杯》

花褪残红青杏小。燕子飞时，绿水人家绕。——宋·苏轼《蝶恋花·春景》

遥想公瑾当年，小乔初嫁了，雄姿英发。——宋·苏轼《念奴娇·赤壁怀古》

梅子黄时日日晴，小溪泛尽却山行。——宋·曾几《三衢道中》

应怜屐齿印苍苔，小扣柴扉久不开。——宋·叶绍翁《游园不值》

半盏屠苏犹未举，灯前小草写桃符。——宋·陆游《除夜雪》

小荷才露尖尖角，早有蜻蜓立上头。——宋·杨万里《小池》

一叶渔船两小童，收篙停棹坐船中。——宋·杨万里《舟过安仁》

茅檐低小，溪上青青草。——宋·辛弃疾《清平乐·村居》

枯藤老树昏鸦，小桥流水人家。——元·马致远《天净沙·秋思》

小桃枝下试罗裳，蝶粉斗遗香。——明·陈子龙《诉衷情·春游》

一半残阳下小楼，朱帘斜控软金钩。——清·纳兰性德《浣溪沙·一道残阳下小楼》

绿水青山枉自多，华佗无奈小虫何！——现代·毛泽东《送瘟神》

Y

云

大风起兮云飞扬，威加海内兮归故乡。——汉·刘邦《大风歌》

太息终长夜，悲啸入青云。——三国魏·曹植《杂诗》

望云惭高鸟，临水愧游鱼。——晋·陶渊明《始作镇军参军经曲阿作》

白云一片去悠悠，青枫浦上不胜愁。——唐·张若虚《春江花月夜》

黄河远上白云间，一片孤城万仞山。——唐·王之涣《凉州词》

气蒸云梦泽，波撼岳阳城。——唐·孟浩然《望洞庭湖赠张丞相》

明月出天山，苍茫云海间。——唐·李白《关山月》

众鸟高飞尽，孤云独去闲。——唐·李白《独坐敬亭山》

荡胸生层云，决眦入归鸟。——唐·杜甫《望岳》

俄顷风定云墨色，秋天漠漠向昏黑。——唐·杜甫《茅屋为秋风所破歌》

野径云俱黑，江船火独明。——唐·杜甫《春夜喜雨》

瀚海阑干百丈冰，愁云惨淡万里凝。——唐·岑参《白雪歌送武判官归京》

晴空一鹤排云上，便引诗情到碧霄。——唐·刘禹锡《秋词》

孤山寺北贾亭西，水面初平云脚低。——唐·白居易《钱塘湖春行》

只在此山中，云深不知处。——唐·贾岛《寻隐者不遇》

黑云压城城欲摧，甲光向日金鳞开。——唐·李贺《雁门太守行》

远上寒山石径斜，白云生处有人家。——唐·杜牧《山行》

小山重叠金明灭，鬓云欲度香腮雪。——唐·温庭筠《菩萨蛮·小山重叠金明灭》

不畏浮云遮望眼，自缘身在最高层。——宋·王安石《登飞来峰》

半亩方塘一鉴开，天光云影共徘徊。——宋·朱熹《活水亭观书有感》

三十功名尘与土，八千里路云和月。——宋·岳飞《满江红·写怀》

春云巧似山翁帽，古柳横为独木桥。——元·徐再思《喜春来》

谁向孤舟怜逐客，白云相送大江西。——明·李攀龙《于郡城送明卿之江西》

况复百丈至千丈，水云烟雾难分焉。——清·袁枚《大龙湫之瀑》

金沙水拍云崖暖，大渡桥横铁索寒。——现代·毛泽东《七律·长征》

月

日月光华，旦复旦兮。——先秦·佚名《古歌·卿云歌》

明月何皎皎，照我罗床帏。——汉·佚名《古诗十九首·明月何皎皎》

明月照高楼，流光正徘徊。——三国魏·曹植《七哀诗》

白日沦西阿，素月出东岭。——晋·陶渊明《杂诗》

海上生明月，天涯共此时。——唐·张九龄《望月怀远》

秦时明月汉时关，万里长征人未还。——唐·王昌龄《出塞》

明月松间照，清泉石上流。——唐·王维《山居秋暝》

床前明月光，疑是地上霜。举头望明月，低头思故乡。——唐·李白《静夜思》

举杯邀明月，对影成三人。——唐·李白《月下独酌》

我寄愁心与明月，随风直到夜郎西。——唐·李白《闻王昌龄左迁龙标遥有此寄》

长安一片月，万户捣衣声。——唐·李白《子夜吴歌·秋歌》

露从今夜白，月是故乡明。——唐·杜甫《月夜忆舍弟》

弯弯月出挂城头，城头月出照凉州。——唐·岑参《凉州馆中与诸判官夜集》

月落乌啼霜满天，江枫渔火对愁眠。——唐·张继《枫桥夜泊》

二十四桥明月夜，玉人何处教吹箫？——唐·杜牧《寄扬州韩绰判官》

烟笼寒水月笼沙，夜泊秦淮近酒家。——唐·杜牧《泊秦淮》

无奈夜长人不寐，数声和月到帘栊。——五代·李煜《捣练子令·深院静》

疏影横斜水清浅，暗香浮动月黄昏。——宋·林逋《山园小梅》

月上柳梢头，人约黄昏后。——宋·欧阳修《生查子·元夕》

春风又绿江南岸，明月何时照我还。——宋·王安石《泊船瓜洲》

明月几时有？把酒问青天。——宋·苏轼《水调歌头·丙辰中秋》
三十功名尘与土，八千里路云和月。——宋·岳飞《满江红·写怀》
明月别枝惊鹊，清风半夜鸣蝉。——宋·辛弃疾《西江月·夜行黄沙道中》
近水楼台先得月，向阳花木易为春。——宋·苏麟《断句》
年来绿树村边月，夜半清溪梦里身。——明·陈嘉谋《缺题》
二月新丝五月谷，为谁辛苦为谁忙？——清·董恂《浔溪棹歌》
携来百侣曾游，忆往昔峥嵘岁月稠。——现代·毛泽东《沁园春·长沙》

雨

风雨如晦，鸡鸣不已。——先秦《诗经·郑风·风雨》
霏霏入窗雨，漠漠暗床尘。——南朝·何逊《赠族人秣陵兄弟诗》
夜来风雨声，花落知多少。——唐·孟浩然《春晓》
寒雨连江夜入吴，平明送客楚山孤。——唐·王昌龄《芙蓉楼送辛渐》
空山新雨后，天气晚来秋。——唐·王维《山居秋暝》
渭城朝雨浥轻尘，客舍青青柳色新。——唐·王维《送元二使安西》
床头屋漏无干处，雨脚如麻未断绝。——唐·杜甫《茅屋为秋风所破歌》
春潮带雨晚来急，野渡无人舟自横。——唐·韦应物《滁州西涧》
青箬笠，绿蓑衣，斜风细雨不须归。——唐·张志和《渔歌子·西塞山前白鹭飞》
天街小雨润如酥，草色遥看近却无。——唐·韩愈《早春呈水部张十八员外》

春风桃李花开日，秋雨梧桐叶落时。——唐·白居易《长恨歌》
大弦嘈嘈如急雨，小弦切切如私语。——唐·白居易《琵琶行》
南朝四百八十寺，多少楼台烟雨中。——唐·杜牧《江南春·千里莺啼绿映红》
清明时节雨纷纷，路上行人欲断魂。——唐·杜牧《清明》
君问归期未有期，巴山夜雨涨秋池。——唐·李商隐《夜雨寄北》
寒蝉凄切，对长亭晚，骤雨初歇。——宋·柳永《雨霖铃·寒蝉凄切》

黑云翻墨未遮山，白雨跳珠乱入船。——宋・苏轼《六月二十七日望湖楼醉书》

水光潋滟晴方好，山色空蒙雨亦奇。——宋・苏轼《饮湖上初晴后雨》

梧桐更兼细雨，到黄昏、点点滴滴。——宋・李清照《声声慢・寻寻觅觅》

夜阑卧听风吹雨，铁马冰河入梦来。——宋・陆游《十一月四日风雨大作》

山河破碎风飘絮，身世浮沉雨打萍。——宋・文天祥《过零丁洋》

舞榭歌台，风流总被雨打风吹去。——宋・辛弃疾《永遇乐・京口北固亭怀古》

绿遍山原白满川，子规声里雨如烟。——宋・翁卷《乡村四月》

一往情深深几许？深山夕照深秋雨。——清・纳兰性德《蝶恋花・出塞》

风雨送春归，飞雪迎春到。——现代・毛泽东《卜算子・咏梅》

夜

鸡鸣入机织，夜夜不得息。——汉《乐府歌・孔雀东南飞 》

明月皎皎照我床，星汉西流夜未央。——三国魏・曹丕《燕歌行》

昨夜见军帖，可汗大点兵，军书十二卷，卷卷有爷名——北朝《乐府民歌・木兰诗》

夜来风雨声，花落知多少。——唐・孟浩然《春晓》

山中一夜雨，树杪百重泉。——唐・王维《送梓州李使君》

夜里偷道行，将军马亦瘦。——唐・崔国辅《从军行》

玉阶生白露，夜久侵罗袜。——唐・李白《玉阶怨》

细草微风岸，危樯独夜舟。——唐・杜甫《旅夜书怀》

今夜鄜州月，闺中只独看。——唐・杜甫《月夜》

吴楚东南坼，乾坤日夜浮。——唐・杜甫《登岳阳楼》

夜半鸟惊栖，窗间人独宿。——唐・韦应物《同褒子秋斋独宿》

林暗草惊风，将军夜引弓。——唐・卢纶《和张仆射塞下曲》

夜后戍楼月，秋来边将心。——唐・戎昱《塞下曲》

夜长人自起，星月满空江。——唐·李益《水宿闻雁》
日落浊水中，夜光谁能分。——唐·孟郊《送温初下第》
晓耕翻露草，夜榜响溪石。——唐·柳宗元《溪居》
独敲初夜磬，闲倚一枝藤。——唐·李商隐《北青萝》
夜泊江门外，欢声月里楼。——唐·崔道融《夜泊九江》
风高群木落，夜久数星流。——唐·郑谷《长安夜坐寄怀湖外嵇处士》
夜来吟思苦，江上月华秋。——唐·王贞白《江上吟晓》

忽然一夜清香发，散作乾坤万里春。——元·王冕《白梅》
爝火燃回春浩浩，洪炉照破夜沉沉。——明·于谦《咏煤炭》
我也曾糜太仓粟，夜间邪许泪滂沱。——清·龚自珍《杂诗》
长夜难明赤县天，百年魔怪舞翩跹，人民五亿不团圆。——现代·毛泽东《浣溪沙·和柳亚子先生》

玉

栏杆十二曲，垂手明如玉。——南朝《乐府民歌·西洲曲》
玉润窗前竹，花繁院里梅。——唐·张九龄《立春日晨起对积雪》
欲暮黄鹂啭，伤心玉镜台。——唐·王昌龄《古意》
秋风吹不尽，总是玉关情。——唐·李白《子夜吴歌·秋歌》
长风几万里，吹度玉门关。——唐·李白《关山月》
江上调玉琴，一弦清一心。——唐·常建《江上琴兴》
前溪遇新月，聊取玉琴弹。——唐·常建《宿五度溪仙人得道处》
香雾云鬟湿，清辉玉臂寒。——唐·杜甫《月夜》
鸣筝金粟柱，素手玉房前。——唐·李端《听筝》
玉山那惜醉，金谷已无春。——唐·李端《送黎少府赴阳翟》

俯饮一杯酒，仰聆金玉章。——唐·韦应物《郡斋雨中与诸文士燕集》

天上分金镜，人间望玉钩。——唐·李贺《七夕》

草色青青柳色浓，玉壶倾酒满金钟。——唐·高骈《边方春兴》

雕栏玉砌应犹在，只是朱颜改。——五代·李煜《虞美人·春花秋月何时了》

我欲乘风归去，又恐琼楼玉宇，高处不胜寒。——宋·苏轼《水调歌头·丙辰中秋》

定知玉兔十分圆，已作霜风九月寒。——宋·苏轼《八月十五看湖五绝》

佳人自鞚玉花骢，翩如惊燕蹋飞龙。——宋·苏轼《虢国夫人夜游图》

人间风日不到处，天上玉堂森宝书。——宋·黄庭坚《双井茶送子瞻》

家藏玉唾几千卷，手校韦编三十秋。——宋·谢逸《寄隐居士》

黄金错刀白玉装，夜穿窗扉出光芒。——宋·陆游《金错刀行》

佳节又重阳，玉枕纱厨，半夜凉初透。——宋·李清照《醉花阴·薄雾浓云愁永昼》

玉雪窍玲珑，纷披绿映红。——元·吴师道《莲藕花叶图》

玉佩冷摇沧海月，霓裳晴带绛霄云。——明·肃靖王《步虚词》

忽闻天外玉箫声，花下听来独自行。——明·朱权《宫词》

青雀几时裁锦字，玉虫连夜剪春幡。——清·纳兰性德《浣溪沙》

远

路漫漫其修远兮，吾将上下而求索。——战国·屈原《离骚》

相去日已远，衣带日已缓。——汉·佚名《古诗十九首·行行重行行》

别日何易会日难，山川悠远路漫漫。——三国魏·曹丕《燕歌行》

问君何能尔？心远地自偏。——晋·陶渊明《饮酒》

日出远岫明，鸟散空林寂。——隋·杨素《山斋独坐赠薛内史》

弃繻怀远志，封泥负壮情。——唐·李世民《入潼关》

远看山有色，近听水无声。——唐·王维《画》

何日平胡虏，良人罢远征。——唐·李白《子夜吴歌·秋歌》

日暮苍山远，天寒白屋贫。——唐·刘长卿《逢雪宿芙蓉山主人》

日长唯鸟雀，春远独柴荆。——唐·杜甫《春远》

远芳侵古道，晴翠接荒城。——唐·白居易《赋得古原草送别》
远上寒山石径斜，白云生处有人家。——唐·杜牧《山行》
金风扇微凉，远烟凝翠晶。——唐·李适《七月十五日题章敬寺》
西风半夜帘栊冷，远梦初归。——五代·冯延巳《采桑子·西风半夜帘栊冷》
岸远沙平，日斜归路晚霞明。——五代·欧阳炯《南乡子·岸远沙平》
远村秋色如画，红树间疏黄。——宋·晏殊《诉衷情·芙蓉金菊斗馨香》
十里青山远，潮平路带沙。——宋·仲殊《南柯子·十里青山远》
远岫出山催薄暮，细风吹雨弄轻阴。——宋·李清照《浣溪沙·小院闲窗春色深》
青山却作捧心颦。远林烟火几家村。——宋·辛弃疾《浣溪沙·赵景山席上用偶赋溪台和韵》
梦回人远许多愁，只在梨花风雨处。——宋·辛弃疾《玉楼春·风前欲劝春光住》
山远近，路横斜，青旗沽酒有人家。——宋·辛弃疾《鹧鸪天·陌上柔桑破嫩芽》
日斜草远牛行迟，牛劳牛饥唯我知。——明·高启《牧牛词》
匹马南来渡浙河，汴城宫阙远嵯峨。——明·于谦《岳忠武王祠》
愿借天风吹得远，家家门巷尽成春。——清·李方膺《题画梅》
红军不怕远征难，万水千山只等闲。——现代·毛泽东《七律·长征》

烟

暧暧远人村，依依墟里烟。——晋·陶渊明《归园田居》
山际见来烟，竹中窥落日。——南朝·吴均《山中杂诗》
城阙辅三秦，风烟望五津。——唐·王勃《送杜少府之任蜀州》
大漠孤烟直，长河落日圆。——唐·王维《使至塞上》
日暮乡关何处是，烟波江上使人愁。——唐·崔颢《黄鹤楼》
平林漠漠烟如织，寒山一带伤心碧。——唐·李白《菩萨蛮·平林漠漠烟如织》

日照香炉生紫烟，遥看瀑布挂前川。——唐·李白《望庐山瀑布》
瞿塘峡口曲江头，万里风烟接素秋。——唐·杜甫《秋兴八首》
日暮汉宫传蜡烛，轻烟散入五侯家。——唐·韩翃《寒食》
烟笼寒水月笼沙，夜泊秦淮近酒家。——唐·杜牧《泊秦淮》

南朝四百八十寺，多少楼台烟雨中。——唐·杜牧《江南春》
沧海月明珠有泪，蓝田日暖玉生烟。——唐·李商隐《锦瑟》
溪涨渔家近，烟收鸟道高。——唐·司空图《杂题》
金风扇微凉，远烟凝翠晶。——唐·李适《七月十五日题章敬寺》
远烟笼碧树，陌上行人去。——唐·李晔《菩萨蛮》
岁月人间促，烟霞此地多。——唐·朱放《题竹林寺》
渺渺指平湖，烟波极望初。——宋·范仲淹《射阳湖》
四面边声连角起。千嶂里，长烟落日孤城闭。——宋·范仲淹《渔家傲·秋思》
槛菊愁烟兰泣露，罗幕轻寒，燕子双飞去。——宋·晏殊《蝶恋花·槛菊愁烟兰泣露》
庭院深深深几许，杨柳堆烟，帘幕无重数。——宋·欧阳修《蝶恋花·庭院深深深几许》

梦入江南烟水路，行尽江南，不与离人遇。——宋·晏几道《蝶恋花·梦入江南烟水路》
一川烟草，满城风絮，梅子黄时雨。——宋·贺铸《青玉案》
烟火认茅庐，故倚船篷望。——宋·陆游《夜归》
一去二三里，烟村四五家。——宋·邵雍《山村咏怀》
满城灯市荡春烟，宝月沉沉隔海天。——清·丘逢甲《元夕无月》
月华如水，波纹似练，几簇淡烟衰柳。——清·纳兰性德《踏莎行·月华如水》
喜看稻菽千重浪，遍地英雄下夕烟。——现代·毛泽东《七律·到韶山》

游

山有乔松，隰有游龙。——先秦《诗经·郑风·山有扶苏》
忽反顾以游目兮，将往观乎四荒。——战国·屈原《离骚》
借问谁家子，幽并游侠儿。——三国魏·曹植《白马篇》
独游千里外，高卧七盘西。——唐·沈佺期《夜宿七盘岭》
朝闻游子唱离歌，昨夜微霜初渡河。——唐·李颀《送魏万之京》
向晚猩猩啼，空悲远游子。——唐·李白《清溪行》
五岳寻仙不辞远，一生好入名山游。——唐·李白《庐山谣寄卢侍御虚舟》
游云落何山？一往不见归。——唐·李白《自代内赠》
大江东流去，游子日月长。——唐·杜甫《成都府》
慈母手中线，游子身上衣。——唐·孟郊《游子吟》

万里桥边多酒家，游人爱向谁家宿？——唐·张籍《成都曲》
游罢睡一觉，觉来茶一瓯。——唐·白居易《何处堪避暑》
游想慈恩杏园里，梦寐仁风花树前。——唐·元稹《琵琶歌》
游衍水边追野马，啸歌林下应山君。——宋·王安石《次韵酬宋妃》
游蜂掠尽粉丝黄，落蕊犹收蜜露香。——宋·苏轼《山茶》
游遍诸侯志不伸，困穷几与死为邻。——宋·张九成《论语绝句》
游马行争路，华灯卖满城。——宋·陆游《初春杂兴》
游云纷扰混太清，苍茫万里晦月明。——宋·詹初《云掩月》
游鱼岂解和人意，孝子精诚一念深。——宋·袁说友《冰解图》
游蜂从何来，饥雀巧相遇。——宋·张栻《题啄蜂雀井团雀二图》

游蜂识尽千红紫，只这寒芳竟不闻。——宋·张明中《拒霜》
游山不必众，邂逅三五人。——元·方回《秋晚杂书》
岁晚忆曾游处，犹记半竿斜照，一抹界疏林。——清·纳兰性德《水调歌头·题

西山秋爽图》

携来百侣曾游，忆往昔峥嵘岁月稠。——现代·毛泽东《沁园春·长沙》

意

交情通意心和谐，中夜相从知者谁。——汉·司马相如《凤求凰》

闻君有两意，故来相决绝。——汉·卓文君《白头吟》

男儿重意气，何用钱刀为！——汉·卓文君《白头吟》

此中有真意，欲辨已忘言。——晋·陶渊明《饮酒》

与君离别意，同是宦游人。——唐·王勃《送杜少府之任蜀川》

随意春芳歇，王孙自可留。——唐·王维《山居秋暝》

人生得意须尽欢，莫使金樽空对月。——唐·李白《将进酒》

浮云游子意，落日故人情。——唐·李白《送友人》

边庭流血成海水，武皇开边意未已。——唐·杜甫《兵车行》

临行密密缝，意恐迟迟归。——唐·孟郊《游子吟》

洛阳城里见秋风，欲作家书意万重。——唐·张籍《秋思》

知汝远来应有意，好收吾骨瘴江边。——唐·韩愈《左迁至蓝关示侄孙湘》

报君黄金台上意，提携玉龙为君死。——唐·李贺《雁门太守行》

向晚意不适，驱车登古原。——唐·李商隐《登乐游原》

帘外雨潺潺，春意阑珊。——五代·李煜《浪淘沙令·帘外雨潺潺》

塞下秋来风景异，衡阳雁去无留意。——宋·范仲淹《渔家傲·秋思》

草色烟光残照里，无言谁会凭阑意。——宋·柳永《蝶恋花·伫倚危楼风细细》

绿杨烟外晓寒轻，红杏枝头春意闹。——宋·宋祁《玉楼春·春景》

百啭千声随意移，山花红紫树高低。——宋·欧阳修《画眉鸟》

只愿君心似我心，定不负相思意。——宋·李之仪《卜算子·我住长江头》

归志宁无五亩园，读书本意在元元。——宋·陆游《读书》

无意苦争春，一任群芳妒。——宋·陆游《卜算子·咏梅》

把吴钩看了，栏杆拍遍，无人会、登临意。——宋·辛弃疾《水龙吟·登建康赏心亭》

愿持此日意，永报一春晖。——元·杨维桢《春草轩》

也知造物曾何意，底事人心苦未平。——明·王守仁《次韵陆佥宪元日春晴》

意欲捕鸣蝉，忽然闭口立。——清·袁枚《所见》

恰同学少年，风华正茂；书生意气，挥斥方遒。——现代·毛泽东《沁园春·长沙》

衣

制芰荷以为衣兮，集芙蓉以为裳。——战国·屈原《离骚》

出门东向看，泪落沾我衣。——汉·佚名《古诗·十五从军征》

贱妾茕茕守空房，忧来思君不敢忘，不觉泪下沾衣裳。——三国魏·曹丕《燕歌行》

道狭草木长，夕露沾我衣。——晋·陶渊明《归园田居》

朔气传金柝，寒光照铁衣。——北朝·民歌《木兰诗》

玉户帘中卷不去，捣衣砧上拂还来。——唐·张若虚《春江花月夜》

灭烛怜光满，披衣觉露滋。——唐·张九龄《望月怀古》

百战沙场碎铁衣，城南已合数重围。——唐·李白《从军行》

长安一片月，万户捣衣声。——唐·李白《子夜吴歌·秋歌》

吴宫花草埋幽径，晋代衣冠成古丘。——唐·李白《登金陵凤凰台》

剑外忽传收蓟北，初闻涕泪满衣裳。——唐·杜甫《闻官军收河南河北》

青箬笠，绿蓑衣，斜风细雨不须归。——唐·张志和《渔歌子》

慈母手中线，游子身上衣。——唐·孟郊《游子吟》

渔阳鞞鼓动地来，惊破霓裳羽衣曲。——唐·白居易《长恨歌》

沉吟放拨插弦中，整顿衣裳起敛容。——唐·白居易《琵琶行》

可怜身上衣正单，心忧炭贱愿天寒。——唐·白居易《卖炭翁》

劝君莫惜金缕衣，劝君惜取少年时。——唐·杜秋娘《金缕衣》

衣带渐宽终不悔，为伊消得人憔悴。——宋·柳永《蝶恋花·伫倚危楼风细细》

簌簌衣巾落枣花，村南村北响缲车。——宋·苏轼《浣溪沙·簌簌衣巾落枣花》

挼尽梅花无好意，赢得满衣清泪。——宋·李清照《清平乐·年年雪里》

箫鼓追随春社近，衣冠简朴古风存。——宋·陆游《游山西村》

沾衣欲湿杏花雨，吹面不寒杨柳风。——宋·志南《绝句·古木阴中系短篷》

满衣血泪与尘埃，乱后还乡亦可哀。——明·高启《送陈秀才还沙上省墓》

无语问添衣，桐阴月已西。——清·纳兰性德《菩萨蛮·晶帘一片伤心白》

斑竹一枝千滴泪，红霞万朵百重衣。——现代·毛泽东《七律·答友人》

阳

阳春布德泽，万物生光辉。——汉《乐府歌·长歌行》

往昔初阳岁，谢家来贵门。——汉《乐府歌·孔雀东南飞》

待到重阳日，还来就菊花。——唐·孟浩然《过故人庄》

气蒸云梦泽，波撼岳阳城。——唐·孟浩然《望洞庭湖赠张丞相》

襄阳小儿齐拍手，拦街争唱《白铜鞮》。——唐·李白《襄阳歌》

娇女字平阳，折花倚桃边。——唐·李白《寄东鲁二稚子》

巫峡啼猿数行泪，衡阳归雁几封书。——唐·高适《送李少府贬峡中王少府贬长沙》

晴川历历汉阳树，芳草萋萋鹦鹉洲。——唐·崔颢《登黄鹤楼》

荷笠带斜阳，青山独归远。——唐·刘长卿《送灵澈上人》

造化钟神秀，阴阳割昏晓。——唐·杜甫《望岳》

急应河阳役，犹得备晨炊。——唐·杜甫《石壕吏》

耶娘妻子走相送，尘埃不见咸阳桥。——唐·杜甫《兵车行》
洛阳城里见秋风，欲作家书意万重。——唐·张籍《秋思》
一道残阳铺水中，半江瑟瑟半江红。——唐·白居易《暮江吟》
浔阳地僻无音乐，终岁不闻丝竹声。——唐·白居易《琵琶行》
夕阳无限好，只是近黄昏。——唐·李商隐《乐游原》
芳草无情，更在斜阳外。——宋·范仲淹《苏幕遮·怀旧》
佳节又重阳，玉枕纱厨，半夜凉初透。——宋·李清照《醉花阴·薄雾浓云愁永昼》
洞庭之东江水西，帘旌不动夕阳迟。——宋·陈与义《登岳阳楼》
岂有他缪巧，阴阳不能贼。——宋·文天祥《正气歌》

斜阳草树，寻常巷陌，人道寄奴曾住。——宋·辛弃疾《永遇乐·京口北固亭怀古》
风雨端阳生晦冥，汨罗无处吊英灵。——元·贝琼《已酉端午》
城里夕阳城外雪，相将十里异阴晴。——明·王守仁《次韵陆佥宪元日春晴》
莫怨无人来折取，花开不合阳春暮。——清·龚自珍《鹊踏枝》
人生易老天难老，岁岁重阳。今又重阳，战地黄花分外香。——现代·毛泽东《采桑子·重阳》

叶

桑之未落，其叶沃若。——先秦《诗经·卫风·氓》
常恐秋节至，焜黄华叶衰。——汉《乐府歌·长歌行》
江南可采莲，莲叶何田田。——汉《乐府歌·江南》
枝枝相覆盖，叶叶相交通。——汉《乐府歌·孔雀东南飞》
秋风起兮木叶飞，吴江水兮鲈正肥。——晋·张翰《思吴江歌》
解落三秋叶，能开二月花。——唐·李峤《风》
不知细叶谁裁出，二月春风似剪刀。——唐·贺知章《咏柳》

荆溪白石出，天寒红叶稀。——唐·王维《山中》
秋风清，秋月明，落叶聚还散，寒鸦栖复惊。——唐·李白《三五七言》
映阶碧草自春色，隔叶黄鹂空好音。——唐·杜甫《蜀相》

繁枝容易纷纷落，嫩叶商量细细开。——唐·杜甫《江畔独步寻花》
西宫南内多秋草，落叶满阶红不扫。——唐·白居易《长恨歌》
浔阳江头夜送客，枫叶荻花秋瑟瑟。——唐·白居易《琵琶行》
菱叶萦波荷飐风，荷花深处小船通。——唐·白居易《采莲曲》
停车坐爱枫林晚，霜叶红于二月花。——唐·杜牧《山行》
此花此叶常相映，翠减红衰愁杀人。——唐·李商隐《赠荷花》
山远天高烟水寒，相思枫叶丹。——五代·李煜《长相思·一重山》
池上碧苔三四点，叶底黄鹂一两声。日长飞絮轻。——宋·晏殊《破阵子·春景》
莫听穿林打叶声，何妨吟啸且徐行。——宋·苏轼《定风波·莫听穿林打叶声》
接天莲叶无穷碧，映日荷花别样红。——宋·杨万里《晓出净慈寺送林子方》

一叶渔船两小童，收篙停棹坐船中。——宋·杨万里《舟过安仁》
萧萧梧叶送寒声，江上秋风动客情。——宋·叶绍翁《夜书所见》
繁霜尽是心头血，洒向千峰秋叶丹。——明·戚继光《望阙台》
荷叶五寸荷花娇，贴波不碍画船摇。——清·石涛《荷花》
青松怒向苍天发，败叶纷随碧水驰。——现代·毛泽东《七律·有所思》

幽

借问谁家子，幽并游侠儿。——三国魏·曹植《白马篇》
蝉噪林逾静，鸟鸣山更幽。——南朝·王籍《入若耶溪》
行人刁斗风沙暗，公主琵琶幽怨多。——唐·李颀《古从军行》
岩扉松径长寂寥，惟有幽人自来去。——唐·孟浩然《夜归鹿门山歌》

独坐幽篁里，弹琴复长啸。——唐·王维《竹里馆》
吴宫花草埋幽径，晋代衣冠成古丘。——唐·李白《登金陵凤凰台》
绿竹入幽径，青萝拂行衣。——唐·李白《下终南山过斛斯山人宿置酒》
夜久语声绝，如闻泣幽咽。——唐·杜甫《石壕吏》
清江一曲抱村流，长夏江村事事幽。——唐·杜甫《江村》
绝代有佳人，幽居在空谷。——唐·杜甫《佳人》

山空松子落，幽人应未眠。——唐·韦应物《秋夜寄丘员外》
独怜幽草涧边生，上有黄鹂深树鸣。——唐·韦应物《滁州西涧》
间关莺语花底滑，幽咽泉流冰下难。——唐·白居易《琵琶行》
别有幽愁暗恨生，此时无声胜有声。——唐·白居易《琵琶行》
连山变幽晦，绿水函晏温。——唐·柳宗元《饮酒》
空城客子心肠断，幽闺思妇气欲绝。——唐·释宝月《行路难》
好峰随处改，幽径独行迷。——宋·梅尧臣《鲁山山行》
天若有情天亦老，摇摇幽恨难禁。——宋·孙洙《河满子·秋怨》
谁见幽人独往来，缥缈孤鸿影。——宋·苏轼《卜算子·黄州定慧院寓居作》
一面风情深有韵，半笺娇恨寄幽怀。——宋·李清照《浣溪沙·闺情》

蜡封夜半传檄，驰骑谕幽并。——宋·陆游《诉衷情·青衫初入九重城》
春阴垂野草青青，时有幽花一树明。——宋·苏舜钦《淮中晚泊犊头》
故园三径吐幽丛，一夜玄霜坠碧空。——明·唐寅《菊花》
绝域从军计惘然，东南幽恨满词笺。——清·龚自珍《漫感》
大雨落幽燕，白浪滔天，秦皇岛外打鱼船。——现代·毛泽东《浪淘沙·北戴河》

野

呦呦鹿鸣，食野之苹。——三国魏·曹操《短歌行》

白骨露于野，千里无鸡鸣。——三国魏·曹操《蒿里行》
开荒南野际，守拙归园田。——晋·陶渊明《归园田居》
久去山泽游，浪莽林野娱。——晋·陶渊明《归园田居》
春晚绿野秀，岩高白云屯。——南朝·谢灵运《入彭蠡湖口》
天苍苍，野茫茫。风吹草低见牛羊。——北朝《乐府民歌·敕勒歌》
野云万里无城郭，雨雪纷纷连大漠。——唐·李颀《古从军行》
野旷天低树，江清月近人。——唐·孟浩然《宿建德江》
桑野就耕父，荷锄随牧童。——唐·孟浩然《田家元日》
野老念牧童，倚杖候荆扉。——唐·王维《渭川田家》

山随平野尽，江入大荒流。——唐·李白《渡荆门送别》
野径云俱黑，江船火独明。——唐·杜甫《春夜喜雨》
星垂平野阔，月涌大江流。——唐·杜甫《旅夜书怀》
春潮带雨晚来急，野渡无人舟自横。——唐·韦应物《滁州西涧》
隐隐飞桥隔野烟，石矶西畔问渔船。——唐·张旭《桃花溪》
野火烧不尽，春风吹又生。——唐·白居易《赋得古原草送别》
独出前门望野田，月明荞麦花如雪。——唐·白居易《村夜》
窗竹影摇书案上，野泉声入砚池中。——唐·杜荀鹤《题弟侄书堂》
草铺横野六七里，笛弄晚风三四声。——唐·吕岩《牧童》
适与野情惬，千山高复低。——宋·梅尧臣《鲁山山行》

芳原绿野恣行事，春入遥山碧四围。——宋·程颢《郊行即事》
城中桃李愁风雨，春在溪头荠菜花。——宋·辛弃疾《鹧鸪天·陌上柔桑破嫩芽》
无花无酒过清明，兴味萧然似野僧。——宋·王禹偁《清明》
香闻流水处，影落野人家。——明·道源《早梅》
清笳皓月秋依垒，野烧寒星夜出林。——清·顾炎武《白下》
若问杭州何处好，此中听得野莺啼。——现代·毛泽东《七绝·五云山》

阴

敕勒川，阴山下。天似穹庐，笼盖四野。——北朝《乐府民歌·敕勒歌》

瀚海百重波，阴山千里雪。——唐·李世民《饮马长城窟行》

但使龙城飞将在，不教胡马度阴山。——唐·王昌龄《出塞》

丹阳城南秋海阴，丹阳城北楚云深。——唐·王昌龄《芙蓉楼送辛渐》

漠漠水田飞白鹭，阴阴夏木啭黄鹂。——唐·王维《积雨辋川庄作》

淮阴市井笑韩信，汉朝公卿忌贾生。——唐·李白《行路难》

造化钟神秀，阴阳割昏晓。——唐·杜甫《望岳》

江间波浪兼天涌，塞上风云接地阴。——唐·杜甫《秋兴》

岁暮阴阳催短景，天涯霜雪霁寒宵。——唐·杜甫《阁夜》

最爱湖东行不足，绿杨阴里白沙堤。——唐·白居易《钱塘湖春行》

滩声秋更急，峡气晓多阴。——唐·白居易《阴雨》

秋阴不散霜飞晚，留得枯荷听雨声。——唐·李商隐《宿骆氏亭寄怀崔雍崔衮》

路旁忽见如花人，独向绿杨阴下歇。——唐·韦庄《秦妇吟》

读书不觉已春深，一寸光阴一寸金。——唐·王贞白《白鹿洞》

晴日暖风生麦气，绿阴幽草胜花时。——宋·王安石《初夏即事》

春宵一刻值千金，花有清香月有阴。——宋·苏轼《春宵》

人有悲欢离合，月有阴晴圆缺，此事古难全。——宋·苏轼《水调歌头·明月几时有》

湖山胜处放翁家，槐柳阴中野径斜。——宋·陆游《幽居初夏》

泉眼无声惜细流，树阴照水爱晴柔。——宋·杨万里《小池》

少年易老学难成，一寸光阴不可轻。——宋·朱熹《劝学诗》

红粉暗随流水去，园林渐觉清阴密。——宋·辛弃疾《满江红·暮春》

春雨断桥人不度，小舟撑出柳阴来。——宋·徐俯《春游湖》

春阴垂野草青青，时有幽花一树明。——宋·苏舜钦《淮中晚泊犊头》

城里夕阳城外雪，相将十里异阴晴。——明·王守仁《次韵陆佥宪元日春晴》

云开衡岳积阴止，天马凤凰春树里。——现代·毛泽东《七古·送纵宇一郎东行》

语

盈盈一水间，脉脉不得语。——汉《古诗十九首·迢牵牛星》

空山不见人，但闻人语响。——唐·王维《鹿柴》

田夫荷锄至，相见语依依。——唐·王维《渭川田家》

不敢高声语，恐惊天上人。——唐·李白《夜宿山寺》

桃波一步地，了了语声闻。——唐·李白《秋浦歌》

语来江色暮，独自下寒烟。——唐·李白《寻雍尊师隐居》

夜久语声绝，如闻泣幽咽。——唐·杜甫《石壕吏》

传语风光共流转，暂时相赏莫相违。——唐·杜甫《曲江》

千载琵琶作胡语，分明怨恨曲中论。——唐·杜甫《咏怀古迹》

强将笑语供主人，悲见生涯百忧集。——唐·杜甫《百忧集行》

马上相逢无纸笔，凭君传语报平安。——唐·岑参《逢入京使》

含情两相向，欲语气先咽。——唐·孟郊《古怨别》

我闻琵琶已叹息，又闻此语重唧唧。——唐·白居易《琵琶行》

今夜闻君琵琶语，如听仙乐耳暂明。——唐·白居易《琵琶行》

翅低白雁飞仍重，舌涩黄鹂语未成。——唐·白居易《南湖早春》

时时闻鸟语，处处是泉声。——唐·白居易《遗爱寺》

新人新人听我语，洛阳无限红楼女。——唐·白居易《母别子》

万壑有声含晚籁，数峰无语立斜阳。——宋·王禹偁《村行》

物是人非事事休，欲语泪先流。——宋·李清照《武陵春·春晚》

欲笺心事，独语斜阑。——宋·唐婉《钗头凤·世情薄》

长衫我亦何为者，也在游人笑语中。——金·元好问《京都元夕》

平生不敢轻言语，一叫千门万户开。——明·唐寅《画鸡》

寄语天涯客，轻寒底用愁。春风来不远，只在屋东头。——明·于谦《除夜太原寒甚》

骊山语罢清宵半，泪雨霖铃终不怨。——清·纳兰性德《木兰词·拟古决绝词柬友》

清溪却向清滩泄，鸡声歇，马嘶人语长亭白。——现代·毛泽东《归国谣·今宵月》

眼

雄兔脚扑朔，雌兔眼迷离；双兔傍地走，安能辨我是雄雌？——北朝《乐府民歌·木兰诗》

草枯鹰眼疾，雪尽马蹄轻。——唐·王维《观猎》

眼花耳热后，意气素霓生。——唐·李白《侠客行》

知章骑马似乘船，眼花落井水底眠。——唐·杜甫《饮中八仙歌》

昆明池水汉时功，武帝旌旗在眼中。——唐·杜甫《秋兴》

举眼风光长寂寞，满朝官职独蹉跎。——唐·白居易《醉赠刘二十八使君》

新人迎来旧人弃，掌上莲花眼中刺。——唐·白居易《母别子》

乱花渐欲迷人眼，浅草才能没马蹄。——唐·白居易《钱塘湖春行》

眼前有物俱是梦，莫将身作黄金仇。——唐·李咸用《长歌行》

霜禽欲下先偷眼，粉蝶如知合断魂。——宋·林逋《山园小梅》

不畏浮云遮望眼，自缘身在最高层。——宋·王安石《登飞来峰》

囊空不办寻春马，眼乱行看择婿车。——宋·苏轼《和董传留别》

朱弦已为佳人绝，青眼聊因美酒横。——宋·黄庭坚《登快阁》

贤愚千载知谁是，满眼蓬蒿共一丘。——宋·黄庭坚《清明》

泉眼无声惜细流，树阴照水爱晴柔。——宋·杨万里《小池》

布被秋宵梦觉，眼前万里江山。——宋·辛弃疾《清平乐·独宿博山王氏庵》

若教眼底无离恨，不信人间有白头。——宋·辛弃疾《鹧鸪天·晚日寒鸦一片愁》
水是眼波横，山是眉峰聚。——宋·王观《卜算子·送鲍浩然之浙东》
便觉眼前生意满，东风吹水绿参差。——宋·张栻《立春偶成》
兴亡千古繁华梦，诗眼倦天涯。——元·张可久《人月圆·山中书事》

眼前直下三千字，胸次全无一点尘。——明·于谦《观书》
红泪偷垂，满眼春风百事非。——清·纳兰性德《采桑子·当时错》
满眼生机转化钧，天工人巧日争新。——清·赵翼《论诗》
搴帷拜母河梁去，白发愁看泪眼枯。——清·黄景仁《别老母》
牢骚太盛防肠断，风物长宜放眼量。——现代·毛泽东《七律·和柳亚子先生》

吟

旦则号泣行，夜则悲吟坐。——汉·蔡琰《悲愤诗》
但为君故，沉吟至今。——三国魏·曹操《短歌行》
援琴鸣弦发清商，短歌微吟不能长。——三国魏·曹丕《燕歌行》
不堪玄鬓影，来对白头吟。——唐·骆宾王《咏蝉》
即此羡闲逸，怅然吟式微。——唐·王维《渭川田家》
山山白鹭满，涧涧白猿吟。——唐·李白《秋浦歌》
空吟白石烂，泪满黑貂裘。——唐·李白《秋浦歌》
长歌吟松风，曲尽河星稀。——唐·李白《下终南山过斛斯山人宿置酒》
可怜后主还祠庙，日暮聊为《梁甫吟》。——唐·杜甫《登楼》
沉吟放拨插弦中，整顿衣裳起敛容。——唐·白居易《琵琶行》

怀旧空吟闻笛赋，到乡翻似烂柯人。——唐·刘禹锡《酬乐天扬州初逢席上见赠》
两句三年得，一吟双泪流。——唐·贾岛《题诗后》
童子解吟长恨曲，胡儿能唱琵琶篇。——唐·李忱《吊白居易》

晓镜但愁云鬓改，夜吟应觉月光寒。——唐·李商隐《无题》
朗吟看正好，惆怅又西倾。——唐·刘得仁《中秋》
闲吟秋景外，万事觉悠悠。——唐·司空图《中秋》
三入岳阳人不识，朗吟飞过洞庭湖。——唐·吕岩《绝句》
水飞石上迸如雪，立地看天坐地吟。——唐·吕岩《绝句》
向来吟秀句，不觉已鸣鸦。——唐·韩翃《酬程延秋夜即事见赠》
幸有微吟可相狎，不须檀板共金樽。——宋·林逋《山园小梅》

何事吟余忽惆怅，村桥原树似吾乡。——宋·王禹偁《村行》
几年山水共闲游，无日吟诗不唱酬。——明·吴兆《寄曹学佺》
浩荡离愁白日斜，吟鞭东指即天涯。——清·龚自珍《己亥杂诗》
戏与山妻谈故事，试吟断送老头皮。——清·林则徐《赴戍登程口占示家人》
剑南歌接秋风吟，一例氤氲入诗囊。——现代·毛泽东《七绝·纪念鲁迅八十寿辰》

影

年在桑榆间，影响不能追。——三国魏·曹植《赠白马王彪·并序》
君安游兮西入秦，愿为影兮随君身。——晋·傅玄《车遥遥篇》
一茎孤引绿，双影共分红。——隋·杜公瞻《咏同心芙蓉》
浮香绕曲岸，圆影覆华池。——唐·卢照邻《曲池荷》
庭槐寒影疏，邻杵夜声急。——唐·孟浩然《秋宵月下有怀》
孤帆远影碧空尽，唯见长江天际流。——唐·李白《黄鹤楼送孟浩然之广陵》
我歌月徘徊，我舞影零乱。——唐·李白《月下独酌》
举杯邀明月，对影成三人。——唐·李白《月下独酌》
翠影红霞映朝日，鸟飞不到吴天长。——唐·李白《庐山谣寄卢侍御虚舟》
五更鼓角声悲壮，三峡星河影动摇。——唐·杜甫《阁夜》

残灯无焰影幢幢，此夕闻君谪九江。——唐·元稹《闻乐天授江州司马》
江涵秋影雁初飞，与客携壶上翠微。——唐·杜牧《九日齐山登高》
云母屏风烛影深，长河渐落晓星沉。——唐·李商隐《嫦娥》
绿树阴浓夏日长，楼台倒影入池塘。——唐·高骈《山亭夏日》
桑柘影斜春社散，家家扶得醉人归。——唐·王驾《社日》
窗竹影摇书案上，野泉声入砚池中。——唐·杜荀鹤《题弟侄书堂》
疏影横斜水清浅，暗香浮动月黄昏。——宋·林逋《山园小梅》
起舞弄清影，何似在人间。——宋·苏轼《水调歌头·明月几时有》
谁见幽人独往来，缥缈孤鸿影。——宋·苏轼《卜算子·黄州定慧院寓居作》
舞低杨柳楼心月，歌尽桃花扇底风。——宋·晏几道《鹧鸪天·彩袖殷勤捧玉钟》

未必柳条能蘸水，水中柳影引他长。——宋·杨万里《新柳》
江水侵云影，鸿雁欲南飞。——宋·朱熹《水调歌头·隐括杜牧之齐山诗》
半亩方塘一鉴开，天光云影共徘徊。——宋·朱熹《观书有感》
月傍苑楼灯影暗，风传阁道马蹄回。——明·王守仁《元夕》
博大胆识铁石坚，刀光剑影任翔旋。——现代·毛泽东《七绝·纪念鲁迅八十寿辰》

又

时缤纷其变易兮，又何可以淹留？——战国·屈原《离骚》
果不如先愿，又非君所详。——汉《乐府歌·孔雀东南飞》
又闻子规啼夜月，愁空山。——唐·李白《蜀道难》
又疑瑶台镜，飞在白云端。——唐·李白《古朗月行》
蓬莱文章建安骨，中间小谢又清发。——唐·李白《宣州谢朓楼饯别校书叔云》
故乡今夜思千里，霜鬓明朝又一年。——唐·高适《除夜作》
已似长沙傅，从今又几年。——唐·刘长卿《新年作》
正是江南好风景，落花时节又逢君。——唐·杜甫《江南逢李龟年》

复恐匆匆说不尽，行人临发又开封。——唐·张籍《秋思》
野火烧不尽，春风吹又生。——唐·白居易《赋得古原草送别》

我闻琵琶已叹息，又闻此语重唧唧。——唐·白居易《琵琶行》
桃李无言又何在，向风偏笑艳阳人。——唐·杜牧《紫薇花》
春风一夜吹乡梦，又逐春风到洛城。——唐·武元衡《春兴》
小楼昨夜又东风，故国不堪回首月明中。——五代·李煜《虞美人·春花秋月何时了》
落尽梨花春又了。满地残阳，翠色和烟老。——宋·梅尧臣《苏幕遮·草》
春风又绿江南岸，明月何时照我还？——宋·王安石《泊船瓜洲》
我欲乘风归去，又恐琼楼玉宇，高处不胜寒。——宋·苏轼《水调歌头·明月几时有》
两情若是久长时，又岂在朝朝暮暮。——宋·秦观《鹊桥仙·纤云弄巧》
佳节又重阳，玉枕纱橱，半夜凉初透。——宋·李清照《醉花阴·薄雾浓云愁永昼》
山重水复疑无路，柳暗花明又一村。——宋·陆游《游山西村》

遗民泪尽胡尘里，南望王师又一年。——宋·陆游《秋夜将晓出篱门迎凉有感》
乡村四月闲人少，才了蚕桑又插田。——宋·翁卷《乡村四月》
花落又花开。年年去复来。——元·程文海《菩萨蛮 次韵郭安道探梅》
小住京华，早又是、中秋佳节。——清·秋瑾《满江红·小住京华》
才饮长沙水，又食武昌鱼。——现代·毛泽东《水调歌头·游泳》

一

所谓伊人，在水一方。——先秦《诗经·秦风·蒹葭》
盈盈一水间，脉脉不得语。——汉·佚名《古诗十九首·迢迢牵牛星》

愿得一心人，白头不相离。——汉·卓文君《白头吟》

江天一色无纤尘，皎皎空中孤月轮。——唐·张若虚《春江花月夜》

碧玉妆成一树高，万条垂下绿丝绦。——唐·贺知章《咏柳》

欲穷千里目，更上一层楼。——唐·王之涣《登鹳雀楼》

黄河远上白云间，一片孤城万仞山。——唐·王之涣《凉州词》

遥知兄弟登高处，遍插茱萸少一人。——唐·王维《九月九日忆山东兄弟》

与君歌一曲，请君为我倾耳听。——唐·李白《将进酒》

此地一为别，孤蓬万里征。——唐·李白《送友人》

两岸青山相对出，孤帆一片日边来。——唐·李白《望天门山》

剑阁峥嵘而崔嵬，一夫当关，万夫莫开。——唐·李白《蜀道难》

黄鹤一去不复返，白云千载空悠悠。——唐·崔颢《黄鹤楼》

会当凌绝顶，一览众山小。——唐·杜甫《望岳》

忽如一夜春风来，千树万树梨花开。——唐·岑参《白雪歌送武判官归京》

离离原上草，一岁一枯荣。——唐·白居易《《赋得古原草送别》

今日听君歌一曲，暂凭杯酒长精神。——唐·刘禹锡《酬乐天扬州初逢席上见赠》

问君能有几多愁？恰似一江春水向东流。——五代·李煜《虞美人·春花秋月何时了》

剪不断，理还乱，是离愁。别是一般滋味在心头。——五代·李煜《相见欢·无言独上西楼》

爆竹声中一岁除，春风送暖入屠苏。——宋·王安石《元日》

京口瓜洲一水间，钟山只隔数重山。——宋·王安石《泊船瓜洲》

山重水复疑无路，柳暗花明又一村。——宋·陆游《游山西村》

无意苦争春，一任群芳妒。——宋·陆游《卜算子·咏梅》

胜日寻芳泗水滨，无边光景一时新。——宋·朱熹《春日》

忽然一夜清香发，散作乾坤万里春。——元·王冕《白梅》

一代天骄，成吉思汗，只识弯弓射大雕。——现代·毛泽东《沁园春·雪》

有

何以解忧？唯有杜康。——三国魏·曹操《短歌行》

此中有真意，欲辨已忘言。——晋·陶渊明《饮酒》

江南无所有，聊赠一枝春。——晋·陆凯《赠范晔诗》

坐观垂钓者，徒有羡鱼情。——唐·孟浩然《望洞庭湖赠张丞相》

天生我材必有用，千金散尽还复来。——唐·李白《将进酒》

上有六龙回日之高标，下有冲波逆折之回川。——唐·李白《蜀道难》

西当太白有鸟道，可以横绝峨眉巅。——唐·李白《蜀道难》

相看两不厌，只有敬亭山。——唐·李白《独坐敬亭山》

上有青冥之长天，下有渌水之波澜。——唐·李白《长相思》

此曲只应天上有，人间能得几回闻。——唐·杜甫《赠花卿》

亲朋无一字，老病有孤舟。——唐·杜甫《登岳阳楼》

有孙母未去，出入无完裙。——唐·杜甫《石壕吏》

独怜幽草涧边生，上有黄鹂深树鸣。——唐·韦应物《滁州西涧》

新年都未有芳华，二月初惊见草芽。——唐·韩愈《春雪》

转轴拨弦三两声，未成曲调先有情。——唐·白居易《琵琶行》

忽闻海上有仙山，山在虚无缥渺间。——唐·白居易《长恨歌》

东边日出西边雨，道是无晴却有晴。——唐·刘禹锡《竹枝词》

远上寒山石径斜，白云生处有人家。——唐·杜牧《山行》

借问酒家何处有，牧童遥指杏花村。——唐·杜牧《清明》

君问归期未有期，巴山夜雨涨秋池。——唐·李商隐《夜雨寄北》

沧海月明珠有泪，蓝田日暖玉生烟。——唐·李商隐《锦瑟》

天地有正气，杂然赋流形。——宋·文天祥《正气歌》

人有悲欢离合，月有阴晴圆缺，此事古难全。——宋·苏轼《水调歌头·明月几

时有》

零落成泥碾作尘，只有香如故。——宋·陆游《卜算子·咏梅》

小荷才露尖尖角，早有蜻蜓立上头。——宋·杨万里《小池》

若言姑待明朝至，明朝又有明朝事。——明·文嘉《今日歌》

造物无言却有情，每于寒尽觉春生。——清·张维屏《新雷》

已是悬崖百丈冰，犹有花枝俏。——现代·毛泽东《卜算子·咏梅》

与

汩余若将不及兮，恐年岁之不吾与。——战国·屈原《离骚》

山气日夕佳，飞鸟相与还。——晋·陶渊明《饮酒》

与君离别意，同是宦游人。——唐·王勃《送杜少府之任蜀州》

五花马，千金裘，呼儿将出换美酒，与尔同销万古愁。——唐·李白《将进酒》

我寄愁心与明月，随风直到夜郎西。——唐·李白《闻王昌龄左迁龙标遥有此寄》

所守或匪亲，化为狼与豺。——唐·李白《蜀道难》

事了拂衣去，深藏身与名。——唐·李白《侠客行》

尔来四万八千岁，不与秦塞通人烟。——唐·李白《蜀道难》

白兔捣药成，问言与谁餐？——唐·李白《古朗月行》

天明登前途，独与老翁别。——唐·杜甫《石壕吏》

去时里正与裹头，归来头白还戍边。——唐·杜甫《兵车行》

况复秦兵耐苦战，被驱不异犬与鸡。——唐·杜甫《兵车行》

中军置酒饮归客，胡琴琵琶与羌笛。——唐·岑参《白雪歌送武判官归京》

他年我若为青帝，报与桃花一处开。——唐·黄巢《题菊花》

昨日邻家乞新火，晓窗分与读书灯。——宋·王禹偁《清明》

便纵有千种风情，更与何人说。——宋·柳永《雨霖铃·寒蝉凄切》

人生自是有情痴，此恨不关风与月。——宋·欧阳修《玉楼春·尊前拟把归期说》

中秋谁与共孤光。把盏凄然北望。——宋·苏轼《西江月·世事一场大梦》
卧看满天云不动，不知云与我俱东。——宋·陈与义《襄邑道中》
三十功名尘与土，八千里路云和月。——宋·岳飞《满江红·写怀》

毕竟西湖六月中，风光不与四时同。——宋·杨万里《晓出净慈寺送林子方》
梅子留酸软齿牙，芭蕉分绿与窗纱。——宋·杨万里《闲居初夏午睡起》
难将心事和人说，说与青天明月知。——明·唐寅《美人对月》
嫁与东风春不管，凭尔去，忍淹留！——清·曹雪芹《唐多令·柳絮》
山舞银蛇，原驰蜡象，欲与天公试比高。——现代·毛泽东《沁园春·雪》

Z

知

怅然遥相望，知是故人来。——汉·佚名《乐府歌·孔雀东南飞》

南风知我意，吹梦到西洲。——南朝·佚名《乐府民歌·西洲曲》

沐猴而冠带，知小而谋强。——三国魏·曹操《薤露》

当路谁相假，知音世所稀。——唐·孟浩然《留别王侍御维》

深林人不知，明月来相照。——唐·王维《竹里馆》

兴来每独往，胜事空自知。——唐·王维《终南别业》

但见宵从海上来，宁知晓向云间没？——唐·李白《把酒问月》

知归俗可忽，取适事莫并。——唐·杜甫《渼陂西南台》

知君京口去，借问几时回？——唐·岑参《送樊侍御使丹阳便觐》

人生处万类，知识最为贤。——唐·韩愈《谢自然诗》

知有长生药，谁为不死人？——唐·文丙《罗浮山》

更有高堂处，知君路不迷。——唐·郑锡《送客之江西》

闻道边城苦，今来到始知。——唐·薛涛《罚赴边有怀上韦令公》

知音如见赏，雅调为君传。——唐·朱湾《筝柱子》

知君拜亲后，少妇下机迎。——唐·韩翃《送故人归鲁》

不知天上宫阙，今夕是何年。——宋·苏轼《水调歌头·明月几时有》

久旱逢甘雨，他乡遇故知。——宋·汪洙《神童诗》

遥知不是雪，为有暗香来。——宋·王安石《梅花》

知否？知否？应是绿肥红瘦。——宋·李清照《如梦令·昨夜雨疏风骤》

死去元知万事空，但悲不见九州同。——宋·陆游《示儿》

纸上得来终觉浅，绝知此事要躬行。——宋·陆游《冬夜读书示子聿》

醉后不知天在水，满船清梦压星河。——元·唐珙《题龙阳县青草湖》

主人计固佳，不可与鸡知。——清·袁枚《鸡·养鸡纵鸡食》

要知松高洁，待到雪化时。——现代·陈毅《青松》

陶令不知何处去，桃花源里可耕田？——现代·毛泽东《七律·登庐山》

醉

行迈靡靡，中心如醉。——先秦《诗经·王风·黍离》

醉卧沙场君莫笑，古来征战几人回？——唐·王翰《凉州词》

空堂坐相忆，酌茗聊代醉。——唐·孟浩然《清明即事》

高楼送客不能醉，寂寂寒江明月心。——唐·王昌龄《芙蓉楼送辛渐》

复值接舆醉，狂歌五柳前。——唐·王维《辋川闲居赠裴秀才迪》

但使主人能醉客，不知何处是他乡。——唐·李白《客中行》

醒时相交欢，醉后各分散。——唐·李白《月下独酌》

高歌取醉欲自慰，起舞落日争光辉。——唐·李白《南陵别儿童入京》

朝回日日典春衣，每日江头尽醉归。——唐·杜甫《曲江》

吴酒一杯春竹叶，吴娃双舞醉芙蓉。——唐·白居易《忆江南·江南忆》

醉不成欢惨将别，别时茫茫江浸月。——唐·白居易《琵琶行》

金屋妆成娇侍夜，玉楼宴罢醉和春。——唐·白居易《长恨歌》

夜饮东坡醒复醉，归来仿佛三更。——宋·苏轼《临江仙·夜饮东坡醒复醉》

云间笑语，使君高会，佳人半醉。——宋·苏轼《水龙吟·黄州梦过栖霞楼》

我醉拍手狂歌，举杯邀月，对影成三客。——宋·苏轼《念奴娇·中秋》

暖风熏得游人醉，直把杭州作汴州。——宋·林升《题临安邸》

常记溪亭日暮，沉醉不知归路。——宋·李清照《如梦令·常记溪亭日暮》

日长似岁闲方觉，事大如天醉亦休。——宋·陆游《秋思》

醉里挑灯看剑，梦回吹角连营。——宋·辛弃疾《破阵子·为陈同甫赋壮词以寄之》

醉里吴音相媚好，白发谁家翁媪。——宋·辛弃疾《清平乐·村居》

题红叶清流御沟，赏黄花人醉歌楼。——元·卢挚《沉醉东风·重九》

酒醒只在花前坐，酒醉还来花下眠。——明·唐寅《桃花庵歌》

草长莺飞二月天，拂堤杨柳醉春烟。——清·高鼎《村居》

深宵沉醉起，无处觅菰蒲。——现代·鲁迅《烟水寻常事》

竹

如竹苞矣，如松茂矣。——先秦《诗经·小雅·斯干》

山际见来烟，竹中窥落日。——南朝·吴均《山中杂诗》

霜戟列丹陛，丝竹韵长廊。——唐·李世民《元日》

过江千尺浪，入竹万竿斜。——唐·李峤《风》

竹喧归浣女，莲动下渔舟。——唐·王维《山居秋暝》

苍苍竹林寺，杳杳钟声晚。——唐·刘长卿《送灵澈上人》

江深竹静两三家，多事红花映白花。——唐·杜甫《江畔独步寻花》

青溪先有蛟龙窟，竹石如山不敢安。——唐·杜甫《绝句》

雨里鸡鸣一两家，竹溪村路板桥斜。——唐·王建《雨过山村》

住近湓江地低湿，黄芦苦竹绕宅生。——唐·白居易《琵琶行》

浔阳地僻无音乐，终岁不闻丝竹声。——唐·白居易《琵琶行》

夜深知雪重，时闻折竹声。——唐·白居易《夜雪》

渔翁夜傍西岩宿，晓汲清湘燃楚竹。——唐·柳宗元《渔翁》

江娥啼竹素女愁，李凭中国弹箜篌。——唐·李贺《李凭箜篌引》

窗竹影摇书案上，野泉声入砚池中。——唐·杜荀鹤《题弟侄书堂》

相呼相应湘江阔，苦竹丛深日向西。——唐·郑谷《鹧鸪》

夜深霜露锁空庙，零落一丛斑竹风。——唐·牛殳《琵琶行》

凭阑半日独无言，依旧竹声新月似当年。——五代·李煜《虞美人·风回小院庭芜绿》

爆竹声中一岁除，春风送暖入屠苏。——宋·王安石《元日》

可使食无肉，不可居无竹。无肉令人瘦，无竹令人俗。——宋·苏轼《于潜僧绿筠轩》

中年亲友难别，丝竹缓离愁。——宋·苏轼《水调歌头·安石在东海》

林断山明竹隐墙，乱蝉衰草小池塘。——宋·苏轼《鹧鸪天·林断山明竹隐墙》

淮左名都，竹西佳处，解鞍少驻初程。——宋·姜夔《扬州慢·淮左名都》

柏府楼台衔倒影，茅茨松竹泻寒声。——明·王守仁《次韵陆佥宪元日春晴》

新竹高于旧竹枝，全凭老干为扶持。——清·郑燮《新竹》

斑竹一枝千滴泪，红霞万朵百重衣。——现代·毛泽东《七律·答友人》

枝

山有木兮木有枝，心悦君兮君不知。——先秦·佚名《古歌·越人歌》

胡马依北风，越鸟巢南枝。——汉·佚名《古诗十九首·行行重行行》

绕树三匝，何枝可依？——三国魏·曹操《短歌行》

风声一何盛，松枝一何劲。——魏·刘桢《赠从弟》

燕草如碧丝，秦桑低绿枝。——唐·李白《春思》

天倾欲堕石，水拂寄生枝。——唐·李白《秋浦歌》

繁枝容易纷纷落，嫩叶商量细细开。——唐·杜甫《江畔独步寻花》

黄四娘家花满蹊，千朵万朵压枝低。——唐·杜甫《江畔独步寻花》

应似园中桃李树，花落随风子在枝。——唐·白居易《母别子》

在天愿作比翼鸟，在地愿为连理枝。——唐·白居易《长恨歌》

一树春风千万枝，嫩于金色软于丝。——唐·白居易《杨柳枝词》

花开堪折直须折，莫待无花空折枝。——唐·杜秋娘《金缕衣》

晓迎秋露一枝新，不占园中最上春。——唐·杜牧《紫薇花》

一枝红杏出墙头，墙外行人正独愁。——唐·吴融《途中见杏花》
清香更何用，犹发去年枝。——五代·李煜《梅花》
绿杨烟外晓寒轻，红杏枝头春意闹。——宋·宋祁《玉楼春·春景》
墙角数枝梅，凌寒独自开。——宋·王安石《梅花》
有情芍药含春泪，无力蔷薇卧晓枝。——宋·秦观《春日》
连理枝头花正开，妒花风雨便相催。——宋·朱淑真《落花》
明月别枝惊鹊，清风半夜鸣蝉。——宋·辛弃疾《西江月·夜行黄沙道中》

宁可枝头抱香死，何曾吹落北风中。——宋·郑思肖《画菊》
小梅枝上东君信。雪后花期近。南枝开尽北枝开。——宋·晏几道《虞美人·小梅枝上东君信》
攀出墙朵朵花，折临路枝枝柳。——元·关汉卿《一枝花·不伏老》
些小吾曹州县吏，一枝一叶总关情。——清·郑燮《潍县署中画竹呈年伯包大中丞括》
已是悬崖百丈冰，犹有花枝俏。——现代·毛泽东《卜算子·咏梅》

舟

泛彼柏舟，亦泛其流。——先秦《诗经·邶风·柏舟》
日夕凉风发，翩翩漂吾舟。——三国魏·王粲《从军诗》
巨川思欲济，终以寄舟航。——唐·李世民《元日》
莫听声声催去棹，桃溪浅处不胜舟。——唐·王之涣《宴词》
移舟泊烟渚，日暮客愁新。——唐·孟浩然《宿建德江》
欲济无舟楫，端居耻圣明。——唐·孟浩然《临洞庭湖赠张丞相》
吴姬越艳楚王妃，争弄莲舟水湿衣。——唐·王昌龄《采莲曲》
竹喧归浣女，莲动下渔舟。——唐·王维《山居秋暝》
李白乘舟将欲行，忽闻岸上踏歌声。——唐·李白《赠汪伦》

两岸猿声啼不住，轻舟已过万重山。——唐·李白《早发白帝城》

仍怜故乡水，万里送行舟。——唐·李白《渡荆门送别》
水急客舟疾，山花拂面香。——唐·李白《秋浦歌》
闲来垂钓碧溪上，忽复乘舟梦日边。——唐·李白《行路难》
亲朋无一字，老病有孤舟。——唐·杜甫《登岳阳楼》
细草微风岸，危樯独夜舟。——唐·杜甫《旅夜书怀》
春潮带雨晚来急，野渡无人舟自横。——唐·韦应物《滁州西涧》
沉舟侧畔千帆过，病树前头万木春。——唐·刘禹锡《酬乐天扬州初逢席上见赠》
孤舟蓑笠翁，独钓寒江雪。——唐·柳宗元《江雪》
移舟水溅差差绿，倚槛风摆柄柄香。——唐·郑谷《莲叶》
君看一叶舟，出没风波里。——宋·范仲淹《江上渔者》

小舟从此逝，江海寄余生。——宋·苏轼《临江仙·夜饮东坡醒复醉》
轻解罗裳，独上兰舟。——宋·李清照《一剪梅·红藕香残玉簟秋》
掷地刘郎玉斗，挂帆西子扁舟。——宋·辛弃疾《破阵子·掷地刘郎玉斗》
春雨断桥人不渡，小舟撑出柳阴来。——宋·徐俯《春日游湖上》
孤舟夜泊洞庭边，灯火青荧对客船。——元·孙周卿《水仙子·舟中》
一幅云蓝一叶舟，隔江山色镜中收。——清·薛时雨《浣溪沙·舟泊东流》
曾记否，到中流击水，浪遏飞舟？——现代·毛泽东《沁园春·长沙》

在

关关雎鸠，在河之洲。——先秦《诗经·周南·关雎》
老骥伏枥，志在千里。——三国魏·曹操《龟虽寿》
萁在釜下燃，豆在釜中泣。——三国魏·曹植《七步诗》

结庐在人境，而无车马喧。——晋·陶渊明《饮酒》

无为在歧路，儿女共沾巾。——唐·王勃《送杜少府之任蜀州》

萧关逢候骑，都护在燕然。——唐·王维《使至塞上》

独在异乡为异客，每逢佳节倍思亲。——唐·王维《九月九日忆山东兄弟》

历天又复入西海，六龙所舍安在哉？——唐·李白《日出入行》

又疑瑶台镜，飞在青云端。——唐·李白《古朗月行》

却看妻子愁何在，漫卷诗书喜欲狂。——唐·杜甫《闻官军收河南河北》

国破山河在，城春草木深。——唐·杜甫《春望》

留连戏蝶时时舞，自在娇莺恰恰啼。——唐·杜甫《江畔独步寻花》

忽闻海上有仙山，山在虚无缥渺间。——唐·白居易《长恨歌》

主人下马客在船，举酒欲饮无管弦。——唐·白居易《琵琶行》

自言本是京城女，家在虾蟆陵下住。——唐·白居易《琵琶行》

雕栏玉砌应犹在，只是朱颜改。——五代·李煜《虞美人·春花秋月何时了》

剪不断，理还乱，是离愁，别是一般滋味在心头。——五代·李煜《相见欢·无言独上西楼》

芳草无情，更在斜阳外。——宋·范仲淹《苏幕遮·怀旧》

不畏浮云遮望眼，自缘身在最高层。——宋·王安石《登飞来峰》

起舞弄清影，何似在人间？——宋·苏轼《水调歌头·明月几时有》

自在飞花轻似梦，无边丝雨细如愁。——宋·秦观《浣溪沙·漠漠轻寒上小楼》

两情若是久长时，又岂在朝朝暮暮。——宋·秦观《鹊桥仙·纤云弄巧》

蓦然回首，那人却在、灯火阑珊处。——宋·辛弃疾《青玉案·元夕》

粉骨碎身全不怕，要留清白在人间。——明·于谦《石灰吟》

夕阳西下，断肠人在天涯。——元·马致远《天净沙·秋思》

咬定青山不放松，立根原在破岩中。——清·郑板桥《竹石》

待到山花烂漫时，她在丛中笑。——现代·毛泽东《卜算子·咏梅》

中

青青园中葵，朝露待日晞。——汉《乐府歌·长歌行》

忧从中来，不可断绝。——三国魏·曹操《短歌行》

日月之行，若出其中；星汉灿烂，若出其里。——三国魏·曹操《观沧海》

此中有真意，欲辨已忘言。——晋·陶渊明《饮酒》

江天一色无纤尘，皎皎空中孤月轮。——唐·张若虚《春江花月夜》

玉户帘中卷不去，捣衣砧上拂还来。——唐·张若虚《春江花月夜》

月出惊山鸟，时鸣春涧中。——唐·王维《鸟鸣涧》

天门中断楚江开，碧水东流至此回。——唐·李白《望天门山》

室中更无人，惟有乳下孙。——唐·杜甫《石壕吏》

中军置酒饮归客，胡琴琵琶与羌笛。——唐·岑参《白雪歌送武判官归京》

慈母手中线，游子身上衣。——唐·孟郊《游子吟》

楼阁玲珑五云起，其中绰约多仙子。——唐·白居易《长恨歌》

昭阳殿里恩爱绝，蓬莱宫中日月长。——唐·白居易《长恨歌》

南朝四百八十寺，多少楼台烟雨中。——唐·杜牧《江南春·千里莺啼绿映红》

小楼昨夜又东风，故国不堪回首月明中。——五代·李煜《虞美人·春花秋月何了》

爆竹声中一岁除，春风送暖入屠苏。——宋·王安石《元日》

持节云中，何日遣冯唐？——宋·苏轼《江城子·密州出猎》

云中谁寄锦书来，雁字回时，月满西楼。——宋·李清照《一剪梅·红藕香残玉簟秋》

王师北定中原日，家祭无忘告乃翁。——宋·陆游《示儿》

毕竟西湖六月中，风光不与四时同。——宋·杨万里《晓出净慈寺送林子方》

我爱山中春，苍崖鸟一声。——明·元鹏《山中四咏》

新寒中酒敲窗雨，残香细袅秋情绪。——清·纳兰性德《菩萨蛮·新寒中酒敲窗雨》

咬定青山不放松，立根原在破岩中。——清·郑燮《竹石》

曾记否，到中流击水，浪遏飞舟？——现代·毛泽东《沁园春·长沙》

待到山花烂漫时，她在丛中笑。——现代·毛泽东《卜算子·咏梅》

自

秦氏有好女，自名为罗敷。——汉·佚名《乐府歌·陌上桑》

问君何能尔，心远地自偏。——晋·陶渊明《饮酒》

随意春芳歇，王孙自可留。——唐·王维《山居秋暝》

兴来每独往，胜事空自知。——唐·王维《终南别业》

挥手自兹去，萧萧班马鸣。——唐·李白《送友人》

自经丧乱少睡眠，长夜沾湿何由彻！——唐·杜甫《茅屋为秋风所破歌》

唇焦口燥呼不得，归来倚杖自叹息。——唐·杜甫《茅屋为秋风所破歌》

留连戏蝶时时舞，自在娇莺恰恰啼。——唐·杜甫《江畔独步寻花》

春潮带雨晚来急，野渡无人舟自横。——唐·韦应物《滁州西涧》

念此私自愧，尽日不能忘。——唐·白居易《观刈麦》

多情自古伤离别，更那堪、冷落清秋节！——宋·柳永《雨霖铃·寒蝉凄切》

东南形胜，三吴都会，钱塘自古繁华。——宋·柳永《望海潮·东南形胜》

始知锁向金笼听，不及林间自在啼。——宋·欧阳修《画眉鸟》

墙角数枝梅，凌寒独自开。——宋·王安石《梅花》

花自飘零水自流。一种相思，两处闲愁。——宋·李清照《一剪梅·红藕香残玉簟秋》

守着窗儿，独自怎生得黑！——宋·李清照《声声慢·寻寻觅觅》

惊回千里梦，已三更。起来独自绕阶行。人悄悄，帘外月胧明。——宋·岳飞《小

重山·昨夜寒蛩不住鸣》
已是黄昏独自愁，更著风和雨。——宋·陆游《卜算子·咏梅》
僵卧孤村不自哀，尚思为国戍轮台。——宋·陆游《十一月四日风雨大作》
塞上长城空自许，镜中衰鬓已先斑。——宋·陆游《书愤》

人生自古谁无死，留取丹心照汗青。——宋·文天祥《过零丁洋》
自胡马窥江去后，废池乔木，犹厌言兵。——宋·姜夔《扬州慢·淮左名都》
炎荒万里频回首，羌笛三更谩自哀。——明·王守仁《元夕》
我自横刀向天笑，去留肝胆两昆仑。——清·谭嗣同《狱中题壁》
鹰击长空，鱼翔浅底，万类霜天竞自由。——现代·毛泽东《沁园春·长沙》

重

纷吾既有此内美兮，又重之以修能。——战国·屈原《离骚》
盛年不重来，一日难再晨。——晋·陶渊明《杂诗》
待到重阳日，还来就菊花。——唐·孟浩然《过故人庄》
百战沙场碎铁衣，城南已合数重围。——唐·李白《从军行》
两岸猿声啼不住，轻舟已过万重山。——唐·李白《早发白帝城》
君不见昔时燕家重郭隗，拥篲折节无嫌猜。——唐·李白《行路难》
八月秋高风怒号，卷我屋上三重茅。——唐·杜甫《茅屋为秋风所破歌》
晓看红湿处，花重锦官城。—— 唐·杜甫《春夜喜雨》
洛阳城里见秋风，欲作家书意万重。——唐·张籍《秋思》
我闻琵琶已叹息，又闻此语重唧唧。——唐·白居易《琵琶行》

但愿将军重立功，更有新人胜于汝。——唐·白居易《母别子》
半卷红旗临易水，霜重鼓寒声不起。——唐·李贺《雁门太守行》
云中乱拍禄山舞，风过重峦下笑声。——唐·杜牧《过华清宫绝句》

共约重芳日，还忧不盛妍。——五代·李煜《梅花》

京口瓜洲一水间，钟山只隔数重山。——宋·王安石《泊船瓜洲》

重过阊门万事非，同来何事不同归？——宋·贺铸《鹧鸪天·重过阊门万事非》

佳节又重阳，玉枕纱橱，半夜凉初透。——宋·李清照《醉花阴·薄雾浓云愁永昼》

酒意诗情谁与共，泪融残粉花钿重。——宋·李清照《蝶恋花·暖雨晴风初破冻》

山重水复疑无路，柳暗花明又一村。——宋·陆游《游山西村》

若是前生未有缘，待重结、来生愿。——宋·乐婉《卜算子》

枝间新绿一重重，小蕾深藏数点红。——金·元好问《同儿辈赋未开海棠》

画堂春暖绣帏重，宝篆香微动。——元·马致远《小桃红·画堂春暖绣帏重》

三载重阳菊，开时不在家。——明·文森《九日》

我劝天公重抖擞，不拘一格降人才。——清·龚自珍《己亥杂诗》

久有凌云志，重上井冈山。千里来寻故地，旧貌变新颜。——现代·毛泽东《水调歌头·重上井冈山》

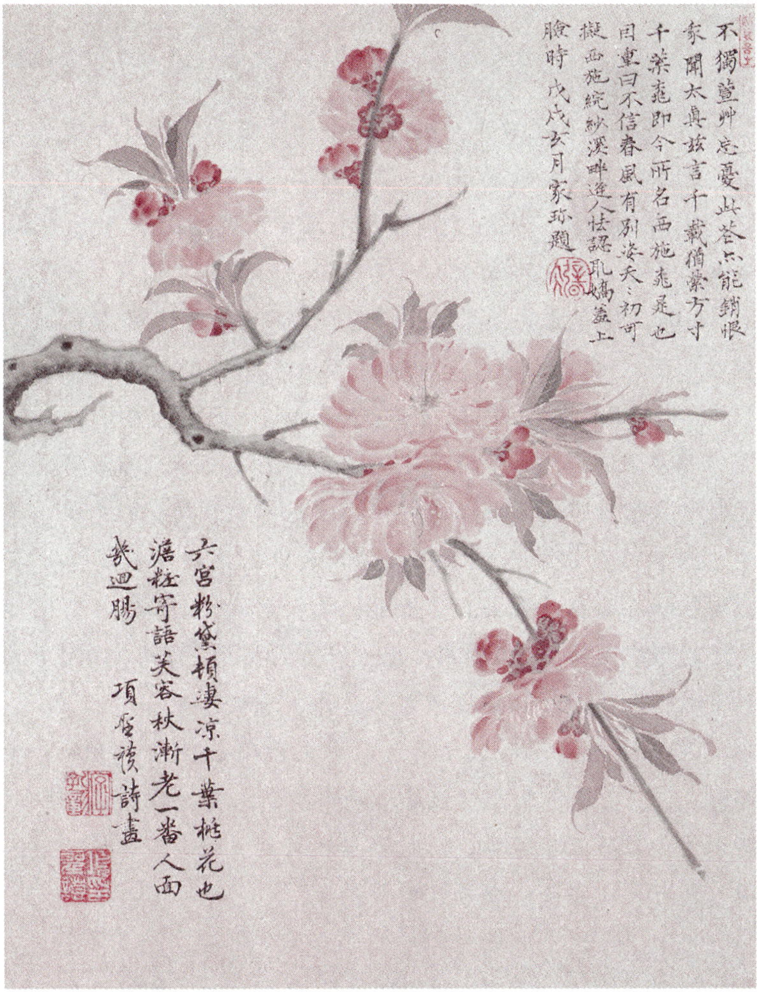
不獨萱草忘憂此卷亦能銷恨
家聞太眞玆言千載猶縈方寸
千葉花即今所名西施花是也
因重曰不信春風有別姿夭夭初可
擬西施浣紗溪畔逢人怯認孔嬌羞上
臉時 戊戌玄月家弥題
六宮粉黛頓凄凉千葉桃花也
澹粧寄語芙蓉秋漸老一番人面
幾迴腸
項聖謨詩畫

项圣谟《莫花卉十开》

编者简介

顾问：

赵宗乙，男，山东龙口人，1986 年毕业于哈尔滨师范大学中文系。曾任齐齐哈尔师范学院黑河分校副校长，黑河市二届政协副主席，九届全国人大代表，1997 年晋升为教授，先后于国家及省级学术刊物上发表论文 40 多篇。出版专著《淮南子译注》《淮南子札记》《论语解读》《论语札记》《说文解字部首详解》5 部，另有主编、副主编《通假大字典》等 6 部图书。

赵榕生，男，福建福州人，1980 年毕业于福建师范大学政教系，曾任乡镇副镇长、镇长、镇党委书记、副区长、区委常委、区委副书记、纪委书记等职。2012 年任宁德市教育局党组副书记、局长，2016 年任宁德市教育局党组书记、局长，现任中共宁德市委教育工委书记，宁德市教育局党组书记、局长。

陈更，女，陕西咸阳人，《中国诗词大会》第四季冠军，北京大学一般力学与力学基础专业在读博士生，全国妇联家庭和儿童工作部“‘书香飘万家’亲子阅读活动推广大使”。畅销书《几生修得到梅花》作者，作品曾发表于《光明日报》等媒体，现为《北京晚报》《意林》专栏作者。

彭敏，男，湖南衡阳人，北京大学中文系硕士毕业，现为《诗刊》杂志社编辑部副主任。曾获人民文学短篇小说年度新人奖、《中国成语大会》冠军、《中国诗词大会》第五季冠军。出版励志散文集《被嘲笑过的梦想，总有一天会让你闪闪发光》，经营公众号“彭敏先森”。

主编：

阮蔚蕉，男，福建罗源人，主任编辑，1960 年毕业于福建师范学院中文系。长期坚持中国古诗词研究。已出版编著《不读诗何以解茶 · 历代茶诗选注》《诗出有茗 · 福建茶诗选注》等 8 部图书。论文《唐五代福建诗人初识》《关于中国最早的涉茶诗》等 30 余篇散见于海内外报刊。

常务副主编：

谢兆文，男，福建罗源人，1991年毕业于福建师范大学教育系，历任大中专教师，长期坚持中国汉字规范书写与中国古诗词研究。现任宁德市人民政府教育督导室督学，宁德市语言文字工作委员会办公室主任。多次组织、辅导并带队参加《中国诗词大会》《中国汉字听写大会》《汉字风云会》等。

副主编：

杨秀芳，女，福建古田人，福建省作家协会会员，海子诗社、北美国际诗社等十多家诗社会员。高级教师，专长古诗词和地方古楹联研究，长期致力于散文和诗歌创作，一千多件作品发表于各杂志、刊物以及网络媒体。

温志拔，男，南京大学文学博士，福建师范大学福清分校汉语言文学专业主任，副教授，硕士生导师。曾主持2013年度国家社会科学基金项目《南宋考据学研究》，第54批中国博士后科学基金一等面上资助项目《两宋之际的学术世界》，并于2014年、2017年先后入选“福建省青年杰出科研人才支持培育计划”“福建省高校新世纪优秀人才支持计划”。

主要参考书目

【1】逯钦立．先秦汉魏晋南北朝诗 [M]. 北京：中华书局，1983.

【2】[清] 彭定求．全唐诗 [M]. 上海：上海辞书出版社，1986.

【3】陈尚君．全唐诗补编 [M]. 北京：中华书局，1992.

【4】张璋，黄畬．全唐五代词 [M]. 上海：上海古籍出版社，1986.

【5】傅璇琮．全宋诗 [M]. 北京：北京大学出版社，1991.

【6】吴之振．宋诗钞 [M]. 北京：中华书局，1986.

【7】唐圭璋．全宋词 [M]. 北京：中华书局，1986.

【8】[清] 张豫章．御选宋金元明四朝 四库全书钞本．

【9】钱仲联，章培恒，陈祥耀，等．元明清诗鉴赏辞典（清．近代）[M]. 上海：上海辞书出版社，1994.

【10】周振甫．诗经译注 [M]. 北京：中华书局，2002.

【11】姜亮夫，夏传才，赵逵夫，等．先秦诗鉴赏辞典 [M]. 上海：上海辞书出版社，1998.

【12】吴小如，王运熙，章培恒，等．汉魏六朝诗鉴赏辞典 [M]. 上海：上海辞书出版社，1992.

【13】萧涤非，程千帆，马茂元，等．唐诗鉴赏辞典 [M]. 上海：上海辞书出版社，1983.

【14】缪钺，霍松林，周振甫，等．宋诗鉴赏辞典 [M]. 上海：上海辞书出版社，1986.

【15】贺新辉，霍松林，等．宋诗鉴赏辞典 [M]. 北京：北京燕山出版社，1987.

【16】周汝昌，唐圭璋，宛敏灏，等．唐宋词鉴赏辞典 [M]. 上海：上海

辞书出版社，1988.

【17】钱仲联，章培恒，陈祥耀，等 . 元明清诗鉴赏辞典（辽 . 金 . 元 . 明）[M]. 上海：上海辞书出版社，1994.

图书在版编目(CIP)数据

飞花令/谢兆文,杨秀芳编著. —福州:海峡文艺出版社,2019.8(2022.10 重印)
(《诗词大赛系列宝典》丛书)
ISBN 978-7-5550-1874-2

Ⅰ.①飞… Ⅱ.①谢…②杨… Ⅲ.①古典诗歌—诗歌欣赏—中国 Ⅳ.①I207.2

中国版本图书馆 CIP 数据核字(2019)第 104464 号

《诗词大赛系列宝典》丛书
飞花令

谢兆文 杨秀芳 编著
责任编辑 何 莉
出版发行 海峡文艺出版社
经　　销 福建新华发行(集团)有限责任公司
社　　址 福州市东水路 76 号 14 层
发 行 部 0591—87536797
印　　刷 中闻集团福州印务有限公司
厂　　址 福州市鼓楼区鼓屏路 33 号
开　　本 720 毫米×1010 毫米 1/16
字　　数 370 千字
印　　张 19
版　　次 2019 年 8 月第 1 版
印　　次 2022 年 10 月第 7 次印刷
书　　号 ISBN 978-7-5550-1874-2
定　　价 48.00 元